D0581939

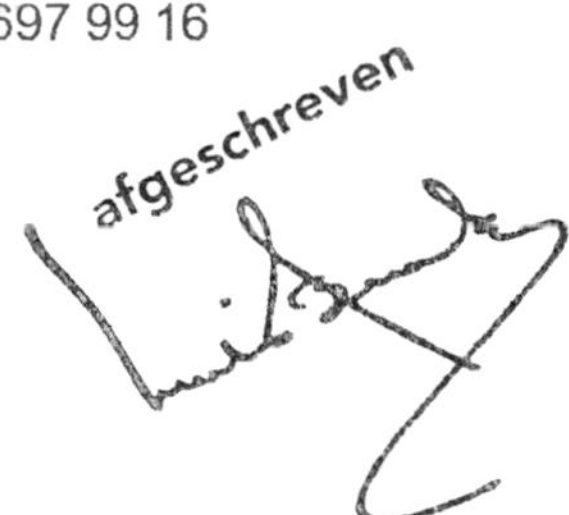
afgeschreven

Milou van der Will

Een enkeltje Venus

2013
DE BEZIGE BIJ
AMSTERDAM

Cargo is een imprint van Uitgeverij De Bezige Bij, Amsterdam

Omslagontwerp Alexandra de Vries, Studio 100%
Omslagillustratie © Donna Irene/Getty Images
Foto auteur Jeppe van Pruisen
Vormgeving binnenwerk Peter Verwey, Heemstede
Druk Bariet, Steenwijk
ISBN 978 90 234 7695 5
NUR 301

www.uitgeverijcargo.nl

Dit is geen leven om te delen
En toch is heel m'n hart van jou
Maar laat me niet te veel beloven
Want ik blijf m'n dromen trouw

Uit 'Tussen de liefde en de leegte' van Stef Bos

Voet voor voet, sneller en sneller. Huizen flitsen aan me voorbij, deur voor deur. Ik zou er kunnen aanbellen, maar dat doe ik niet. Stel dat er niet opengedaan wordt, stel dat ik het verkeerde huis kies. Gokken met mijn leven.

Het is muziek. Mijn voeten het ritme, mijn hart de zware bas. Gehijg als vocaal. Op de achtergrond hun stemmen, ze lachen, ze schreeuwen, almaar harder.

Ik ben niet snel genoeg. Ik ben niet snel genoeg. Ik ben niet snel genoeg.

Een zware dreun op mijn rug en ik val neer, mijn wang schuurt langs de stoeptegel. De jongens lachen.

'Waarom ging je er nou zo snel vandoor, sukkel?'

Ik geef geen antwoord. Mijn masker trekt zich op. Ze kunnen me geen pijn doen. Ze kunnen me schoppen, slaan, maar ze kunnen me niet raken. Niet meer.

'Hé sukkeltje, ben je daar? Wat deed je nou slim bij de juf? Opschepper. Homo. Denk je dat je slim bent?'

Gelach. Hard gelach.

'Hij is echt niet slim. Hij is juist dom. Een domme homo.'

Een trap in mijn zij. 'Hé, zeg eens wat. Hé, leef je nog?'

Nog eens gelach.

Tim Waterman stapt naar voren. Hij is de aanvoerder. De mooiste jongen van de klas en dus de populairste. Het kost me moeite om hem aardig te vinden, zoals iedereen in de klas. Ook daar ben ik anders in.

Hij reikt me de hand. 'Sta op, jongen. Ik help je wel.'

Ik pak zijn hand en laat me door hem overeind hijsen. Bij wijze van dank knik ik hem toe.

Hij antwoordt met die grijns, de grijns die hem typeert. Zijn lippen omlijsten zijn tanden als vettige worsten. In slow motion zie ik het gebeuren. Tim, die even om zich heen kijkt – ziet iedereen het wel? – en dan zijn vuist die naar voren schiet, zo tegen mijn wang. Tegen de schaafwond.

Ik incasseer, voordat ik wild word. Ik buk en ik slik mijn pijn door. Ik jaag mijn duizeligheid weg en ga pas dan in de aanval. Ik voel me een buffel, die zou het ook zo doen. Ik maak geen kans, dat weet ik, maar ik kan de woede die door mijn lijf raast niet negeren. Ik zuig energie mijn neus binnen, zet mijn denkbeeldige hoorns op scherp en duik met mijn hoofd vol in zijn buik. De steek in mijn nek negeer ik. Dan begin ik op hem in te rammen. Het moet er maf uitzien. Ik, de dunne slungel, hij de stevige knaap. Ik raak zijn zij, zijn bovenbenen, zijn rug, zijn milt. Ik wens dat ik hem zeer doe. Ik hoop dat ik hem raak, zoals hij mij kan raken. Ik wens dat hij eens voelt wat ik heb gevoeld – al die keren die hier al aan voorafgingen.

'Wow, wow, wow,' roept Tim. 'Wat krijgen we nou? Hij doet wat terug.'

Iedereen lacht. Of misschien lachten ze al, maar nu harder.

'Oké, nu is het wel genoeg,' zegt hij.

Ik stop niet. Natuurlijk stop ik niet.

Vier sterke armen grijpen me en duwen me van hem af. Ik val op de grond en ik bezeer mijn knie. Ik pak mijn knie vast en zit op de grond, waar een gordijn van jongensbenen zich voor me sluit. Ik voel de dreiging van het slotakkoord dat komen gaat. Ik zet me schrap om te incasseren, nog eens, nog weer.

Het duurt minder lang dan de vorige keer. Misschien raken ze op me uitgekeken, omdat ik toch niks terugdoe. Ik laat ze begaan.

Ik hap naar adem als ze weglopen. De jongens veranderen in vage, kleine poppetjes. Ik ben alleen.

1

Ik lig in een kamer die me vreemd is, ook al voel ik dat ik er hoor. Geratel van een servieskar verderop, elektronische piepjes, gekuch vanaf de gang. Er gaat een telefoon over die niemand opneemt. Onderdrukte stemmen voeren een vertrouwelijk gesprek.

Dichterbij, een schoonmaker in lichtblauw tenue dweilt zich een weg door mijn kamer. Hij knikt me toe.

'Goedemorgen,' zeg ik.

'Pas op, Dick!'

Een verpleegster duwt haar drankkarretje langs de schoonmaker, die kennelijk Dick heet, mijn kamer in. De stroef geworden wieltjes bootsen een muis in doodsangst na. Ik stel me voor dat ik de klus afmaak, dat ik die muis dood, in ruil voor een glaasje appelsap, of een kopje te sterk getrokken earl grey van het dienblad. In plaats daarvan moet ik het doen met water, gewoon water. Doktersvoorschrift. Na het klysma eerder op de ochtend moet ik zo goed als nuchter blijven, tot morgen.

Mijn maag voert een zinloos protest, de verpleegster houdt voet bij stuk. Ze denkt het goed te kunnen maken met een gezellige grinnik, maar dat werkt averechts. Ze ruikt uit haar mond. Ik wens dat ze afstand bewaart.

Vlug pak ik het bekertje aan en knik haar toe. 'Bedankt.'

Het wachten is begonnen. Ik wacht op wat nu onwaarschijnlijk komen gaat. Mijn verlossing, de verwezenlijking van mijn droom. Het klinkt hoogdravend, ik weet het, en dat is het ook wel een beetje. Goed, misschien dat het op wereldniveau niet echt schokkend is, maar ik druk het zo uit omdat het in mijn beleving wel groots is.

Mijn leven begint na deze operatie.

Het is mijn geboorte.

Terug op aarde, hoewel mijn gedachten geen logisch patroon volgen. De hongerige leegte in mijn maag zet de logica van mijn overpeinzingen onder druk. Ik denk aan de melk die thuis in de koelkast staat en over datum zal zijn als ik terugkom. Ik denk aan mijn benedenbuurvrouw die in de veronderstelling is dat ik haar nooit zie gluren vanachter de witte vitrage. Ik denk aan de eerste keer dat ik mezelf naar een hoogtepunt rukte, uitgerekend nu. Het is geen droom, of heimelijke fantasie, maar slechts een jammerlijk getimede gedachte, zonder betekenis. Ik denk onbedoeld aan mijn wijsvinger en duim, die mijn nog kleine geslachtsdeel omsluiten, ik denk aan de plezierige ontdekking van genot, die me overdonderde. Er is dus toch iets positiefs wat die slurf me kan brengen, heb ik toen gedacht. Slurf, zo noem ik dat weerzinwekkende ding. Ik ruk mezelf, in mijn jongenskamer, terwijl ik denk aan hoe het ook kan zijn. Ik ruk mezelf om het maar kwijt te kunnen, om maar iets kwijt te kunnen, al doelde ik eigenlijk niet op sperma.

De gedachte is ongepast, behoorlijk ongepast. Ik voel met mijn vingers aan mijn geslachtsdeel. Het stuk vlees tussen mijn benen blijft gelukkig slap, geeft geen blijk van seksuele stimulans. Het draadje dat prikkels van dat soort doorgeeft is op nonactief gesteld, hoewel de zwellichamen sinds twee weken weer vrij spel hebben. Eerst gaven ze me hormonen, nu hebben ze me die weer afgenomen, want dat is veiliger voor de operatie, of iets dergelijks. Ze weten niet hoe moeilijk ik het daarmee heb. Eerst hebben ze me eraan verslaafd gemaakt, toen namen ze het me af. Ze hebben een junk van me gemaakt, realiseer ik me. Ik ben verslaafd aan mezelf zijn en bijna, echt bijna nam ik het voor lief. Nu die hormonen niet meer door mijn lijf stromen tintelt het testosteron, dat zijn laatste kans lijkt te pakken. Mag ik het echt niet proberen? vraagt de mannelijkheid van mijn lijf. Weet je het wel zeker?

Ja, antwoordt mijn hart. Verdomde zeker.

En ja hoor, toch zie ik het gebeuren. Ik zie het laken stijgen. Er ontstaat een witte puntmuts ter hoogte van mijn kruis. Ik kijk weg van het bewijs dat mijn mannelijkheid me nog steeds de baas kan zijn, als ze dat wil. Dat mijn verlangen officieel een vrouw te zijn, zoals ik me voel, nog altijd een verlangen is. Een wens. En dat de realiteit net zo hard is als mijn lul op dit moment. Ik probeer de realiteit te negeren.

Ineens zie ik haar. Een wonderschone dame, ze zit onderuitgezakt in de vensterbank van mijn kamer. Ik probeer de gedachte over de rukkende puberversie van de persoon die ik geworden ben uit te bannen. Ik druk mijn stijve omlaag met mijn hand. Glacékoeken, denk ik. Wasmiddel. Mijn dode oma. Pizza. Stinksokken.

Haar lach is als zoet geluk, als roomboter op een versgebakken suikerbroodje, ik de bij en zij de honing. Zij de engel, ik de stervende soldaat. Ik wil met haar zoenen, zo verleidelijk lachen haar lippen me toe. Haar ogen, onschuldig, serieus. Ze lijken me te kennen, die ogen. Of andersom, ik ken die ogen. Ik herstel me, nog eens, probeer mijn gedachten te neutraliseren en glimlach terug.

'Daar zijn we dan,' zeg ik.

De clichés die ik in ongemakkelijke situaties weet te uiten zijn van ongekend hoog niveau. Ik denk het wel vaker, daar moet ik iets mee doen.

'Ben je zenuwachtig?' vraagt ze.

'Nou en of,' zeg ik met een knipoog. Alsof het niet zo is.

Ik vecht tegen de honger. Zonder voedsel heb ik nooit zo best gefunctioneerd.

‘Ben je er klaar voor?’

Ik knik. ‘Hemelaal. Helemaal, bedoel ik.’

‘Mooi.’

Ze heet Steffie. Ik weet niet hoe ik dat weet. Heeft ze zich al voorgesteld?

De geheime barbiepop die ik vroeger onder mijn bed had liggen heette ook Steffie. Deze Steffie heeft wel wat weg van een barbiepop. Breekbare schoonheid, prachtige ogen, perfect figuur.

‘Hoe voel je je?’ vraagt ze.

‘Hoe voel ik me,’ herhaal ik. En nog eens: ‘Hoe voel ik me...’

‘Ja,’ herhaalt ook zij. ‘Hoe voel je je?’

Ik denk aan hoe ik me voel. Aan hoe ik daar achtentwintig jaar niet mee bezig ben geweest en twee jaar alleen maar.

Mijn gevoelsleven kan ik momenteel het best omschrijven als een wervelwind die nooit gaat liggen, met in het oog een punt van rust. Steeds weer trek ik naar dat oog, steeds weer beland ik er, maar ook steeds weer raak ik ervandaan. Telkens weten de vlagen van de wind me mee te rukken en me over de kop te gooien. Ik moet maar weer afwachten waar ik neerkom, in welke toestand ik mezelf terugvind, als de wind even is gaan liggen. En dat is iets wat het klimaat van mijn nieuwe leven slechts zelden toelaat.

‘Ik voel me prima,’ zeg ik dan tegen haar. ‘Morgen is de grote dag.’

Ze lacht een bevrijdende lach. Ik merk dat ik haar naboots. Samen lachen we een bevrijdende lach.

Nog steeds voel ik de druk op mijn borst, als een olifant die zijn poot op mijn borstkas laat rusten. Nog steeds hoor ik een stemmetje de woorden ‘waarom ben ik niet normaal?’ fluisteren. Nog steeds kijk ik met jaloezie naar lelijke, maar doodgewone vrouwen in de supermarkt. Waarom ben ik zo niet? Wat was er mis mee geweest, met normaal zijn? Waarom is dat niet voor mij weggelegd? Geen God, hulpboek of psycholoog die me dat kon vertellen, of die me op z'n minst kon leren me normaal te voelen.

Als me één ding inmiddels duidelijk is geworden, dan is dat het wel. Normaal zal ik nooit, echt nooit worden. Al op jonge leeftijd had ik geen kans om aan dat besef te ontsnappen.

2

De hoge hakken van Steffie klakken door mijn kamer. Ze knikt me toe. Haar roodoranje haren glanzen in de zon. Als ik wegkijk van haar gezicht, vervormen mijn ogen haar verschijning, dus kijk ik haar vlug weer aan. Diep in de ogen. Totdat ik haar schoonheid weer zie, helemaal. Ik kan haar ruiken. Een geur die me, gek genoeg, vertrouwd is. Alles aan haar is vertrouwd.

'Vertel maar, we hebben de tijd,' klinkt haar stem. 'Je verhaal is in goede handen bij mij. Vertrouw me maar.'

Ik knik. Ik vind het fijn dat ze er is.

'De aanmelding bij de genderpoli twee jaar geleden was mijn handdoek in de ring,' vertel ik. 'Maar het was ook het begin van mijn zelfveroorzaakte aardbeving. Mijn leven, voorzover dat nog leven was, stond op zijn kop. De mensen die van me hielden, stopten daarmee, de mensen van wie ik hield, lieten opeens een andere kant van zichzelf zien. Die van voorwaardelijke liefde, die van: ik hou ook van jou, zolang je aan mijn verwachtingspatroon voldoet. Dat doet pijn.' Ik klop met mijn vuist op mijn borst. 'Het is een pijn waar ik nog steeds mee worstel.'

'Hoe ga je met die pijn om?'

'Inmiddels,' zeg ik, 'inmiddels kan ik de pijn wel een plekje geven, "parkeren" noemen ze dat, geloof ik. Het is niet zo dat ik dag in dag uit met pijn en verdriet door het leven ga.' Ik zucht. 'Maar kwijt raak ik hem niet. Ik draag de pijn met me mee als een gezwel aan mijn hart, dat rustig meeklopt met mijn geluk, maar zwaar weegt als dingen even tegenzitten. Het is een rotsblok, vastgebonden aan mijn voeten, terwijl ik zwemmend een wilde oceaan probeer over te steken. Het helpt niet, snap je?'

Ze zegt niks.

'Maar toch,' ga ik verder, 'toch ben ik vastberaden aan de overkant te komen, met dat gezwel, met die steen. Ik geloof dat ik de pijn op een dag kwijtraak, of dat die op zijn minst overschaduwd zal worden door het ultieme geluk dat deze operatie me zal brengen.'

'Je verwacht er veel van.'

'Ik verwacht er veel van, ja,' zeg ik. En dan, na een lange, stille minuut: 'Heel veel.'

'Julius!' hoor ik mijn moeder roepen. Ik ben negen en zit op mijn kamer op zolder, onderuitgezakt op mijn bureaustoel. Ik staar naar een spinnetje dat zich in de hoek van het plafond heeft genesteld. Mijn moeder staat beneden aan de trap, dat hoor ik en dat voel ik. Ik voel de dreiging van haar woede, als een net geschud blikje cola. Ik kan ervoor kiezen het blikje open te drukken, of om te doen wat ze zegt en haar innerlijke prik tot rust te laten komen.

'Je komt te laat op catechisatie,' zegt ze. 'Kom op nou.'

Ik hoor de prik al sissen.

Ik moet elke woensdagmiddag naar catechisatie. Ik ben boos dat ik daarnaartoe moet, vooral vandaag, dus ik wil expres te laat komen. Vandaag is de dag van het partijtje van een van mijn beste vriendinnetjes, Sarah. Ze woont in een huis zo groot als een paleis, heeft paarden en een zwembad. Ze is misschien wel de stoerste meid van de klas. Soms, ja soms denk ik dat ze me de liefste van haar vriendinnetjes vindt, ook al ben ik natuurlijk maar een vriendje. Maar nu ik niet naar haar partijtje kom weet ik zeker dat ze iemand anders als beste vriendinnetje kiest, iemand die wel komt, iemand die niet naar catechisatie hoeft, iemand die geen stomme strenge gelovige ouders heeft. Een beetje te laat komen bij God lijkt me een passend protest, hoe stil ook.

Mijn vriendinnetjes weten niet wie God is en dat vind ik niet zo raar. Ik weet het eigenlijk ook niet precies en zij gaan nooit naar de kerk. Ik wel, elke zondag met mijn ouders, mijn twee zussen en mijn oma. We zijn katholiek, maar dan net weer even anders, oudkatholiek. Vroeger dacht ik altijd dat het zo heette omdat er zo veel oude mensen in de kerk zitten, maar door catechisatie weet ik wat het echt betekent. De oudkatholieke kerk houdt vast aan de traditie van het geloof, aan de schriften van de eerste tien eeuwen, heel lang geleden. Wij doen niet aan pausverering. Verder, wat kan ik verder over het geloof vertellen? De Maagd Maria is belangrijk voor ons, de moeder van Jezus Christus, of van God, of allebei. Ik vind het leuk als Corrie van de kinderkerk verhalen over haar vertelt. De plaatjes die ze van haar laat zien vind ik mooi. Ik denk dat als ik geleefd had toen zij leefde we best vriendinnen hadden kunnen zijn. Als ik in de ogen van de Maagd Maria kijk, ook al zijn de plaatjes nog zo vaag, dan zie ik dat ze me begrijpt. Zij kent me, misschien wel als enige op de wereld.

Als we naar de kerk gaan, loopt mijn hele familie de echte kerk binnen, maar ik niet. Ik ga naar de kinderkerk. Dat is bijna hetzelfde, behalve dan dat het bij ons wel gezellig is en er geen oude, grijze mensen zijn. We maken plezier, knutselen ondertussen wat, en daar ben ik gek op. Met Pasen maken we een paastak met slingers eraan. Als de viering in de grote kerk dan is afgelopen, mogen wij ons werkje aan de pastoor laten zien. Mijn werkjes vindt hij altijd mooi, dat zegt hij elke keer. Hij zegt dan: 'Jij hebt een creatieve geest, Julius. Dat wordt nog wat met jou.' Wat hij daar precies mee bedoelt weet ik niet, maar het klinkt me goed in de oren.

Ik loop de twee trappen af, langzamer dan mijn moeder zou willen en staar ondertussen naar een gaatje in mijn sokken.

Mijn hand om de leuning geklemd, misschien iets te strak, omdat ik mijn boosheid probeer te lozen. Als ik mijn woede de trapleuning in weet te stralen, komt hij niet op een andere manier naar buiten. Dan krijg ik geen ruzie en ook geen straf, en dat is dan weer een voordeel.

'Julius, schiet nou eens op,' zegt mijn moeder.

Ze staat gefrustreerd met mijn jas in haar handen te wachten. Ik spring van de laatste trede en duik in een vlugge beweging in de jas. Vervolgens stap ik in de schoenen die ze voor me heeft klaargezet. Ik weet dat ik de strijd niet kan winnen, vandaag niet, nooit niet. De laatste woorden zijn er gisteravond door mijn vader over gezegd.

Ik ging bij hem op schoot zitten, keek hem aan met mijn zoetste blik en vroeg: 'Papa, waarom mag ik nou niet naar het partijtje van Sarah? Ik wil het echt heel graag. Voor één keertje maar.' Mijn vader keek op me neer en zei: 'Lieve jongen, het is maar één uurtje per week voor Onze-Lieve-Heer.' En met deze zin glipte mijn laatste kans weg, om nooit meer terug te keren. Discussie gesloten, basta. Ik gleed van zijn schoot en droop af naar mijn domein op zolder, waar ik heel hard heb gehuild.

Als ik thuiskom na catechisatie gaan we meteen eten. Mijn vader sluit zijn handen en bidt hardop. Wij moeten onze ogen dichtdoen. Als ik heel goed naar beneden kijk, lijkt het alsof ze dicht zijn, maar kan ik door mijn lange wimpers heen kijken. Dat doe ik soms. Ik vind het lang duren voordat we kunnen beginnen aan het eten. Ik vind het zonde dat het zo koud wordt, dus ik moet me altijd inhouden om niet alvast naar de schaal met aardappels te grijpen. Ik zie mijn zussen met braaf gesloten ogen. Ik kijk naar mijn vaders lippen die bewegen. Dan zie ik mijn moeder, die een traan van haar wang veegt. Ik probeer te begrijpen waarom ze huilt, maar dan is het gebed afgelopen. Christa grijpt als eerste naar de lepel en schept haar bord vol. Ik kijk aandachtig naar mijn moeder. Waarom is ze verdrietig?

'Opscheppen, Julius,' zegt ze.

Tijdens het eten luister ik naar het tikken van de klok. Messen die over het bord schrapen. Een kuchje van mijn vader. Maria klokt haar water naar binnen.

'Rustig drinken, Maria,' zegt mijn moeder. 'Straks krijg je de hik.'

Het glas is al leeg.

Ik heb geen trek. Ik denk alleen maar aan mijn moeder die moest huilen. Ik wil haar troosten, maar ik weet dat ik dat niet kan doen. Het zou verraad zijn. Ze huilde stiekem tijdens het gebed. Mijn vader mocht het niet zien. Dat snap ik.

Maria en ik zijn aan de beurt om mijn moeder te helpen met de afwas. Dat vind ik leuk, want Maria maakt me altijd aan het lachen met haar verhalen.

Mijn vader gaat terug naar het hotel. Werken. Werken, werken, werken, dat is het enige wat hij kan.

Als Maria even gaat plassen, grijp ik mijn kans.

'Mama?' vraag ik.

'Ja, Julius.'

'Waarom moest je huilen tijdens het gebed?'

'Waar heb je het over?'

Ze pakt mijn kin vast.

'Ik zag je huilen tijdens het bidden.'

'Schaam je!' Ze duwt mijn kin omhoog. 'Had je je ogen niet dicht? Wat hebben we je nou geleerd?'

'Ik zag het per ongeluk.'

'Laat ik het niet nog eens merken. Dat zal Onze-Lieve-Heer niet op prijs stellen.'

'Maar waarom moest je...'

'...discussie gesloten, Julius. Ik ga je niet alles aan je neus hangen. Je bent een kind, sommige dingen gaan je niks aan.'

Maria komt het toilet uit gelopen.

'Ik droog af!' roept ze. 'Jij ruimt op.'
Ik haal mijn schouders op. 'Best.'

Mijn ouders leven voor hun hotel, ze werken onafgebroken. Daardoor is het bij ons een beetje anders dan bij de meeste gezinnen. Vakanties of weekenden kennen we niet. Alleen op zondag laten mijn ouders de taken in het hotel links liggen en doen ze slechts het hoognodige. Inchecken op zondag is niet mogelijk in het hotel van mijn ouders. Uitchecken alleen als de gast dat nadrukkelijk verzoekt. Kamers worden niet schoongemaakt. Ontbijt niet geserveerd.

De zondagen brengen we zoveel mogelijk gezamenlijk door. De tijd tussen de diensten in de kerk besteden we met het lezen van een goed boek, of het luisteren naar een stukje klassieke muziek. 's Morgens voor de kerk speelt mijn vader piano.

Als ik aan zondag denk, ruik ik stoofpeertjes. Mijn moeder in de keuken. Ik ernaast. Samen schillen we de peren. Het is een traditie geworden.

'Weet je het nog?' vraagt mijn moeder.

Ik knik en zeg: 'Tot ze net onderstaan.'

'Doe maar dan.'

Ik houd de pan onder de kraan en dompel de peertjes onder in het koude nat. Ik kijk even op naar mijn moeder en doe er dan suiker, bessensap, kruidnagels en een kaneelstokje bij.

'Goed zo, jongen.'

Een aai over mijn bol.

Mijn moeder neemt de pan van me over, zoals elke zondag, en zet hem op het vuur. In de uren die volgen, trekt de scherpzoete geur van stoofpeertjes rond door het huis.

Ik kruip tegen de gaskachel met een boek over een jongen die vriendschap sluit met een draak. Mijn vader leest iets in een ordner van het hotel, dat zie ik aan het logo op de voorkant. Mijn moeder ziet het ook.

‘Op zondag hoort een mens te rusten,’ zegt ze. ‘Het werk kan wel wachten tot morgen.’

‘Ja,’ zegt mijn vader.

En daar blijft het bij. Hij slaat de ordner niet dicht. Ik zie mijn moeder weer in de keuken verdwijnen. Haar schouders hangen.

3

Ik vis mijn jas uit de prullenbak. Oranje sap druppelt van de mouw. Iedereen is buiten, dus ik hoef me niet te generen. Rustig loop ik naar het keukentje van de leraren en spoel mijn jas schoon onder de kraan. Het nat poets ik weg met een van de handdoeken die er hangen. De handdoek ruikt muf. Mijn jas daarna ook een beetje.

Via de boekenkast loop ik naar het plein, waar Sarah en Michelle met een elastiek in de weer zijn. Verderop zie ik de jongens voetballen, zoals op tv. Niemand let op mij, ik heb even rust.

'Hoi,' zegt Michelle.

'Hoi!' zegt Sarah.

'Hoi,' zeg ik.

Ik laat me tegen het muurtje zakken en sla mijn boek open. Als zij springen, dansen mijn ogen over de letters, die me naar een nieuwe wereld brengen. De woorden voeren me mee over zeeën vol avontuur. Ze vertellen me sprookjes over prinsessen, verhalen over verre landen, ik leer telkens nieuwe vrienden kennen. In elk verhaal wel een.

De meesten van mijn klasgenoten zijn mijn vrienden niet. Ze pesten me graag, met van alles. Tim Waterman voorop, zijn gevolg doet fanatiek mee. Soms schelden ze me gewoon uit voor dunne spriet – dat zijn de betere dagen – maar andere keren word ik homo genoemd. Mietje. Kontenlikker. Soms laten ze me struikelen, of erger. Soms verstoppen ze mijn jas in de prullenbak, zoals vandaag. Er is geen houden aan, dus laat ik het op zijn beloop. Ik ben het gewend. Natuurlijk vind ik het verdrietig dat ik niet net als de anderen ben. Dat ik niet mee mag doen met spelletjes in de pauze en dat bijna niemand aardig tegen me doet, maar ik heb een manier gevonden om ermee om te gaan, door een soort masker op te zetten. Ik heb een goed functionerend overlevingsmechanisme ontwikkeld. Ik lees heel veel en ik teken. De woorden en de plaatjes, dat zijn mijn echte vrienden.

Vriendinnen heb ik wel. Sarah, Michelle en Daniëlle zijn mijn vriendinnetjes in de klas. Of eigenlijk moet ik eerlijk zijn: Sarah is een vriendin en Michelle en Daniëlle zijn vooral háár vriendinnen. Maar omdat Sarah het zo leuk vindt om met mij te lachen, doen zij ook aardig tegen mij. Ik doe niet mee met touwtjespringen, of elastieken – mijn benen zijn er te lang en te slungelig voor. Daarom zit ik vaak bij ze in de buurt te lezen, loop ik af en toe hun kant op om te kletsen. En als alle pestkoppen me op zo'n moment met rust laten, voel ik me best gelukkig.

'Julius,' zegt Sarah. Ze is klaar met elastieken en komt naast me zitten. 'Je jas stinkt. Ze hebben hem weer in de prullenbak gestopt, hè?'

Ik knik.

'Klote, zeg.'

'Ja.'

'Moeten we dat niet tegen de juf zeggen?'

'Nee,' zeg ik. 'Nee, alsjeblieft niet.'

'Waarom niet?'

'Daarom niet.'

'Maar waarom dan niet?'

Ik kijk Sarah aan. 'Omdat het niks helpt. Het zou alles alleen maar erger maken.'

Nu knikt zij. 'Oké, dan,' zegt ze. 'Wat jij wilt.'

De bel gaat. We springen op.

Terwijl iedereen zijn jas ophangt, verstop ik me in de wc. Ik wacht tot de meeste kinderen in de klas zitten. Dan sluip ik de wc uit en wandel in muizenpas de volle, rumoerige klassen langs, totdat ik bij de onderbouw kom. Daar hang ik mijn jas op, ergens in een donker hoekje. Hier zullen ze hem niet vinden.

Ik kom te laat in de klas. De juf zegt: 'Julius, dit is de zoveelste keer dat je te laat bent. Laat het de laatste keer zijn!'

'Sorry, juf.'

'Pak je tekendoos uit de kast. Dan kunnen we beginnen met de tekenles.'

Ik loop naar de kast en zie de houten doos met mijn naam erop helemaal achterin staan, zodat ik met mijn hoofd diep in de kast moet duiken. Nog in de kast open ik het dekseltje om te zien wat ik al verwachtte. De doos is leeg. Ik zucht en loop met de doos terug naar mijn plek. Ik doe alsof er niks aan de hand is. Dat is mijn kracht. Ik gun ze mijn verdriet niet. Ik gun ze mijn woede niet. Ik gun ze mijn eenzaamheid niet.

Uit mijn bureaulaatje vis ik mijn eigen etui, van thuis. Ik pak een van de potloden die ik voor mijn verjaardag heb gekregen en luister aandachtig naar de uitleg van juf Petra. De ogen van de pestkoppen prikken in mijn rug. Ze zullen teleurgesteld zijn.

Ik hou van tekenen, vooral thuis. In het begin tekende ik graag mensen na. Ik bestudeerde de vormen van hun neus en hoe ver de ogen uit elkaar stonden. Of ze bolle wangen hadden, of juist een smal, ingevallen gezicht met veel groeven. Ik ontdekte dat gelijkenis vaak ontstaat door het gebruik van schaduwen. Ik gebruik daar houtskool voor, wat ik vervolgens met mijn wijsvinger uitveeg. De reacties vind ik leuk, als ik de tekening dan geef aan degene die ik heb nagetekend. Er wordt altijd met veel lof en verbazing gereageerd en dat geeft me een fijn gevoel van trots.

Nu teken ik vooral veel fantasieën. Ik verzin landschappen, situaties, figuren en die zet ik dan in een kloppende compositie naast elkaar op het vel. Ik geniet werkelijk van het tekenen. Als ik teken, duik ik een wereld in die veilig is, en alleen van mij. Een wereld waar alleen ik de dienst uitmaak.

Ik zit op mijn zolderkamer en trek de lijnen van een pistool op het witte vel dat voor me ligt. Een figuur – met lange slungelbenen – houdt het ding in zijn hand en richt het op poppetjes die tegenover hem staan. Het ene poppetje draagt een voetbal onder zijn arm, het andere stopt mijn jas in de prullenbak. Weer een ander poppetje lacht zijn tanden bloot.

'Dood,' fluister ik. 'Jullie moeten dood. Dood, dood, en nog eens dood.'

Op papier knal ik ze af, de pestkoppen. In mijn tekening bestaan ze niet meer.

Als ik klaar ben, kreukel ik het vel papier tot een prop en gooi het achter me neer. Ik leun achterover in de bureaustoel op mijn zolderkamer, laat mijn voeten rusten op de tekentafel. Geluiden van beneden, geuren vanuit de keuken. We gaan zo eten.

Er moet wat veranderen. Ik weet dat er iets moet veranderen. Het is bijna zomervakantie en daarna ga ik naar de middelbare school. Dat is mijn kans om afscheid te nemen van de pestkoppen – zonder pistool. Ik moet het zelf doen. Ik moet zelf de kracht verzamelen om ze te verslaan, op mijn manier.

Ik dender de trap af.

'Niet klossen op de trap, Julius!' roept mijn moeder. Ik playback mee.

Mijn zussen volgen. We schuiven aan en mijn moeder zet het eten op tafel. We eten stamppot. Gehaktballen.

We bidden terwijl ik de stoom uit de donkerbruine vleesballen zie optrekken. De geur maakt een grommende beer in mijn maag los.

'Amen,' zegt mijn vader en hij prikt een bal aan zijn vork.

Ik kijk hoe hij het ding in kleine stukjes snijdt en het vlees vermengt met de berg aardappelmengsel die mijn moeder op zijn bord kwakt. Zonde, denk ik. Ik houd de bal altijd zo lang mogelijk heel. Eet er steeds maar een klein stukje van, zodat ik op het eind nog een lekkere, sappige hap heb om de flauwe aardappelsmaak mee weg te dringen.

'Mama,' zeg ik.

Ze knikt. De rest is stil.

'Mag ik na de vakantie op voetballen?'

'Voetballen?' zegt mijn vader. 'Sinds wanneer interesseer jij je voor voetbal?'

'O, al een hele tijd.'

Ik lieg. Maria ziet het aan me, ze kent me. Zij voetbalt weleens buiten met kinderen uit de buurt. Dat heb ik nog nooit gedaan, ook niet als ze me meevroeg. Ze zegt niks.

'En fietscross dan?'

Ik zit precies een jaar op fietscross. Ik vind er niks aan. De dingen die ik ervan had gehoopt, zijn niet uitgekomen. Ik ben me niet stoerder gaan voelen, niet meer jongen, niet meer man. Ik had gedacht dat het me iets jongensachtigs zou brengen, maar ongeluk is het enige wat het me bracht. De modder, het continue vallen, de ruige cultuur: ik voel me er als een ballerina in een boksring. Het past niet bij me.

Ik haal mijn schouders op. 'Dat vind ik toch niet zo leuk, geloof ik.'

Mijn moeder maakt een protesterend geluid, maar eet haar mond eerst leeg voordat ze haar verweer in woorden uitdrukt. 'Julius,' zegt ze, 'je kunt niet elk jaar op een nieuwe sport. Zo doen wij dat niet. Zo leer je niet wat discipline is.'

Christa klokt haar water naar binnen.

'Niet zo snel drinken,' zegt mijn moeder, zonder haar aan te kijken.

Christa luistert niet.

Dan zegt Maria: 'Julius mag toch wel één keertje veranderen

van sport? Misschien heeft hij gewoon de verkeerde keuze gemaakt. De meeste jongens doen voetbal, misschien wil hij daarom. Omdat het gezelliger is.'

'Klopt,' roep ik dankbaar. 'Het lijkt me gezelliger.'

Mijn ouders wisselen een blik. Ik zie mijn vader knikken.

'Goed dan,' zegt mijn moeder. 'En nu je bord leegeten.'

Ik neem een hap en grijns naar Maria bij wijze van dank. Deze slag heb ik gewonnen. Deel een van mijn veranderplan is gelukt. Eindelijk zal ik normaal worden, want alleen echte mannen zitten op voetbal. En als het op voetbal niet lukt om normaal te worden, dan weet ik het ook niet meer.

De volgende dag kijk ik met hernieuwde interesse naar de jongens die aan de andere kant op het schoolplein voetballen. Over de rand van mijn boek staar ik verwonderd naar hun jongensbenen, gehuld in vale spijkerbroeken. Het voetenwerk. De manier waarop ze de bal raken. Duwen, trekken, met z'n allen op een kluitje. Een sport waarin beste vrienden elkaar zonder pardon bezeren – als je die bal maar te pakken krijgt. Er is geen scheids, valt me op. Een verschil met het voetbal dat mijn vader weleens op televisie kijkt.

Sarah is ziek vandaag. Michelle en Daniëlle staan verderop met een groepje meiden uit de klas te kletsen. Ze besteden geen aandacht aan mij.

Juf Petra komt het plein op gelopen. Ze kijkt mijn kant op. Ik kijk terug. Omdat ik me betrapt voel, sla ik mijn blik neer en probeer ik de laatste zin te vinden die ik gelezen had. Het is al te laat, ik zie dat ze op me af komt.

'Hoi Julius,' zegt ze.

Ik kijk op en acteer verbazing. 'Dag juf.'

'Wat lees je?'

Ik houd haar de kaft voor. 'Een avonturenverhaal. Over een draak.'

Ze gaat zitten op het muurtje waartegen ik op de grond zit en volgt de richting waar mijn ogen steeds naartoe trekken.

'Je wilt ook op voetbal, hoorde ik vanochtend van je moeder.'

Ik knik. 'Ja, klopt. Na de zomervakantie.'

'Leuk. Waarom doe je niet een keertje mee met de jongens, dan? Ik zie je er nooit tussen.'

Ik staar naar de letters in mijn boek. Neem me mee, neem me mee op avontuur. Trek me jullie wereld in. Ik wil hier niet zijn. Ik wil dit gesprek niet voeren.

'Julius?'

'Dat willen ze liever niet.' En daarna: 'Maar ik ook niet. We zijn geen vrienden.'

'Dat is jammer.'

'Ja.'

'Ik kan het ook voor je vragen, hoor. Of je een keertje mee mag doen?'

'Nee.' Ik klap het boek dicht. Slecht verhaal. 'Nee, dat wil ik echt niet.'

'Waarom niet?'

Ik zoek naar woorden. Er ontstaat chaos in mijn hoofd. Ze moet zich er gewoon niet mee bemoeien. In de verte zie ik Tim Waterman zijn veter strikken. Hij kijkt onze kant op.

'Ik lees liever tijdens de pauzes, juf. Voetbal wil ik eerst leren voordat ik het op straat ga doen.'

'Nou,' zegt ze. 'Je pakt het serieus aan, dus. Als een echte prof!' Ze duwt me plagerig tegen mijn schouder.

'Zoiets, ja.'

'Ik wil je nog iets vragen, Julius. De musical komt er natuurlijk aan. We gaan de rollen deze week nog verdelen. Maar,' ze houdt haar vinger in de lucht, 'nu moeten we ook goed nadenken over het decor. Jopie, die weleens schilderles heeft gegeven, gaat de decors maken voor ons. Zou jij hem daarbij willen helpen? Je kunt zo mooi tekenen.'

Jopie is een wat oudere man die lijkt op een tuinkabouter. Ik vond zijn lessen altijd leuk. Hij kan goed schilderen en heeft me een aantal technieken geleerd die ik nog steeds gebruik met tekenen.

'Ja!' zeg ik dus enthousiast. 'Graag.'

Ze staat op. 'Mooi, dat is dan geregeld.'

'Juf?' vraag ik.

'Ja, Julius.'

'Echt niet aan de jongens vragen, goed?'

'Goed, hoor. Ik hou mijn mond.'

Ze loopt weg. Ik sla mijn boek open op een willekeurige pagina en staar weer naar het voetenwerk. Ooit zullen die bewegingen mij ook natuurlijk aanvoelen. Het balgevoel, overzicht, ik zie voor me hoe ik een witte bal in de kruising van het doel jaag. Mijn vader zal misschien wel trots zijn.

4

Iedereen weet wat hem te doen staat. De trainer, de man van de kantine. Jongens van het oudere team. De jongens die net als ik bij de D'tjes van V.V. Waalre horen.

Buiten heb ik omhooggekeken, naar de gedoofde lampen die in de winter het veld zullen beschijnen. Ik heb mijn hoofd in mijn nek gelegd, mijn ogen toegeknepen voor de zwakke najaarszon en gezocht naar een teken van God uit de hemel. Ik moest de kracht ergens vandaan halen. Maar zoals gewoonlijk gaf hij geen sjoege, ik moet het zelf zien op te knappen.

Ik zit in de kleedkamer en kijk om me heen. Ik voel me een indringer, een spion op geheime missie. Het voelt alsof iemand mijn keel dichtknijpt. Ik ben bang om door de mand te vallen, om gezien te worden als wie ik eigenlijk ben. Ik hang hier mijn jas op, niet omdat ik zo'n zin heb in een potje voetbal, nee, omdat ik eindelijk normaal wil worden. Ik wil erbij horen.

De meeste jongens kennen elkaar al. Ik zie wel wat bekende gezichten uit het dorp, maar ben met niemand vertrouwd genoeg om er een praatje mee te maken. Ik kleed me stilletjes om, terwijl ik plannen maak om er weer tussenuit te kunnen knijpen.

Ik kan zeggen dat ik me plotseling niet lekker voel en mijn moeder er thuis van zien te overtuigen dat voetbal toch niet zo wat voor mij is.

Terwijl ik mijn veters strik, krijg ik een klap op mijn rug. Ik duik ineen en kijk omhoog. Zou het ook hier weer beginnen?

'Jij bent nieuw toch?'

Een jongen met donker krullend haar en bruine ogen staat voor me. Hij heeft een guitige grijns op zijn gezicht. 'Zeg me dat je goed bent, we kunnen wel een goede gebruiken.'

Ik ga rechtop zitten en zeg: 'Ik weet niet of je mij goed genoeg vindt, maar ik zal mijn best doen.'

Weer geeft hij me een klap, nu op mijn schouder. De spieren in mijn schouders trekken samen, klaar voor zijn aanval.

De jongen begint te lachen. 'Haha, zo mag ik het horen,' zegt hij. Hij steekt zijn hand uit. 'Ik ben Dave. En jij?'

Gretig pak ik zijn hand. 'Ik ben Julius.'

Even later staan we op het veld en werk ik me in het zweet om mee te komen met de rest van de jongens. Ik heb wat geluksballetjes, zo hier en daar, waar het team positief op reageert. Ze weten niet dat ik ze afkeek van Ronaldo, volgens mijn vader de beste voetballer van de wereld. Toen ik hem ernaar vroeg, twinkelden zijn ogen zoals ik nooit eerder had gezien. We keken samen naar oude wedstrijden die hij had opgenomen. Af en toe had hij zijn hand op mijn knie gelegd en even in mijn been geknepen. We keken elkaar niet aan – we staarden gebiologeerd naar het televisiescherm. De een uit adoratie, de ander kwijlend van leergierigheid. Ik weet nog dat het voelde alsof ik iets goedmaakte.

Mijn vader leerde me de namen van alle spelers, ik koos een club om voor te zijn (PSV, natuurlijk) en ik leerde tactisch denken. Punten tellen, doelsaldo's vergelijken, noem maar op. Ik werd een voetbalfanaat, een goed gespeelde voetbalfanaat.

'Lekker bezig, jij!'

Ik kijk op. De coach heeft het tegen mij. Ik krijg een compliment.

Een beuk van Dave op mijn rug. Een klap van een van de andere jongens tegen mijn schouder.

'Goed om jou erbij te hebben, gast.' Dave staat voor me. Ik zie

zweetdruppels langs zijn slapen naar beneden glijden.
'Ja,' valt een van de anderen bij. 'Welkom in ons team.'

Ik kijk naar een schilderij dat een Frans dorpje moet voorstellen. Het lijkt erop dat de schilder het werk geëmotioneerd heeft afgerond. Tranen verf lopen in verschillende kleuren over het doek.

'Dave werd een vriend,' vertel ik Steffie. 'Een echte.'

'Wat is een echte vriend?'

'Tja, wat is dat? We werden gewoon maten. Vrienden. Hij bleek op dezelfde middelbare school te zitten. Niet bij mij in de klas, want ik deed vwo en hij zat in de havo/vwo-brugklas. Maar we zagen elkaar vaak genoeg in tussenuren, pauzes.'

'Zaten er nog kinderen van de basisschool op je nieuwe school?'

'O ja, heel veel. Zelfs in mijn klas zat een aantal bekende koppen. De basisschool bleef me achtervolgen. En bij de nieuwe klasgenoten lukte het me ook niet goed om aansluiting te vinden. In het begin had ik Sarah nog, daarna ook niet meer.'

Steffie staat op van de vensterbank en loopt me tegemoet, langzaam genoeg om me de kans te geven haar subtiele vormen en haar elegante bewegingen te bewonderen. Ze pakt mijn bekertje water, kijkt me vragend aan en neemt een slok nadat ik heb geknikt. Na die eerste slok drinkt ze het bekertje helemaal leeg en vult het weer bij de gootsteen. Ze heeft dorst.

'Schuif eens op,' zegt ze.

Ik trek mijn knieën op en ga rechtop in bed zitten. Steffie nestelt zich aan het voeteneind in kleermakerszit. Ze doet haar voeten onder de lakens. Net als ik zal ze wel last hebben van koude voeten. Vroeger zat ik precies in die houding bij mijn zus op bed te kletsen. Steffie voelt gek genoeg net zo vertrouwd.

'Wat is het verhaal over Sarah, dan?' vraagt ze.

'Eigenlijk was het al gelijk vanaf de eerste dag na de vakantie anders,' zeg ik, terwijl ik me haar knappe gezicht probeer te herinneren. 'Ik merkte dat ze wat meer afstand hield dan gewoonlijk. En op een middag, tijdens een chatsessie op MSN kwam het hoge woord eruit. Ze had verkering nu en haar vriendje vond het niet zo leuk als ze met andere jongens omging. Ze wilde niet dat hij dacht dat wij... nou ja, ik wist wel wat ze bedoelde. Met andere woorden: of ik het erg vond dat ze niet meer naast me zat met Frans en tekenen, zoals we in het begin van het jaar hadden afgesproken.'

'Dat moet moeilijk zijn geweest voor je.'

'Tja, leuk is anders,' stem ik in. 'Het kwam er in de praktijk op neer dat ik tijdens die lessen naast Arjan zat, een jongen die al net zo'n buitenstaander bleek als ik, maar dan omdat hij hoogbegaafd was. Hij was sociaal nog onhandiger dan ik. Zelfs met mij kon hij geen fatsoenlijk woord wisselen. Ik kan me nog herinneren dat we daadwerkelijk eens een gesprek hadden, over politiek of iets dergelijks, iets waar hij graag over sprak. Midden in mijn zin zei hij ineens: "Waarom praat ik hier eigenlijk over met jou? Je hebt geen idee waar je het over hebt." En hij dook weer in zijn wiskundeboek om verder te gaan met het hoofdstuk dat de rest van de klas, net als ik, pas over een halfjaar zou behandelen.'

'Gezellig.'

'Niet echt.'

'En Sarah, trok ze nog een beetje bij?'

Ik schud mijn hoofd. 'Van Sarah hoorde ik niets meer, ze sprak met geen woord meer tegen me. Op een klein knikje in de gang na, gaf ze geen blijk van de vriendschap die er ooit was geweest tussen ons. Het leek of de mooie Sarah langzaam in een monster veranderde. Al het moois aan haar dikte ze aan met eyeliner en felgroene oogschaduw. Sexy naveltruitjes, korte rokjes, ze droeg alles wat God verbieden zou. Met verbazing zag ik haar veranderen, elke dag een tikkeltje extremer, een stukje choquerender. Elke dag verder van mij vandaan. Ik kende de griet die steeds meer bloot en steeds minder vriendelijkheid liet zien niet.'

Ik denk terug aan hoe ik me voelde. Ik zie haar zo weer lopen door het trappenhuis. Blote buik, zwart omrande ogen. Ik weet nog dat ik oefende met de gedachte dat ik mijn vriendin voorgoed kwijt was. En dat ik dat een moeilijke oefening vond.

'Op een gegeven moment kwam ik erachter dat ze me had geblokt op MSN,' ga ik verder. 'Ik weet niet of je weet wat dat betekent, maar dat was in die tijd nog net geen oorlogsverklaring. Ze kapte elke vorm van contact die nog mogelijk was definitief af. Ze moest me niet meer.'

'Ben je er ooit achter gekomen waarom dat was?'

'Nee,' zeg ik. 'Nee.' En dan: 'Jammer, eigenlijk, hè? Ik weet wel dat ik het erg jammer vond. Ze was de eerste die mijn hart brak.'

Ik slenter met Dave door de aula. We kijken beiden hoe Sarah – koptelefoon, piercing door haar neus – ons passeert, zonder mij te groeten.

'Wat een lelijk wijf,' zegt Dave, net iets te hard. Hij kijkt haar minachtend na.

Ik duw hem. 'Dat moet je niet zeggen.'

'Waarom niet? Kijk hoe ze tegen jou doet!'

'Dat is toch haar zaak? Ik ga me niet verlagen tot haar niveau.'

Dave schudt zijn hoofd. 'Ik vind dat je te makkelijk over je heen laat lopen. Door een chick nog wel.'

'Ik heb gewoon geen zin om er energie aan te besteden. Jij een cola?'

We staan voor de automaat. Ik koop twee blikjes.

We lopen naar onze uitkijkpost op het plein voor de school, boven aan de trap die naar de gymzaal leidt. Vanaf die plek kunnen we alle meiden bewonderen, al het moois dat voorbijloopt. De absolute parel van de school, zo zijn we het eens, is Nathalie. We noemen haar 'het lekkertje'. Met haar zwarte haar, lichtblauwe ogen en roomwitte huid is ze een plaatje om te zien. Ze heeft iets mysterieus over zich, glimlacht naar iedereen en weet het voor elkaar te krijgen dat zowel de jongens als de meiden gek op haar zijn. Haar schoonheid is verblindend, maar dat lijkt haar zelf niet te interesseren. Er is geen greintje arrogantie te ontdekken in haar houding.

'Ik ga haar mee uit vragen,' zegt Dave, terwijl hij Nathalie verlekkerd nakijkt.

'Alweer?'

'Waarom niet?'

'De vorige keer zei ze nee.'

'Wil je nou zeggen dat ik een blauwtje heb gelopen?' zegt hij.

'Ja. Dat is toch zo?'

Dave knikt. 'Het is zo. Maar man, dat blauwtje smaakte zo zoet als een smurfenijsje. Heb je gehoord dat ze nu ook in de schoolband zit?'

'Ja,' zeg ik. 'Ze drumt toch?'

'Ja, man. Ze wordt steeds geiler.'

Hij heeft gelijk. Wat voor hormonen het ook zijn die door mijn lijf gieren: ze kunnen niet verder op hol slaan. En bij Dave al net zo: ik weet dat hij zich aftrekt in het toilet om te bedaren van een gesprek met het lekkertje. Nathalie is seks, Nathalie is onbereikbaar, Nathalie is goud. En niemand kan aan haar tippen, vinden wij.

Natuurlijk lopen er meer knapperds bij ons op school rond. Rachel, een meisje met bruine krullen is er zo een. Dave en zij hebben een aantal maanden een knipperlichtrelatie gehad, totdat hij het niet meer zag zitten. Rachel vond hem te leuk, was zijn klacht. Ze wilde te graag.

Ik lach altijd om zijn grappen. Ondertussen vraag ik me af waarom ik nooit een meisje heb dat me te graag wil. Ik durf het niet te vragen aan Dave. Hij lijkt het niet op te merken.

Ik denk er vaker aan de laatste tijd. Ik ben anders, dat weet ik. Ik zie er anders uit. Ik ben lang, dun, heb een smal gezicht. Ik kan misschien door voor een homo, zoals Tim Waterman me al honderden keren heeft toegebeten. Aan de ene kant vind ik dat erg – ik wil graag normaal zijn, zoals Tim, zoals Dave. En bij ons op school zitten geen homo's. Aan de andere kant voel ik me prettig bij mijn slanke lijnen. Die passen meer bij me dan elk ander deel van mijn lichaam. Maar een homo, dat ben ik niet. Ik val niet op mannen. Verliefd worden op Dave, ik moet er niet aan denken.

Als ik er even niet aan denk dat ik anders ben, is er wel die stem. Er schuilt een stem in mij. Een stem die fluistert – niet hard, maar ook niet zacht genoeg om te negeren. Ik ben anders. Ik ben anders. Ik ben anders.

Soms stelt de stem vragen. Ben ik raar? Ben ik gek? Ben ik echt geen homo?

Ik sta op de kamer van Tineke Verhagen, een zakenvrouw die haar eigen kamer heeft in het hotel van mijn ouders. Al sinds mijn twaalfde help ik intensief mee in het hotel. Ik help vooral mijn moeder. Ik maak de kamers schoon, voorzie de bedden van frisse lakens en doe klusjes. Een lampje vervangen, een plankje aan de muur bevestigen, een losse deurklink vastschroeven, dat soort werk.

Tineke komt uit Waalre, net als wij, maar heeft hier geen huis meer. Naast haar huizen in Parijs en New York vindt ze het niet nodig ook nog een optrekje in Waalre te hebben, dus huurt ze bij ons een vaste kamer. Alleen tijdens de drukke wintermaanden verhuren mijn ouders haar ruimte nog weleens aan iemand anders, maar de rest van het jaar is die gereserveerd voor Tineke. Kamer 6, met de ruime badkamer.

Tineke neemt vaak een grote bos bloemen voor mijn moeder mee. Ze brengt ook belangrijke gasten naar het hotel, omdat ze wil dat mijn ouders internationaal naam krijgen met het hotel.

Tineke is een lief mens en ons hele gezin is met de loop der jaren gek op haar geworden.

Ik ben vooral gek op de garderobe van Tineke. Stiekem, zo af en toe, heb ik door een kier van haar kast gegluurd als ik aan het stofzuigen was. Ik weet dat er veel moois hangt. Tineke ziet er altijd verzorgd uit.

Vandaag fluistert de stem niet meer. De stem schreeuwt. Ik voel een drang die moeilijk te duiden is. Er loopt zweet langs mijn rug.

Ik schrob de toiletpot van Tineke extra goed. Ik hoop dat ze het opmerkt, dat ze me dankbaar is. Ik trek door en kijk hoe het sop verdwijnt met het water. Dan ruik ik de geur, de geur van Tineke.

Een flesje parfum op het plankje boven de wasbak lonkt naar me. Ze heeft het niet meegenomen naar Londen, waar ze die ochtend voor twee dagen naartoe is vertrokken. Ik volg mijn neus en beweeg me naar het flesje toe. Ik snuif eraan. Nog eens. Ik pak het vast, strijk erlangs met mijn stofdoek. Ik laat mijn neus proeven van de zoete lucht. Verrukkelijk.

De geur betovert, brengt me aan het duizelen. In een flits spuit ik een wolk in mijn hals. Vrijwel meteen raak ik in paniek. Wat doe ik? Wat doe ik nou? Ik zet het flesje terug. Het wankelt, het duikelt en dan spoelt de tijd door, zonder dat ik nog deel van de situatie uitmaak. Ik zie het gebeuren. Hef flesje dondert naar beneden, het raakt de wasbak en breekt op de badkamervloer. De vloeistof verspreidt zich gretig over de tegels. Ik kijk en zie het gebeuren. Ik denk alleen maar aan mijn moeder. Hoe kan ik dit uitleggen? Wat zou ze denken?

Mijn moeder. Ze praat tegen me. Haar stem klinkt door de walkietalkie aan mijn broekriem.

'Waar blijf je toch, Julius?' zegt ze. 'Ik heb je hier beneden nodig, bij de receptie.'

Als vanzelf pak ik het apparaat en spreek in: 'Bijna klaar, kom eraan.'

Ik doe wat allesreiniger op de spons waarmee ik net het toilet heb geboend, haal die langs mijn hals en vis ondertussen de stoffer en blik, een fles bleek en een dweil van mijn kar. Die zet ik in de badkamer. Vlug rijd ik mijn schoonmaakkar de kamer van Tineke uit en berg hem op in het schoonmaakhok. Ik haast me naar beneden.

'Daar ben je dan.'

Met een plof legt mijn moeder een stapel brieven voor mijn neus op de balie. 'Deze moeten morgenochtend allemaal mee met de post.'

Ik help mijn moeder met het dichtlikken van enveloppen tot de stapel is geslonken.

'Dat was dat.'

Dat zegt mijn moeder altijd. Dat was dat. Waarom weet ik ook niet.

Via de tussendeur lopen we daarna naar huis om te eten. Mijn vader heeft al gegeten. Hij blijft in zijn kantoor naast de receptie.

Mijn moeder schept de aardappels vanuit een pan op onze borden.

'Bah, Julius,' zegt ze. 'Heb je in het schoonmaakmiddel gezwommen, of zo? Er komt al de hele middag een chemische walm van je af.'

Ik lach, alsof ik haar opmerking afdoe als een grap, en zeg: 'Ja, het was heerlijk. Wel een beetje koud.'

Maria, die tegenover me zit, grinnikt. Mijn moeder niet. Ze is niet zo van de humor, houdt niet van grapjes. Sinds mijn vader zich nog maar zelden in huis vertoont al helemaal niet meer.

'Je hebt zeker weer te veel gebruikt,' zegt ze. 'Wil je de volgende keer wat beter opletten? Schoonmaakmiddel komt niet uit de kraan, begrijp je? Het kost me een hoop geld.'

'Oké, mam,' zeg ik gehoorzaam, vooral om geen ruzie te zoeken.

Na het eten vraag ik haar of ze het goedvindt als ik een wandeling maak. Vanachter de krant stemt ze toe. Ze kijkt me niet aan. Ik zie alleen een kop koffie, de krant en twee handen die mijn moeder toebehoren. Een vertrouwd beeld.

Via de bijkeuken glip ik het hotel weer binnen. Ik sluip langs het kantoor van mijn vader. De deur is dicht, dat scheelt.

Ik heb de loper nog in mijn zak en weet ongezien op de tweede etage bij de kamer van Tineke te komen. Ik sluit de deur achter me en zucht de spanning uit mijn lijf. Het is gelukt.

Ik loop naar de badkamer waar het geurende slagveld nog op me ligt te wachten. Ik heb al besloten om morgen na school een nieuw flesje voor Tineke te kopen. Hopelijk kan ik dan alles buiten mijn moeder om regelen.

Met de dweil en de stoffer en blik was ik de badkamervloer snel schoon. Het ruikt nog een beetje naar de magische, zoete geur, maar de scherpe bleeklucht wint het al snel. Tevreden kijk ik naar de badkamervloer, vrij van geurspatten en scherven.

Als ik me omdraai voel ik die drang van vanmiddag. Ik hoor de stem. Een vreemd soort kriebel in mijn onderbuik. Ik ben helemaal alleen in de kamer van Tineke en niemand weet dat ik hier ben. Niemand.

Ik voel mijn geslachtsdeel opzwellen. Is het spanning? Opwinding?

Om geen lawaai te maken trek ik mijn schoenen uit. Mijn broek volgt als vanzelf. Het shirt dat ik draag trek ik over mijn hoofd en leg ik boven op de stapel. Nu alleen mijn onderbroek nog.

Ik twijfel. Ik sluip op mijn tenen naar de deur en draai hem op slot. Nu kan er echt niemand binnenkomen, ook niet met een loper. Nu is het veilig. Nu kan mijn onderbroek ook uit.

Ik ben naakt. Ik ben zo naakt als ik zijn kan en die wetenschap prikkelt onder mijn huid, overal. De verwachting van iets moois, prikkels van het onbekende. Een golf van kippenvel trekt langs mijn armen.

Als vanzelfsprekend loop ik naar de kledingkast van Tineke, die als gewoonlijk gevuld is met de mooiste en duurste kledingstukken. Ik open de deur en kijk mijn ogen uit. Mijn vingers glijden langs de zachte stoffen, ik ruik aan de blouses, snuf aan de lingerie. Ik ben vier en sta weer in de speelgoedwinkel waar ik een cadeautje mocht uitzoeken voor mijn verjaardag. Te veel, te prachtig, te ongelooflijk.

De keuze overweldigt me, legt me bijna lam. Lukraak pak ik een slipje. Met de zachte, kanten stof aai ik de huid van mijn wang. Het is de stimulans voor mijn slurf om nog harder te worden. Ik probeer de seksuele opwinding die ik voel te negeren. Het staat los van mijn verlangen de kleding aan te trekken, mijn harde penis heeft niks, werkelijk niks in deze kamer te zoeken.

Ik trek het slipje aan. Er kruipt een traan uit mijn rechteroog, die ik direct wegveeg met de rug van mijn hand. In de kast vind ik een jurkje met een geelgroen motief, ik trek het over mijn hoofd en laat de stof langs mijn lichaam glijden. De jurk sluit om me heen als de omhelzing van een liefdevolle moeder. Het voelt vertrouwd, goed. En nu ik de kastdeur sluit en mijn spiegelbeeld bekijk, zie ik mezelf.

Ik voel rust, een vredige rust. Stress, problemen, het oordeel van mijn moeder, mijn klasgenoten, niks doet er meer toe. Ik laat ze achter me en zie alleen mezelf. Voor even is mijn leven van mij.

Ik neem plaats op de rand van het bed, dat ik vanmiddag zelf strak heb opgemaakt, mijn blik wijkt geen seconde van het betoverend mooie spiegelbeeld.

Zo zou het moeten zijn.

Tranen trekken natte strepen over mijn gezicht, ik kan ze niet stoppen. Ik voel me gefrustreerd en opgelucht tegelijk. Waarom is dit de manier waarop ik me goed voel? Waarom kan ik dit niet voelen bij een potje voetbal? Bij fietscross? Bij iets anders, wat dan ook, iets mannelijks. Het stelt me teleur. Ik ben teleurgesteld in mezelf.

Met tegenzin en lust tegelijk begin ik aan mezelf te sjorren. Steeds sneller gaat mijn hand op en neer, steeds ritmischer werk ik mezelf naar een hoogtepunt toe. Het voelt goed, het voelt fout, het voelt slecht, het voelt lekker, het voelt, het voelt, het voelt, het voelt bevrijdend.

In drie schokken kom ik klaar, terwijl ik kijk naar een afbeelding van de Maagd Maria aan de muur. Ik val achterover op het bed en ontsnap in een korte, onrustige slaap waarin ik droom dat ik een muis ben en word achtervolgd door twee tijgers met lange, scherpe tanden. Ik kan mijn holletje niet vinden.

5

Ik zit in de kleedkamer van mijn voetbalvereniging. Drukte om me heen. We hebben een goede training gehad. Het gaat goed met ons team, we hebben al vier keer op rij gewonnen – glansrijk, jawel. Zaterdag volgt nummer vijf, daar bestaat bij niemand van ons twijfel over.

Mijn ritueel. Ik wacht altijd totdat iedereen al onder de douche staat, ik treuzel met het lospeuteren van mijn veters. Niet omdat ik wil treuzelen, maar omdat ik vind dat ik geen keuze heb.

Mijn voetbalmaten zijn anders dan ik. Zij schieten hun pulken gewoon op het veld. Ze paraderen in vol ornaat en met de trots van een keizer door de kleedkamer, om maar te laten zien dat zij het zijn, dat zij de grootste van allemaal tussen de benen hebben hangen. Ik zie piemels in allerlei soorten en maten. Bloedlullen, vleeslullen, gekke lulletjes, kleine pikjes, maar niemand die zich er zo voor schaamt als ik, de jongen die zijn lul het liefst tussen zijn billen plakt – zodat je er niets meer van ziet. Zodat je, al was het even, zou twijfelen of hij zich wel in de juiste kleedkamer bevindt.

Bloot is kwetsbaar, bloot is naakt. Ik ben bang dat ze doorhebben dat ik hier niet hoor. En voor wat er dan gebeurt.

Net op tijd – anders vestig ik juist de aandacht op me – laat ook ik mijn broek zakken en verdwijn tussen de andere piemels in de doucheruimte. Ik lach hardop mee om grappen die ik niet volg. Ik concentreer me op het zweet dat de lauwe stralen van me af soppen.

Ik schrik als ik een hand op mijn schouder voel. Het is Dave.

'Doe mij jouw shampoo even,' schreeuwt hij, alsof ik niet naast hem sta.

Ik geef hem de fles. Mijn ogen kunnen het niet laten om naar beneden te flitsen. Hij heeft een grote, hij is een van de keizers. En hij is er trots op.

'Dank je.'

Hij draait zich weer om en ik ook.

Ricardo vertelt een verhaal over een meid op wie hij verliefd is. Ze is twee jaar ouder en onbereikbaar. Zij zit in de derde, wij zijn brugpiepers. Toch gaat hij ervoor. Hij gaat haar mee uit vragen. Ik bewonder zijn lef. De anderen lachen hem uit.

Dan gaat het gesprek over een nieuw computerspel. Ik praat niet mee. Ik weet niet wat ik moet zeggen. Dat gebeurt vaker, het is niet erg, daarom noemen ze me 'de stille'.

Het douchewater wordt kouder naarmate we er langer onder staan. Ik stel me voor dat aan de andere kant van de muur een bak staat met warm water dat via buizen naar onze douches wordt geleid. Als de bak leeg is, dan is ook het warme water op.

Zodra de eerste jongens hun handdoek grijpen, volg ik. Ik dep mijn groene handdoek vluchtig langs mijn lijf en wikkel hem dan behendig om mijn heupen, voordat ik weer op het bankje ga zitten. Daar treuzel ik weer, zoals altijd. Ik wacht totdat de waterslierten op mijn rug, die ik in de gauwigheid vergat te deppen, ook droog zijn. De deur van de kleedkamer gaat open. De eerste jongens vertrekken al. Ik zie kippenvel op mijn armen ontstaan.

Ik pak mijn sokken en begin daarmee. Dan mijn blouse. En als ik zie dat niemand kijkt doe ik mijn onderbroek aan. Pas daarna verwijder ik het groene schild.

'Hé stille, fiets je mee?' vraagt Dave, al helemaal gekleed.

Ik schud van nee. Ik wil alleen zijn.

Als een van de laatsten vertrekt Dave en kort daarna druppelt ook de rest naar buiten. Ik trek mijn sokken weer uit en op mijn blote voeten loop ik de doucheruimte in om mijn shampoo en douchegel van de grond te rapen. Dan trek ik mijn schoenen en jas aan en loop ook naar buiten.

Mijn adem blaast wolkjes in de lucht. Als ik naar huis fiets, denk ik aan het eten dat mijn moeder op het aanrecht voor me heeft bewaard. Ik denk aan het warme huis en aan mijn bed. Ik wil wegkruipen onder wollen dekens en met niemand hoeven praten. Vanavond even niet.

De volgende dag ben ik op de tijd die de poster vermeldde in het zaaltje waar het jeugdtheatergezelschap een introductiebijeenkomst houdt. Ik heb me aangemeld zonder dit aan mijn ouders te vertellen, zonder Dave op de hoogte te stellen. Ik heb het voor mezelf gedaan, voor het eerst.

Samen met twintig jongeren zit ik in een kring. De leider spreekt. We gaan werken aan ons eerste toneelstuk, een klassieker. Ik voel me thuis bij het gezelschap. Het is een groep mensen zonder oordeel, zonder pesterijen, met een gedeelde passie voor de planken. De kostuums die op rekken hangen, bekijk ik terwijl hartjes uit mijn ogen spatten. Zodra wordt gevraagd wie de coördinatie voor de kostuums op zich wil nemen, voel ik mijn hand omhooggaan. Ik krijg de taak.

We drinken nog wat en nemen dan afscheid. We zullen elkaar die week erop alweer zien, wanneer we beginnen met de rolverdeling. Daarna zal elke week een repetitie volgen. Iedereen is aardig. Iedereen lacht. Iedereen zit vol liefde. Met een warm gevoel neem ik afscheid van mijn nieuwe club vrienden. Die misschien wel echte vrienden zullen worden.

Het begint te regenen. Wild water slaat tegen het raam en de buitenwereld verandert in de golven van een lachspiegel. Ik kijk naar Steffie, die het ook ziet en met haar vingers aan haar imposante lokken draait. Zo dof en rossig als ik ben, zo warm en helderoranje is haar kleur. Ze kauwt op iets, maar ik weet niet wat, haar mond lijkt leeg. Het zal misschien symbolisch zijn, misschien dat ze mijn verhaal moet verwerken, misschien overpeinst ze wat zaken die ik haar vertel.

We zwijgen een tijdje.

Dan waait er een wind van optimisme door de kamer. Sanne, de psychosociaal medewerker van het ziekenhuis, komt binnen en overstemt met haar opgewekte karakter de aanwezigheid van Steffie, die ineens niet belangrijk meer lijkt. Sanne is de afgelopen maanden mijn steun en toeverlaat geweest.

Ze klapt een keer of vier in haar handen, trommelt daarna op de rand van mijn bed. 'Julia...' roept ze zangerig. 'Hoe voel je je?'

Ik wrijf in mijn handen, alsof ik van mezelf moet zeggen: het gaat dolletjes, ik heb er zin in! In werkelijkheid zeg ik: 'Ik voel me wel oké, wel prima. Een beetje nerveus, dat ook.'

'Hoort erbij,' zegt ze. 'Het hoort erbij, lieverd.'

Ik knik, zij ook.

'Wil je de operatie nog een keer doornemen?'

Ik schud van nee en blijf dat een tijdje doen.

Ik kan die operatie dromen. Ik droom er al maanden over hoe mijn slurf van mijn lichaam wordt losgekoppeld en hoe het ding het papieren kleed op de operatietafel met bloed besmeurt. Ik droom over het glinsterende mes dat pijnloos een eind maakt aan mijn lijden. Ik heb niks in de gaten, ik word verdoofd. Eindelijk, eindelijk word ik verdoofd, eindelijk hoef ik eens niets te voelen.

In mijn dromen zie ik voor me hoe er een vagina wordt geknutseld van mijn geslacht, hoe ik diepte krijg, hoe ik vrouw word – zoals een vrouw ooit bedacht is.

Eindeloos heb ik gefantaseerd over hoe het zou zijn, een leven met een vagina. Hoe het zou voelen als de ballast van mijn penis, mijn scrotum, zou verdwijnen. Ik bad als klein jochie voor het slapengaan weleens tot God en vroeg Hem me wakker te laten worden met het uiterlijk van een meisje, meer zou ik niet van Hem vragen, meer zou ik niet verlangen. Ik beloofde Hem de wereld, ik beloofde dat ik altijd lief zou zijn voor iedereen. Ik beloofde een heilig boontje te zijn – als Hij de mijne maar zou wegtoveren. Maar wat bezielde me, te denken dat God daadwerkelijk bestaat. En als Hij al zou bestaan, dat Hij zich dan om mijn gejank zou bekommeren.

Het moment van verlossing komt nu met de minuut dichterbij. Binnen de vierentwintig uren die op dit moment zullen volgen, laat de chirurg zijn vlijmscherpe mes in mijn vlees glijden en verandert daarmee mijn hele leven. Het betekent de dood van een man, de geboorte van een vrouw. De operatie ritst het mannelijke pak van mijn lijf en morgen, als ik bijkom uit de narcose, stap ik uit het pak en voel ik me verlicht, zo stel ik me voor. Ik stel me voor dat het zo zal gaan, die operatie, dus nee, die hoef ik niet nog eens door te nemen. Ik heb mijn krachten verzameld, mijn moed bijeengeraapt, ik ben er klaar voor.

'Heb jij het weleens gezien?' vraag ik Sanne. 'Een operatie?'

'Ik ben er een keer bij geweest, ja.'

'En?'

'Het is erg interessant om te zien.'

'En smerig, zeker? Een onsmakelijke, bloederige toestand.'

Sanne glimlacht. 'Ik weet niet of ik het smerig zal noemen.'

'Ach,' mompel ik, 'natuurlijk is het smerig.'

'Als jij het zo wilt noemen.'

'Weet je Sanne,' zeg ik, 'weet je waar ik bang voor ben?'

'Nou?'

'Ik ben bang om een scheet te laten tijdens de operatie.'

Ze lacht. 'Een scheet?'

'Ja, een scheet, ja. Is dat zo gek? Ik heb zo'n opgeblazen buik na dat klysma. En dat soort dingen heb je natuurlijk helemaal niet onder controle als je onder narcose bent.'

'Wees niet bang.'

'Waarom niet?'

'Geloof me, Julia, ze maken hier wel gekkere dingen mee dan patiënten die een klein scheetje laten.'

'Dan hoop ik dat het inderdaad een klein scheetje is. En dat het een beetje vrouwelijk klinkt, dat scheetje.'

'Dat hoop ik ook, maar je hebt nog even om te oefenen.'

Ik lach haar toe.

'Ik ga weer,' zegt ze dan. 'Rust nog even uit, straks komt de arts langs om de laatste dingen te bespreken.'

Ze staat op en zoals haar vrolijkheid de kamer even geleden vulde, grijpt een ernstige bui me nu bij de strot. Ik wil niet dat ze gaat. Ik wil dat ze blijft. Maar ik weet dat ik dat haar niet kan vragen, we hebben niet zo'n band. Onze band is goed, maar professioneel. Eens in de vier weken heb ik haar een uur gesproken over mijn psychische toestand. Ze weet veel van me, maar ze is geen vriendin, ze is geen zus, ze is hier niet voor mij – althans, niet voor mij alleen.

'Sanne,' zeg ik als ze al bijna bij de deur is. Ik zoek contact met haar ogen, ik probeer te praten met mijn blik. En ik zeg, hakkelend: 'Ik zie je niet meer, natuurlijk. Ik zie je niet meer voor de operatie.'

Ze loopt terug naar mijn bed en legt haar hand tegen mijn wang. Even probeer ik me voor te stellen dat ze mijn moeder is. Sanne heeft geen kinderen, maar zou ik haar kind mogen zijn? Alleen voor nu, alleen voor vandaag, zou ik haar kind willen zijn. Ik wil tegen haar borst, ik wil dat ze me troost, ik wil dat ze mijn zenuwen wegzingt, ik wil dat ze me heen en weer wiegt in haar armen, ik wil dat ze zegt dat het goed komt. In plaats daarvan zegt ze: 'Dat klopt, de volgende keer dat we elkaar zien is het gebeurd. Dan heb je een vagina, dan ben je compleet, Julia. Vind je dat geen mooie gedachte?'

Ik denk aan de gedachte die ze schetst. 'Ja,' zeg ik dan, 'dat vind ik een mooie gedachte.'

Ik open mijn ogen en daar zit Steffie weer, van dienst geruild met Sanne.

'Hoe zit het eigenlijk met jou en de liefde?' vraagt ze. 'Viel je altijd al op vrouwen?'

'Jazeker.'

'Wat betekent dat dan?'

'Wat bedoel je?'

'Betekent dat dan dat je eigenlijk lesbisch bent, of zo?'

Ik haal mijn schouders op. 'Noem het hoe je het wilt noemen. Ik denk dat je daar wel gelijk in hebt, ja.'

Steffie sluit haar ogen. Ik zie haar zwartgekleurde wimpers, die haar oogleden als zwierige waaiers versieren.

'Dave klinkt als een rokkenjager. Was jij dat ook?'

'Nee.'

'Had je wel vriendinnetjes?'

'Eentje,' zeg ik. 'Ik had één vriendinnetje. Zij was de ware.'

'Leuk!' Steffie wrijft in haar handen. 'Vertel me eens over haar.'

'Haar naam was Valerie.'

'En verder?'

'Op een gegeven moment was Dave hoteldebotel van een meisje dat Rianne heette. Ze was een jaar of twee jonger dan wij, verlegen en voldeed absoluut niet aan DLS, zijn eisenpakket.'

'DLS?'

'Dikke tieten, een lekkere kont en een smakelijk bekkie. Rianne was gewoon. Mooi, hoor, maar gewoontjes. En juist op deze meid werd hij stapelverliefd.'

Ik laat mijn gedachten gaan naar onze eerste ontmoeting. De dag dat ik Valerie voor het eerst zag.

'Op een dag wilde ze hem voorstellen aan haar zus, die ook bij ons op school zat. Dave stond erop dat ik erbij zou zijn, ik denk omdat hij zenuwachtig was. De zus van Rianne was van onze leeftijd en zat in de andere vwo-klas, dat wist ik wel. Maar ik had haar nog nooit gezien. Zij volgde exacte vakken, wij hadden meer een vakkenpakket voor watjes, dus ze zat nooit bij ons in de les. Ik weet nog hoe ze kwam aanlopen, fris, betoverend. Blond haar, groenblauwe ogen. Ik weet nog hoe ze keek, wat ze aanhad, hoe ze rook toen ze me een hand gaf, hoe ze lachte, hoe haar stem klonk. Elk detail brandde ik op mijn harde schijf. Ik weet niet goed meer wat ik tegen haar heb gezegd. Ik weet wel dat ik haar aanstaarde, ik voelde me groen. Geblokkeerd. Ja,' verzucht ik, 'ja, Steffie. De middag waarop ik Valerie ontmoette wist ik eindelijk hoe het voelde om verliefd te zijn.'

Steffie grijnst kuiltjes in haar wangen. 'Het klinkt nu al romantisch. En, vroeg je haar mee uit?'

'Nee joh, dat durfde ik helemaal niet. Bovendien hadden we eerst kerstvakantie.'

Het is Kerstmis 1996, ik ben bijna vijftien. De momenten waarop we als gezin met zijn vijven bij elkaar zitten, komen niet vaak voor. Meestal is of mijn vader, of mijn moeder, en vaker nog allebei, aan het werk in het hotel. Op zondagen komt het wel voor dat we bij elkaar zitten als het geen etenstijd is, maar dat voelt toch minder speciaal.

We zitten in een kringetje, mijn ouders op de bank, Christa in de grote fauteuil van papa, Maria op een krukje en ik op de vloerbedekking tegen de kachel.

Ik kijk naar mijn zussen en betrap mezelf op een gevoel van afgunst. Ik ken veel vormen van jaloezie, maar de vorm die het meest om aandacht jengelt, is de jaloezie op mijn zussen. Ik ben jaloers op hun jurkjes. Vroeger was ik jaloers op de strik in hun haren, op de lengte van hun haar, op de maillots die ze droegen.

En nu ben ik jaloers op hun borsten, hun stem, hun alles. Ik ben jaloers op hun vrijheid. Dat, precies dat wil ik ook. Ik wil vrij zijn, me een vlindertje voelen en net als zij door het huis fladderen.

Het is tijd voor cadeaus. De in glanzend en warm gekleurd papier verpakte dozen brengen ons bij elkaar, die late ochtend na de mis. En natuurlijk het kerstfeest en de geboorte van Jezus Christus en alles, maar goed, mijn hart klopt harder bij het krijgen van mijn cadeau dan bij het aanhoren van een religieuze anekdote.

Het kerstcadeau heeft iets speciaals in ons gezin. We krijgen altijd een echt cadeau, een serieus cadeau, een beetje net als met je verjaardag. Voor sommige klasgenoten is de hele decembermaand een cadeaufestijn. Sinterklaascadeaus, vakantiecadeaus, verjaardagen, snoepgoed en chocola in overvloed. Bij ons is dat anders. Mijn ouders doen niet aan sinterklaas, dus wij leven altijd toe naar kerstochtend als naar het toetje tijdens een maaltijd met witlof.

Maria pakt haar cadeau als eerste uit. Het zijn elegante schoenen van donkergroen leer met een mooie, ronde hak. Trots houdt ze de schoenen naar me op. Ik knik goedkeurend. Ze straalt van blijdschap. Ze heeft de schoenen zelf aangewezen aan onze moeder, dat vertelde ze me een paar dagen geleden toen we op haar kamer speculeerden over de cadeaus die we zouden krijgen. Een beetje apart zijn ze wel, maar ik kan me in alle levendigheid voorstellen dat ik ze aantrek en dat ze me fantastisch staan. Inmiddels heb ik de schoenen van Tineke veelvuldig uitgeprobeerd en ik kan een aardig hakje lopen, vind ik zelf.

Tineke is vorige week weer een paar dagen op reis geweest tijdens haar verblijf in ons hotel. Sinds die eerste keer dat ik de kamer binnen sloop, ben ik er steeds meer bedreven in geworden om ongezien bij haar garderobekast te komen. De momenten op die kamer zijn waardevol voor me, ze vervagen mijn frustratie, maken de vlammen die onderhuids woeden minder heet, minder krachtig. Het passen van haar kleding is mijn zuurstof. Het maakt de rol als voetballer, vriend van macho-Dave en enige zoon van mijn ouders enigszins draaglijk. Hoewel ik me vaak oprecht afvraag hoe lang ik het spel nog zal volhouden.

En wanneer ik er een einde aan zal maken.

Tot nu toe heeft het leven steeds mijn voorkeur genoten, maar ik vrees de donkere dag dat ik het voordeel daar niet meer van in kan zien.

'Julius?'

Ik schrik. Ik heb zitten staren. Ik was vertrokken naar mijn droomwereld, zonder dat ik er erg in had gehad.

'Julius, wakker worden! Ben je er nog een beetje bij?' vraagt mijn moeder. Ze is gelukkig in een jolige stemming.

'Sorry, mam, ik zat even niet op te letten.'

'Pak je cadeau maar uit.'

Ik zoek naar het pak met mijn naam erop en trek de strik los. Het is een relatief klein pakje, dus het zijn in elk geval geen hakschoenen. Ik schiet in de lach bij de gedachte dat mijn moeder me hakschoenen zou geven. Wat een werelden zouden we dan nog moeten overbruggen.

'Waarom lach je?' roept Christa, ongeduldig als een klein kind om haar eigen cadeau uit te kunnen pakken. Soms is het moeilijk voor te stellen dat ze de oudste van ons drieën is.

Ik haal mijn schouders op. 'Niks, gewoon nieuwsgierigheid!'

Ik stroop de papieren verpakking van het karton en weet dat ik een fantastisch cadeau in handen heb. Een Nokia. Weg met het goedkope mobieltje van een vaag Chinees merk, vanaf nu heb ik een Nokia. En een mooie, ook nog.

'Een mobieltje! Wat een prachtig cadeau, pap en mam, dank jullie wel.'

Ik loop naar mijn ouders toe en geef ze een zoen.

Christa grijpt daarop haar kans om haar cadeau, een rond pakje, te openen. Al snel tovert ze een make-updoos met alles erop en eraan tevoorschijn. Het ding is schitterend. De doos is uitklapbaar en geeft oogschaduw in alle kleuren van de regenboog prijs. Er zitten diverse lippenstiften in een lade die je kunt uitschuiven en er steken twee kleuren mascara uit een speciale houder. Het geheel wordt opgeleukt met allerlei spiegeltjes, versiersels en kwastjes. Zo groen als de oogschaduw die Christa als eerste uitprobeert word ik van jaloezie als ik kijk naar haar cadeau. Ik wil niet jaloers zijn. Ik wil blij zijn met wat ik heb gekregen. Ondankbaarheid past niet in mijn karakter, vind ik. Zo ben ik niet opgevoed. Maar lieve heer, wat zou ik mijn mobiele telefoon graag inruilen voor die hakschoenen of die make-updoos.

Na het eten die avond kijken mijn zussen naar een familiefilm. Ik trek me terug op mijn kamer. Ik probeer wat dingetjes in te stellen op mijn nieuwe Nokia, maar snap er niet veel van. Ik heb geen zin om de gebruiksaanwijzing te lezen. Uit verveling stuur ik Dave een sms. 'Nokia gehad van mijn ouders! Julius.' Ik wacht een halfuur, maar hij reageert niet.

Ik sta op en sluip via de zoldertrap naar beneden, naar de kamer van Christa. De make-updoos vind ik als waardevolle schat op haar bed. Ik laat me op mijn knieën zakken en schuif de vakjes voorzichtig uit elkaar totdat alles zichtbaar is. Ik schud mijn hoofd en laat mijn blik flitsen van kleur naar kleur, van accessoire naar accessoire. Prachtig, ik vind het zo schitterend dat ik me laat meevoeren door de romantiek van het moment. Voorzichtig veeg ik met mijn vinger langs de groene oogschaduw die Christa al gebruikt heeft. Vervolgens met een andere vinger langs de paarskleurige, die ze ernaast heeft aangebracht. Ik kijk in een rond spiegeltje dat als een soort vergrootglas fungeert en kleur mijn rechterooglid in. Ik voel een tinteling door mijn lijf, van spanning, opwinding, van opluchting. Ik snap niet wat me zo aantrekt in vrouwenkleding, in make-up, in vrouwen, ik begrijp het niet. Maar het voelt zo natuurlijk, zo gewoon. Alsof het hoort.

Ik knipper met mijn ogen en bekijk het resultaat. Hoe zou het geweest zijn als ik gewoon met het lichaam van een meisje was geboren? Als ik die stomme piemel niet had gehad? Waarom vind ik rust in mijn fantasie? Precies die rust waar ik in het dagelijks leven zo naar zoek.

'Wat doe je?!' krijst Christa. 'Blijf af!'

Behendig maar vlug schuif ik de make-updoos dicht, alsof er dan ineens niets gebeurd is.

'Waarom zit je op mijn kamer? Wat doe je met mijn cadeau?'

'Ssst,' probeer ik nog.

Dan ziet Christa mijn oog.

'Julius!! Je hebt het op je oog gesmeerd!' Even schiet ze in de lach, maar daarna roept ze: 'Wie doet nou zoiets? Ben je gek, of zo?'

'Sorry,' mompel ik. 'Sorry, ik weet niet wat me bezielde...'

Mijn moeder staat inmiddels onder aan de trap.

'Wat gebeurt daar?'

Hoopvol kijk ik mijn zus aan. Ik vouw mijn handen samen en smeek haar in stilte om niets te zeggen.

'Julius was stiekem aan het rondsnuffelen op mijn kamer,' zegt Christa uiteindelijk. Ze werpt me een heksachtige blik toe. Demonstratief veegt ze haar make-updoos schoon met haar mouw, alsof ik er allemaal vette vingers op achter heb gelaten. Het irriteert me, maar ik ben haar dankbaar dat ze niet alles vertelt.

'Julius, je hebt een eigen kamer! Ga daar maar een tijdje zitten.'

'Ja, mam.' De kleuter in mij gehoorzaamt.

Ik was mijn oog schoon in de badkamer en verdwijn daarna naar mijn kamer waar ik een waterval van tranen niet kan tegenhouden. Ik snap niet dat ik deze drang heb. Ik vind mezelf raar. Ik schaam me. De frustratie waarmee ik te kampen heb is te veel, ik begin me steeds meer te realiseren dat ik er niet mee kan omgaan, dat ik onvoorzichtiger word, zoals vanavond. En dat ik, als ik echt had moeten uitleggen aan mijn zus wat ik aan het doen was, met mijn mond vol tanden zou staan. Ik weet het ook niet. Ik schaam me dood en durf haar niet meer onder ogen te komen. Wat moet ze wel van me denken? Dat we vroeger nou speelden met de make-up van mijn moeder, dat was nog kinderlijk, maar nu ben ik opgegroeid. Ik ben een puber. Een lange, slungelige puberjongen. Ik heb niks te zoeken in de buurt van een make-updoos.

Midden in mijn kamer kniel ik neer. Nederig, verslagen. Ik hoop dat God niet door heeft gehad dat ik me meer op mijn cadeau verheugde dan op het vieren van Kerstmis. Ik bid tot Hem, ook al heeft Hij het druk vandaag, om te vragen dat Christa er nooit meer op terug zal komen. Ik vraag Hem of hij ervoor wil zorgen dat zij dit incident vergeet.

Tweemaal achter elkaar klinken twee korte tonen door mijn kamer. Het is Dave. Ik lees de woorden die hij me sms't en direct nog eens. Daarna lees ik ze nog eens. Daarna fluister ik ze, zodat het echter wordt. Zal het werkelijk? Ik fluister ze nog eens: 'Cool van die telefoon, man. Ben bij Rianne thuis en raad eens: Valerie vindt jou ook leuk!!! Love is in the air!!!'

Zijn berichtje en de kriebels die dat in mijn onderbuik teweegbrengt zijn het mooiste cadeau van Kerstmis 1996.

6

Steffie is in de weer met groene oogschaduw, in dezelfde teint als die uit de doos van Christa. Ik kijk toe terwijl ze zich opmaakt, met serieuze toewijding. Precisie. Ook al is het een beetje vreemd dat ze zich naast mijn ziekenhuisbed zit op te tutten, toch vind ik haar gedrag vermakelijk. Ik mag haar wel, ze doet dingen die ik ook zou doen. Zou willen doen.

'Het kwam voor Christa dus vast niet als een verrassing,' mompelt ze.

'Wat?'

'Nou, dat je eigenlijk een vrouw bent.' Ze kijkt even op van haar werk. 'Als ik mijn broertje zou aantreffen met mijn make-up zou er wel een belletje gaan rinkelen. Ik zou me in elk geval afvragen waar het vandaan komt.'

Ik haal mijn schouders op. 'Volgens mij ging dat niet zo bij haar,' zeg ik. 'Ik denk eerder dat ze het probeerde te verdringen.'

'Hoe heb je het haar verteld eigenlijk?'

'Persoonlijk, bij haar thuis.'

'En hoe ging dat?'

Ik oefen op een nonchalant antwoord, maar weet dat het geen zin heeft om de schijn op te houden. Steffie heeft me toch wel door.

'Niet zo best,' zeg ik eerlijk. 'Niet zo best.'

Het is zaterdag, einde middag. Mijn zus zit naast haar man, mijn zwager. Een te grote cactus vangt met bravoure het laatste beetje zonlicht dat de herfstdag brengt. Het is tamelijk donker in de woonkamer, maar dat blijkt voor mijn zus geen reden een lichtje aan te knippen.

'Wat heb je ons te vertellen, Julius?'

Ik knipper met mijn ogen. Een gepaste schemer daalt neer over ons drieën. Een zwart, donker spook dat geenszins van plan is naar zijn kot in de hel terug te keren. Ik kijk naar mijn zus. Ik denk dat ze slecht heeft geslapen.

Mijn zus en haar gezinsleden hebben het goed samen, alles is gelopen zoals het hoort. Er kwamen kinderen toen de tijd daarom vroeg, Wim ontwikkelde een indrukwekkende bierbuik toen zijn vrienden dat ook deden en Christa stopte met make-up toen ze zich begon af te vragen wat het feitelijk nog voor nut had.

Ze zijn zo gewoon dat ze wel gelukkig moeten zijn.

Ik voel de filterkoffie door mijn nuchtere maag kabbelen. Een onrustige zee, voortekenen van een woeste storm. Zenuwen. Misselijkheid. Ik moet het wel vertellen, nu, op de een of andere manier. Ik probeer mijn ademhaling onder controle te krijgen en onderdruk daarmee mijn neiging tot braken.

Mijn vuiligheid vindt hoe dan ook een weg naar buiten.

'Ik loop al lang rond met een groot geheim,' begin ik. 'Zolang ik leef, om precies te zijn, zo lang loop ik er al mee rond. Ik weet niet goed hoe ik het jullie moet vertellen. Ik vind het moeilijk om het jullie te vertellen.'

'Vertel het nou maar gewoon.' Mijn zus, zo nuchter als ze is. 'Heb je Valerie bedrogen, heb je een ander?' Ze rolt met haar ogen. 'Dat arme kind.'

'Nee, dat is het niet. Absoluut niet.'

'Wat dan?'

'Het ligt wat complexer dan dat. Ik hoop dat je me niet direct wilt veroordelen, dat je onthoudt dat ik familie ben en blijf. Dat ik van je hou en dat er een belangrijke reden is waarom ik ga zeggen wat ik wil zeggen.'

Mijn zus kijkt van mij naar haar man. En terug. 'Nou, Wim, ik weet niet wat hier aan de hand is, maar onze Julius is wel erg serieus, vind je niet?'

Wim zegt: 'Hmhm.'

Christa wuift met haar hand in de lucht. 'Vertel op, nou. Laat ons niet langer in spanning.'

Ik weet niet waar ik mijn handen moet houden. Eerst vouw ik ze samen, dan leg ik ze voor me in mijn schoot en kijk naar de nagels die ik vanochtend keurig gevijld heb. Ik laat ze groeien, na vandaag.

'Ik ben geboren in het verkeerde lichaam. Ik heb het lichaam van een man, maar ik voel me vrouw, mijn leven lang al. '

'Julius...'

Het huis wordt gebombardeerd. Schuilen is onmogelijk. Vanuit de hemel regent het brokstukken, de muren vallen naar me toe, de blik van mijn zus is een puntige baksteen. Gigantische knallen klinken. Stof daalt neer, smerige rook trekt op. Terwijl ik word bedolven onder het puin, zie ik Wim naar me kijken. De passieve toeschouwer, de ramptoerist.

Ik ga verder. 'En nu wil ik verder leven als vrouw, geen leugens meer. Geen rol meer.'

'Julius, alsjeblieft...'

'Mijn nieuwe naam is Julia, ik hoop dat jullie dat op termijn willen respecteren.'

'Wat?'

'Julia. Ik wilde altijd al Julia heten, weet je nog die pop die ik vroeger van jou mocht lenen? Die noemde ik ook zo.'

Christa staat op. Haar man twijfelt, maar verschuift ongemakkelijk op de goedkope tweezitter die ze onlangs bij Ikea hebben aangeschaft. Een van de poten is beschadigd, maar dat is niet erg, want daardoor kregen ze korting.

Wim laat zijn volledige aandacht in het *TrosKompas* verdrinken dat tot zijn geluk binnen handbereik op de leuning van het meubel ligt. Mijn zus schraapt haar keel, ze mompelt wat in zichzelf. Ze schudt haar hoofd en verzamelt lege kopjes van de glazen salontafel, die ze om haar vinger rijgt. Ze loopt weg.

Ik sta ook op.

'Laat haar maar even,' mompelt mijn zwager. Hij kijkt me niet aan.

Toch loop ik naar de keuken. Ze is mijn zus. Zijn vrouw, misschien, maar mijn zus. Ik ken haar al mijn hele leven, ze moet vermoedens hebben gehad, vroeger. Had ze niet in de gaten gehad dat ik haar lippenstift leende, dat ik liefst op haar kamer speelde, met haar poppen? Dat ik mijn haar stiekem opstak met haar speldjes?

'Natuurlijk wist ik het.'

Christa staat met een sigaret in haar hand, een zilveren kroegasbak naast haar op het aanrecht. Ze is sinds haar twintigste gestopt met roken. Nu is ze tweeëndertig.

'Maar Julius, het is te laat. Je bent een man van achtentwintig. Je hebt een gezin, een klein kindje. Zet je eroverheen: je bent geen vrouw. Zo is het besloten, daarboven. Je moet ermee zien te leven. Dat is toch prima gelukt, of niet? Al die jaren...'

Mijn zus staat in brand. De rook zweeft tussen haar schrale lippen door naar buiten.

'En dan kom je nu ineens hiermee. Wat vindt Valerie er eigenlijk van?'

'We wonen voorlopig even apart. Ik logeer in een hotel.'

'Kijk, daar heb je het al. Dit ga je toch niet serieus doorzetten, hè? Dat doe je je gezin toch niet aan, je familie? Wat moeten de mensen wel niet denken, och hemel.'

Mijn zus slaat een kruis.

'Ik begrijp goed dat het voor jullie ook moeilijk moet zijn.'

'Moeilijk? Je gooit ons hele leven overhoop als je deze onzin doorzet. Hoor je dat, of zal ik het voor je spellen?' Mijn zus zoekt naar letters. 'Onzin! Vroeger, ja vroeger was het nog wel grappig, dat gespeel met poppen, verkleedpartijtjes. Maar nu moet het stoppen. Je bent verdorie een volwassen kerel.'

De stilte duurt maar kort.

Ze roept: 'Word eens volwassen, Julius!'

'Julia. Ik zal vanaf nu Julia heten.'

'En hou daar ook mee op. Je bent Julius, mijn broer. Je heet geen Julia.'

'Ik ga me laten ombouwen, Christa, zoals ze dat zeggen. Het is serieus, dit is geen bevlieging, of stuiptrekking. Ik wil dat je dat weet.'

Mijn zwager komt de keuken in gelopen.

'Er zijn doktoren die me serieus nemen. Ze hebben me groen licht gegeven. Dat betekent dat ze me toelaten tot het programma. Dat ze denken dat ik gelijk heb, dat mijn gevoel klopt. Dat ik eigenlijk een vrouw ben, ook al heb ik lichamelijk een ander geslacht. Ze willen me helpen.'

Mijn zus lanceert de asbak als een frisbee door de keuken, rakelings langs mijn wang. Er dwarrelt as door de lucht. Even zie ik mezelf als sneeuwpop in een glazen bol.

'Wat zei ik je nou?' mompelt Wim, zijn rug naar me toe. Ik zoek naar een toon van triomf in zijn stem, maar zijn opmerking lijkt ingegeven door sleur.

Mijn zus kijkt hem weg uit de keuken. Hij pakt een blikje Amstel uit de koelkast en verdwijnt, gehoorzaam als hij heeft leren zijn.

'Ik wilde het je persoonlijk vertellen, voordat je het van anderen zou horen. Ik begrijp het als je het even wilt laten bezinken, maar ik zou graag met je praten. Over vroeger, over hoe ik me voel. Over al die jaren.'

'Het draait er niet altijd om hoe jij je voelt,' zegt mijn zus.

'Denk ook eens aan een ander. Dit is toch echt iets voor een man? Zie je wel? Je bent een echte vent, een botte boer. Zie je niet waar je mee bezig bent? Alsof we nog niet genoeg hebben meegemaakt in de familie.'

'Zusje, het spijt me oprecht, maar het draait nu even wel om hoe ik me voel. Mijn leven lang heb ik een rol gespeeld, althans, proberen te spelen. Ik ben op, ik kan niet meer. Het spel is over. Ik weet niet hoe ik anders verder moet.'

Op een zenuwachtig ritme schudt ze haar hoofd. 'Ik kan dit niet geloven.' En dan harder: 'Dit is toch niet te geloven!'

'Heb je ooit van me gehouden?' vraag ik.

'Wat?'

'Hou je van me, als mens?'

'Belachelijke vraag.'

'Waarom? Het is gewoon een vraag.'

'Ik ga er niet op in.'

'Morgen ga ik naar mama, om het haar te vertellen. Maria weet het al.'

Christa ontsteekt een vlammetje uit het kleine pitje van het gasfornuis en steekt haar tweede sigaret aan. Ondertussen zegt ze: 'Ha, en waarom verbaast me dat niks?'

'Wat?'

Ze schaterlacht haar ergernis weg. 'Natuurlijk weet Maria het al. Jullie bespreken altijd alles eerst voordat je mij inlicht.'

Ze bijt op haar onderlip.

'Sorry,' zeg ik.

'Ik heb het altijd al geweten, altijd. Zo stil als je was, zo zeker wist ik dat je op iets zat te broeden. Stille mensen moet je nooit vertrouwen, weet je dat, regel nummer een. Ik wist dat je ooit iets zou verzinnen om de aandacht op je te vestigen, om ons kapot te maken. Ik had met veel rekening gehouden, maar dan kies je zoiets? Hoe kom je erop?'

'Chris, ik verzin dit niet.'

‘Ik zal je één ding vertellen: ik doe er in elk geval niet aan mee. Doe wat je moet doen, maar laat mij erbuiten. Ik wil er niks mee te maken hebben.’

‘Wat wil je dat ik doe?’

‘Ik wil dat je vertrekt.’

‘Meen je dat?’

‘Nu!’

Ze loopt de keuken uit, de trap op en slaat de slaapkamerdeur dicht. In de gootsteen blaast haar net aangestoken sigaret zijn laatste adem uit.

Ik hoor Wim kuchen. Hij zal haar achterna willen gaan, maar worstelt nog met de vraag of hij dat tegenover mij kan maken. Ik zie hem door de keukenmuur heen, zittend op het puntje van de bank. Hij knijpt in zijn lege blikje Amstel, twijfelt over wat hij moet doen. Hij hoopt dat de situatie voor hem zal beslissen en dat ik me uit de voeten maak, zo snel mogelijk.

De schil van mijn geheim is gebarsten. Mijn vuiligheid, mijn viezigheid, mijn lelijke randje toonbaar voor de wereld. En in plaats van dat ik me ervoor schaam, voel ik rust. Ik ga voor mezelf leven, in plaats van voor anderen, voor mijn omgeving, voor de maatschappij of voor Jan met de korte achternaam.

Ik loop het tuinpad af. Ik voel dat mijn zus me nakijkt, van achter het slaapkamerraam, terwijl het duister me inslikt. Ik beeld me in dat een verdwaalde traan langs haar wang trekt, de rest perst ze terug. Ze is een harde, altijd al geweest, maar ik hoop dat ze tot inkeer komt. Ze kent me, ze weet dat ik dit niet doe vanuit een vlaag van verstandsverbijstering. Ze weet het gewoon.

Ik denk aan hoe het vroeger tussen ons ging.

Ik ben zes, zij tien. We staan bij het ladekastje op de slaapkamer waar onze moeder haar flesjes nagellak bewaart.

‘Welke kleur wil jij?’ vraagt Christa. Ze fluistert, terwijl mijn moeder niet thuis is. Ze is een uurtje naar het hotel.

'Roze, net als jij de vorige keer,' zeg ik.

'Goed.'

Christa pakt mijn hand en vijlt twee hoekige stukjes van mijn nagel totdat die netjes rond is. Dan voel ik het koude kwastje over mijn nagel glijden. Ze herhaalt de handeling een paar keer tot ze haar werk met tevreden blik bekijkt. Ik houd mijn hand in de lucht. Het roze staat me prachtig.

'De rest ook,' zeg ik.

'Maar zo moet je het er wel weer af halen, hoor. Mama wordt gek als ze dit ziet.'

'Ik weet het.'

Samen lachen we. Onderdrukt. Stel je voor dat onze moeder alweer binnen is en op ons gegiechel af komt. Er zou wat zwaaien.

Christa lakt al de nagels van mijn hand en kiest daarna rood voor zichzelf. Zij doet ook maar één hand. Daarna springen we door de kamer, opgewonden als we zijn. Christa blaast zachtjes op haar nagels, wappert met haar handen door de lucht. 'Zo droogt het sneller.'

Ik doe haar na en lach harder dan verstandig is.

Dan slaat de deur dicht. De pas van mijn moeder – één voet sloffend door haar kapotte knie – klinkt op de houten vloer van beneden.

'Kom, kom, kom, snel,' fluistert mijn zus.

We sluiten de slaapkamerdeur van mijn ouders en sluipen naar Christa's kamer. Eerst rollen we over de vloer van de slappe lach, onze wangen kleuren tomatenrood. Dan schraap ik het roze weer van mijn nagel. Met pijn in het hart.

Christa volgt mijn voorbeeld. Ik keek tegen haar op, ze was de koningin van mijn rijk. In die tijd vond ik haar zelfs interessanter dan Maria, die liever in bomen klom dan barbieharen kamde. Christa was wie ik wilde zijn en door zo dicht mogelijk bij haar te komen, werd ik ook een beetje wie zij was. Ze bood me de mogelijkheid mezelf voor de gek te houden.

Ik start de motor. Werp nog een blik op het huis van mijn zus. Ik stel me voor dat er ook herinneringen door haar hoofd schieten. Een storm van puzzelstukjes die ze op tafel gooit om ze weer bij elkaar te leggen. Het plaatje dat ze opnieuw kloppend moet zien te krijgen. Wim schenkt een glaasje voor haar in en klopt troostend op haar schouder, zo zal het gaan. Ze kijken elkaar aan en schudden het hoofd.

Het regent wanneer ik de straat uit rij. De diskjockey op de radio vraagt wat de zaterdagavond zijn luisteraars zal brengen. Ik zal iets te eten halen en dat opeten op mijn hotelkamer. Misschien is er wat op televisie.

7

Alles klopte. We waren naar de bioscoop geweest en in het half-uur dat Valerie overhad voordat ze thuis moest zijn, dronken we nog wat in het dorpscafé. Ik had haar hand vastgehouden en zij had het goedgevonden.

Ik tuur door de duisternis als we naar huis fietsen. Het staren geeft me rust. De paar lichtjes die mijn ogen ontwaren, van huizen waar de mensen nog op zijn, van lantaarnpalen, of een kantoorpand waar mensen overwerken, geven me het gevoel van overzicht. Ik breng Valerie thuis, zoals dat hoort. Ik probeer te doen alsof ik dit vaker gedaan heb, maar ik twijfel hevig of ik daarin slaag. Ze is niet op haar achterhoofd gevallen.

Valerie woont in een boerderij aan de rand van het dorp. Haar vader heeft als oudste van vier broers de boerderij geërfd van zijn vader, maar voert geen bedrijf meer. Hij is zakenman in de stad en handelt in aandelen, of zoiets. Hij opereert in elk geval in een tak van sport die voor ons puberachtige brein maar moeilijk te vatten is. Haar moeder houdt kippen en geitjes op de boerderij, en verbouwt biologische groenten en fruit voor eigen gebruik. Soms organiseert ze een markt voor het dorp, waar ze dan zelfgemaakte jam en eieren verkoopt. Er is ook nog een pony, Ranky, waar Valerie en Rianne samen voor zorgen.

We stappen af voor het hek waarmee het erf van haar ouders wordt omheind. Het is er zo stil dat je het water van de sloot tegen de kant hoort klotsen. In het schijnsel van een lantaarn hupst een kikker door de vochtige grassprieten en verdwijnt in het onzichtbare. Valerie schuifelt naast haar fiets, ik naast die van mij. We durven elkaar niet aan te kijken en dat hoeft ook niet, het is er te donker voor. Toch merk ik dat mijn blik voorzichtig die van haar probeert te raken, op zoek naar bevestiging. Voelt zij dit ook? Denkt zij nu ook aan hoe het verder moet? Hoe we dit gevoel vast kunnen houden? Niet de kou en de motregen, maar de zenuwen die pendelen tussen mijn borstkas en hersenpan, brengen een rode blos op mijn wangen. Ik heb hier geen ervaring mee, wat staat me te doen? Ik pieker, maar wil er ook geen tijd mee verdoen. Moet je niet op je gevoel afgaan in dit soort gevallen? Lees ik dat niet altijd in de meidenbladen van mijn zussen? Ik wil mijn gedachten uitschakelen, mijn vervelende gedachten. Waarom lukt dat niet? Waarom denk ik zoveel? Stop nou, stop met denken. Hou op!

Ik knijp mezelf.

De stilte kan ik niet verdragen, niet na zo'n fijne avond. Stilte zie ik als afgang, een gênante afgang. En als een belediging voor Valerie. Het zou lijken alsof ik uitgesproken ben met haar, terwijl het juist voelt alsof er nog zoveel tussen ons te bespreken valt. De keuze aan woorden legt mijn tong haast lam.

'Ik vond het gezellig,' zeg ik.

Er zit wat slijm op mijn stembanden, waardoor mijn stem gek klinkt. Ik schraap mijn keel theatraal. Mijn fiets zet ik op de standaard. Nu moest het maar eens gebeuren.

'Ik ook,' zegt Valerie.

'Wil je,' ik houd even stil, 'zou je nog eens met me uit willen?'

Valerie knikt, te verlegen om hardop te antwoorden.

Haar toezegging geeft me de moed om op haar af te stappen. Vlug geef ik haar een kus op haar wang. De aanraking van mijn lippen op haar donsachtige huid doorbreekt de spanning die in de lucht hangt. Mijn instinct neemt het over en veegt de vloer aan met mijn zenuwen. Ik houd mijn gezicht vlak bij dat van haar en snuif de geur van haar adem op. Met haar vingers plukt ze aan de houtje-touwtjeknopen van mijn jas. Trekt ze me naar zich toe? Voel ik dat goed? Ik vind aansluiting met haar lippen, alsof het zo hoort, en zoen haar vol overgave. Het is mijn eerste kus ooit, en ondanks het geklieder met een overschot aan speeksel dat langs mijn lippen ontsnapt, geniet ik. Haar tong proeft naar zoete wijn, haar lippen voelen koud op die van mij, een contrast met haar mond, die ik in gedachten vergelijk met de warmte van ovenverse appeltaart. Alleen ik mag ervan snoepen. En ik hoop dat de taart nooit op zal gaan.

Plotseling stopt ze. 'Ik moet naar binnen. Mijn ouders...'

Ik knik. 'Ik weet het.' En dan: 'Nog eentje dan?'

Ze drukt haar lippen alweer op die van mij en ik weet, ik weet dat het niet de laatste keer zal zijn. Het betekent dat we vanaf nu bij elkaar horen. Valerie en Julius, als een stelletje. Een stelletje dat kan zoenen als kampioenen.

Met bonzend hart fiets ik terug naar het dorp, in de richting van ons huis, naast het hotel van het dorp. Mijn gedachten vol met fantasieën over Valerie. Ik zie ons lopen, samen, arm in arm. Ik zie ons lachen, fietsen, rennen, ijsjes eten, huppelen, samen zijn. Valerie maakt iets bij me los wat ik ervaar als opluchting. Ik weet dat ik anders ben. Niet hoe anders, of waarom dat juist mij moet overkomen, maar het feit dat ik kan voelen wat ik voel voor Valerie maakt me normaal, lijkt me. Het maakt me meer man dan ik me ooit heb gevoeld. Want wat ik vanavond heb gedaan, dat is wat mannen doen. Ze gaan achter de meisjes aan. Ze zoenen, ze flirten. Ze kiezen het mooiste meisje dat er is. En precies dat heb ik gedaan, want Valerie is in alle oprechtheid het mooiste meisje dat ik ooit heb gezien. Ze heeft het doodgewone, Nederlandse uiterlijk dat ook haar zusje zo kenmerkt, maar haar ogen zijn mooier, aparter. Haar haar is vol en zacht en prachtig van kleur. Ze is lief, ook nog. En slim, en grappig.

Een scherpe pijn tegen mijn slaap dendert mijn fantasiewereld binnen. Ik val opzij, van mijn fiets en kom in de berm terecht. Ik voel me duizelig en zie vlakbij een steen liggen. Pas als ik me realiseer dat die steen tegen mijn hoofd is gekomen, hoor ik het gejoel, het geschreeuw, het gelach. De geluiden van mijn jeugd die me blijven achtervolgen.

'Hé mietje! Lelijke poot!'

Er klinkt weer gelach.

'Vieze homo, wat moet je met zo'n lekker wijf? Niks voor jou, toch?'

Ik probeer overeind te komen en ga zitten naast mijn fiets, nog een beetje duizelig. Daar staan ze ineens voor me, met z'n vieren, als aanvoerder de oude vertrouwde Tim Waterman. Twee van zijn vrienden ken ik, dat zijn Kevin en Stefan, ook van de basisschool. De derde handlanger heb ik nog nooit gezien.

'Hé!' De Nike-gymp van Tim belandt in mijn buik. Ik krimp ineen van de pijn en hap naar lucht. 'Waarom geef je geen antwoord? Stomme homo!'

Ik kerm. Wat moet ik doen?

Niemand kan me horen, niemand kan me helpen. Ik ben alleen.

'Wat wil je horen?' zeg ik, stoerder dan ik me voel.

In de verte zie ik het café, waar ik even geleden nog met Valerie iets dronk. Zij waren daar ook. Ik had geen aandacht besteed aan hun jaloerse blikken. Dat leek me het beste.

'Wat moet je met die meid? Je bent toch een flikker?'

'Helemaal niet.'

Een trap tegen mijn rug nu, van de vriend die ik niet ken.

'Au!' roep ik, waarop de vier in de lach schieten.

Waarom blijft het toch steeds zo grappig als ik pijn heb? Welk steekje zit er bij hen los?

'Lieg niet,' zegt Tim. 'Of moet je er zelf nog achter komen?

Dat je een vieze kontenlikker bent? Moet je soms nog uit de kast komen?'

De plek in mijn rug klopt pijnlijk, steken wisselen elkaar af in hevigheid. Samen met de trap in mijn buik maakt het me onmogelijk om op te staan, om als een man voor de groep te gaan staan, om te laten zien dat je met mij niet kunt sollen, dat ze het mis hebben. Dat het nu eindelijk eens afgelopen moet zijn.

Toch probeer ik het.

Halverwege word ik teruggeduwd door Stefan. Met een pijnlijke plof kom ik op de grond neer, mijn stuitje raakt de steen die eerder mijn slaap heeft geschaafd. Het veroorzaakt een steek van beneden bij mijn billen tot boven in de richting van mijn nek. 'Blijf daar maar zitten,' zegt hij.

'Goed zo,' voegt Tim toe, 'je luistert al.'

Ik ruik het bier in zijn adem.

Ondertussen vechten paniekerige gedachten in mijn hoofd om aandacht. Ze kunnen van alles met me doen. Ik ben overgeleverd aan de grillen van een stelletje homohaters met een slok op.

'Luister goed, smerig ventje. Je blijft uit de buurt van Valerie. Kevin heeft een oogje op haar en dat ga jij niet verpesten. Wat ze ook in je ziet, die meid, het is over vanaf nu, begrepen?'

'Dan heeft Kevin pech,' hoor ik mezelf zeggen. 'Valerie en ik hebben wat, daar kunnen jullie niets aan veranderen.'

'Horen jullie dat?' fluistert Tim ongelovig. 'Hij heeft nog praatjes ook!'

De miezer die vanuit de hemel neerdaalt vervaagt bij een regen van trappen. In mijn buik, in mijn rug, tegen mijn benen. Een stoot tegen mijn hoofd. Ik incasseer, ik schreeuw, ik huil, ik smeek. Niets helpt. De bui zet onophoudelijk door, totdat ik ineengekrompen in het gras lig en me niet meer kan verroeren van de pijn. Mijn gezicht is nat van mijn tranen, plakkerig van het bloed, vermengd met modder en gras.

'Genoeg, genoeg,' hoor ik Tim in de verte roepen.

Het suizen van mijn oren dempt het geluid. Elke functie in mijn lichaam trekt zich langzaam terug, houdt het voor gezien. Mijn zicht is slecht, ademen gaat haast niet.

Mijn lichaam krijgt even rust en ontspant zich voorzichtig. Ik concentreer me op mijn ademhaling. En dan volgt de genadeklap. Een trap zo hard dat ik een aantal seconden helemaal geen lucht krijg. Ze spugen voor me op de grond en slenteren weg. Ze laten me liggen in de kou. Ze laten me alleen, als een waardeloos wrak in de berm liggen. Ik sluit mijn ogen en verlies het contact met de tijd. Ik blijf liggen, net zo lang totdat ik zeker weet dat ze weg zijn. Net zo lang tot ik de kracht heb verzameld de weg naar huis voort te zetten.

De blik van mijn moeder als ik binnenkom. Ze zit aan de keukentafel in haar nachtjapon, ze wacht op haar zoon die te laat thuis is – veel te laat.

De eerste emotie in haar blik is geen bezorgdheid, zoals een moeder die zou kunnen voelen. Het is geen boosheid, geen angst. Nee, de eerste blik van mijn moeder verraadt gevoelens van teleurstelling.

Ik lees de vragen in haar ogen. Is dit dan alles wat er van mijn zoon is geworden? Kon hij zich niet beter verweren? Wat heeft hij gedaan waardoor mensen hem zo hebben toegetakeld? Ik lees teleurstelling in de ruimste zin van het woord, teleurstelling als die bij een fout antwoord op een makkelijke vraag.

Ik sla mijn ogen neer. Bedwing geen traan meer. Ik ben te moe om me groot te houden.

Mijn moeder staat op. Dan toch die bezorgdheid. Ik voel mijn gezicht tegen haar borst gedrukt. Ze wrijft met haar handen over mijn rug. Ze kust mijn wang. Dan duwt ze me in mijn stoel en loopt weg. Ik weet dat ze mijn vader gaat halen.

Onderweg naar het ziekenhuis huil ik als een kleine jongen.

Mijn vader ondersteunt me terwijl we de eerste hulp binnen lopen, waar de wond aan mijn slaap wordt gehecht en wordt geconstateerd dat twee van mijn ribben gekneusd zijn. Het valt me nog mee. Rustig aan doen, is het advies.

'Wat is er gebeurd, jongen?' vraagt mijn vader op de terugweg.

Ik schaam me. Ik schaam me diep. Ik schaam me omdat ik me niet beter heb verweerd, ik schaam me voor de jongens die me in elkaar hebben geslagen en ik schaam me voor Valerie. Als ik mezelf al zo laat toetakelen, hoe moet zij zich dan ooit veilig voelen aan mijn zijde?

'Ik heb een vriendinnetje, nu,' antwoord ik. 'En daar is niet iedereen het mee eens.'

Mijn vader knikt, alsof hij het begrijpt. Tijdens de rest van de autorit zwijgt hij, misschien om me de gelegenheid te geven mijn ogen dicht te doen, misschien omdat hij niet weet wat hij moet zeggen.

Ik denk aan de nieuwe toneelvoorstelling, die over een paar weken in première gaat. Ik speel Romeo, een rol waarnaar ik enorm heb uitgekeken. Ik vraag me af of dat nog kan doorgaan. Repeteren wordt lastig, hoewel ik de tekst al helemaal ken, de bewegingen ook. Ik droom die voorstelling. Ik kan op een stoel zitten op het podium, met de anderen om me heen. Ik kan de tekst opzeggen, wat gebaren met mijn hand maken. Zo zal het moeten lukken, tot aan de echte voorstelling.

In gedachten heb ik die première al vaak genoeg gespeeld. Mijn eerste voorstelling met een hoofdrol. Het publiek zal applaudisseren, mijn ouders trots, Valerie op de eerste rij.

Mijn vader parkeert het Citroën-busje van het hotel voor de deur. Als hij het contact verbreekt, vraagt hij: 'Hoe heet ze, dat meisje van je?'

'Valerie.'

Hij knikt en stapt uit. Mijn ouders fluisteren tegen elkaar in de hal. Ze fluisteren woorden die niet voor mijn oren bestemd zijn, woorden van serieuze aard. Binnen krijg ik een kneepje in mijn wang van mijn moeder, een kop thee en daarna is het tijd om te gaan slapen. Elk uur zal ik gewekt worden, door mijn vader en mijn moeder om beurten, omdat de eerstehulparts in het ziekenhuis dat adviseerde, voor het geval ik een hersenschudding heb.

Ik woel veel, keer op keer draait het filmpje van haat zich af op mijn netvlies. Ik zie de trappen weer, ik voel ze nog, ik zie de afschuw in hun blikken, hun verbeten lippen tijdens het schoppen. Ik worstel met de vraag hoe het kan dat er mensen bestaan met zo weinig empathie. Hoe mensen een slak die zijn huisje al heeft verloren steeds weer een paar korreltjes zout op de rug kunnen gooien, zonder daar een gevoel van medeleven of spijt bij te hebben.

Vroeg in de ochtend staat Maria aan mijn bed, met tranen in haar ogen. Ze neemt plaats op de rand van mijn bed en knijpt zachtjes in mijn hand.

'Wat hebben ze met je gedaan, lief broertje?' fluistert ze. 'Wat hebben ze met je gedaan?' Met haar vingers betast ze de hechting. Haar gezicht vertrekt van medeleven, of walging.

Vanaf beneden hoor ik de piano. Mijn vader speelt zijn zondagse uurtje voor de mis, en laat de klanken van het instrument begeleiden door zijn donkere stem. Ook al ben ik niet beneden, ik weet precies waar mijn moeder zich nu bevindt. Ze zit met een kop koffie, inmiddels waarschijnlijk leeg en rustend op haar schoot, naar mijn vader te staren. Zo gaat het elke week. Vaak heb ik me afgevraagd wat er in haar omgaat op die momenten, wat ze voelt. Ik twijfel doorgaans tussen verveling en berusting. Geluk, dat is het in elk geval niet. Ik heb meer dan eens het vermoeden gehad dat mijn ouders eerder bij elkaar blijven uit gewoonte dan uit liefde. Maar wie ben ik om daar over te oordelen, wat weet ik nou van de liefde?

Ik probeer rechtop te gaan zitten, maar mijn ribben voelen beurs. Ik kreun zachtjes, binnensmonds, om mijn eer niet ook tegenover mijn zus te verliezen.

'Mijn hemel, Juul. Ze hebben je echt flink toegetakeld, dit keer.'

Ik knipoog. 'Maar,' zeg ik, 'ik heb wel met haar gezoend.'

De lach van mijn zus is oprecht, als die van een schaterend kind dat wordt verrast. 'Echt waar?' vraagt ze. 'En hoe was het?'

Ik bloos. 'Ik vind haar echt leuk. Ze is knap en grappig. En creatief, Maria, net als jij en ik.'

'Dan moet je het niet opgeven, broertje. Als je liefde vindt moet je je erin vastbijten, wat anderen er ook van vinden. Hoeveel klappen ze je ook geven. En het belangrijkste,' ze steekt haar vinger in de lucht, 'laat die liefde nooit meer los.'

Christa heeft al een vriend, Wim, maar Maria laat nooit zoveel los over haar liefdesleven. Ze bedekt het met een mysterieus zwijgen.

'Maria?'

Ze knikt.

'Ben jij al eens verliefd geweest?'

'Há!' roept ze uit. 'Of ik al eens verliefd ben geweest? Wat zal ik zeggen?' Ze kijkt me aan met zachte ogen. 'Ja, Juul, ik ben weleens verliefd geweest.'

'En?'

'Mijn hart werd gebroken.'

'Au.'

'Jep,' knikt ze. 'Maar er komt wel een nieuwe liefde. Ik geloof niet dat er maar één liefde voor iedereen is op deze wereld. In verschillende situaties kun je de juiste persoon treffen, je maatje, je metgezel. En voor mij komt-ie wel weer een keer voorbij.'

'Dat denk ik ook.'

Ze knijpt nog eens in mijn hand. 'Doe rustig aan. Ik ga me omkleden voor de kerk.'

'Is goed,' zeg ik. Blij dat ik eindelijk een goede smoes heb om niet te hoeven.

Steffie pakt mijn hand en knijpt er net zo in als mijn zus altijd deed. Het is niet raar, het voelt vertrouwd. Ze streelt de rug van mijn hand en kijkt me aan.

'Maria is je lievelingszus, of niet?'

Ik knik langzaam. 'Ja,' zeg ik. 'Dat is ze geworden. We deelden een voorliefde voor creatieve uitspattingen. We hielden allebei van tekenen, schilderen. De rest van de familie voelde daar niks voor.'

'Kon je met haar praten over wat je voelde? Over de dingen die je doormaakte?'

'Ik probeerde het,' zeg ik. 'Ik probeerde het.'

We zijn een tijdje stil. Het is een onbeladen stilte, dat heb je soms. Ook al praat ik met een vreemde, het voelt vertrouwd genoeg om mijn gedachten de vrije loop te laten. Om mijn ogen even te sluiten. Om haar warme hand in die van mij te voelen. Ze steunt me. Ze is de enige.

En dan zeg ik: 'Weet je, vaak heb ik gedacht dat Maria wist waarmee ik worstelde. Het leek of we een verbond hadden zonder woorden. Haar stilte, haar blikken, haar aanrakingen zeiden me dat het niet zo erg was als ik dacht. Ze liet make-up slingeren op mijn kamer, waar ze daarna nooit meer om vroeg en gaf me weleens een rokje dat te klein voor haar groeiende achterwerk was geworden. Ze zei er niks bij, ik ook niet, maar ik nam het wel aan. Het ging in de geheime kist onder mijn bed en kwam heel zelden te voorschijn, als ik geen gelegenheid had om naar de kamer van Tineke te gaan en de nood te hoog werd.' Ik schud mijn hoofd. 'Toch zette ook zij niet door, hielp zij me niet met het onder ogen zien van mijn probleem. Ze liet me spartelen, omdat zij ook niet wist hoe het anders moest. Bovendien had ze haar eigen problemen. In ons gezin had iedereen zijn eigen problemen.'

Het is maandagochtend. De schreeuw van mijn moeder lokt me naar buiten. Ik proef de kou als ik de deur open.

Ik stap naar buiten, onze achtertuin in en zie mijn adem terug in wolkjes die speels door de lucht golven en daarna in het niets verdwijnen. Ik denk dat mijn moeder in het schuurtje een dode muis heeft gevonden en besluit dat ik haar moet helpen. Christa is me voor geweest. Ook zij heeft gegild. Mijn vader is op dit tijdstip meestal al naar het hotel, dus het is mijn taak om de dames te hulp te schieten. Ik ben immers vijftien en word steeds vaker geacht me als een man te gedragen.

Ik loop een paar passen de tuin in, langzaam, voorzichtig. De donkerrode klinkers van het tuinpad zijn bedekt met een laagje ijs. Mijn hechtingen zijn er inmiddels uit, de kneuzingen in mijn ribben zeuren niet meer zo om aandacht. Ik plaats mijn in rode All Stars gestoken voeten voorzichtig op de stenen en pas wanneer ik grip vind, zet ik een volgende stap. Ik wil niet vallen, ik wil geen enkel risico lopen om de première van onze toneelgroep te missen, die nu heel dichtbij is. Ik heb de rol van Romeo kunnen behouden en ik geniet van elke minuut op het podium. Mijn collega-acteurs prijzen mijn acteerwerk, ze zeggen dat ik speel alsof ik ervoor in de wieg ben gelegd.

In zekere zin hebben ze daar natuurlijk gelijk in.

Ineens gaat alles heel snel. Christa komt uit het schuurtje gelopen, haar gezicht blanker dan het witte laagje rijp op de plantjes in de border.

'Weg!' schreeuwt ze. 'Weg!'

Ik moet weg, terug naar binnen, maar laat me niet zo gauw wegjagen door een zus met een ochtendhumeur. Ik loop door, hoe harder ze schreeuwt, hoe vlugger ik loop, zo lijkt het wel. Is er soms iets met mijn moeder? Heeft de muis haar gebeten? Is mijn zus bang dat het beest mij ook te grazen neemt?

'Ga alsjeblieft weg, Julius!' schreeuwt mijn zus nog een keer.

Ik begrijp het niet en vraag telkens waarom. 'Waarom?' zeg ik met een kleine stem, zonder antwoord te krijgen op de in mijn ogen logische vraag.

'Verdorie, Julius!'

Mijn zus staat voor me en geeft me een duw. Ik glijd over een met ijs bedekte kei, verlies mijn evenwicht en ga onderuit. Ik kletter op de grond. Ik hoor het geluid van brekend bot, zie mijn pols in een vreemde positie onder me liggen en voel een pijn in de richting van mijn hart schieten. Ik denk alleen maar: ik kan niet spelen. Ik kan niet spelen. Ik kan niet spelen.

'Och, Julius, sorry...' stamelt Christa met haar hand voor haar mond.

Ik haat haar. Er dringt een donkere woede mijn lichaam binnen, die zint op wraak. Ik bijt in haar kuit, een beestachtige uiting van frustratie, onmacht, boosheid. Waarom heeft ze het gedaan, waarom heeft ze me geduwd? Ik wilde alleen maar helpen.

Ze krijst en trekt zich los.

'Waarom duwde je me?' jank ik. De pijn in mijn pols komt nu aan de oppervlakte. Mijn zus schudt haar hoofd en blijft dat doen. 'Waarom duwde je me?' herhaal ik.

Ik krijg het antwoord als ik opsta en ik, duizelig van de steek in mijn pols, zoek naar mijn moeder, die nog in het schuurtje moest zijn. Door het raampje zie ik een vreemde schaduw die de contouren van mijn vader prijsgeeft. Hij bungelt heen en weer, alsof hij danst op de melodie van mijn moeders gejank.

'Ik weet nog, Steffie, ik weet nog dat ik me omdraaide en Maria in de deuropening zag staan. Ze staarde stoïcijns naar het schuurtje. Wat me opviel was de vacht van woede die ze leek aan te trekken. Er trok een boosaardige waas van teleurstelling over haar gelaat. Toen, ineens, draaide ze zich zonder iets te zeggen om en verdween naar haar kamer.'

Een week na zijn zelfverkozen dood, begraven we mijn vader. Ik loop de kerk uit, achter mijn snikkende familie aan. Ik ruik het parfum van Tineke, die achter me loopt. Ik adem diep in, maar de geur troost me niet. Ik voel niks, ook al ben ik omringd door familie, vrienden, bekenden van mijn ouders. Ik voel me alleen.

In de verte, bij het hek, krijgt het beeld weer kleur. Valerie staat daar. Haar jas hoog dichtgeritst, een rode neus. Ze zwaait naar me. Ik zwaai terug.

Haar lippen bewegen. 'Ik wacht hier op je,' zeggen ze.

Het gebaar vult mijn hart met warmte, de enige warmte die ik voel. Mijn moeder is gesloten, in haar eigen wereld. Mijn zussen allebei ook. Christa is altijd al een koude geweest. Nu loopt ze arm in arm met haar Wim en fungeert als een onbereikbaar eiland in een koude, woeste zee. Ze geeft onze moeder af en toe een knuffel, maar bekommert zich niet om Maria of mij. Ik heb Maria en mijn moeder horen ruziemaken vanochtend. Ze mag niet naar de kunstacademie van mijn moeder, ook al droomt ze daar al haar hele leven van. Maria is artistiek, die moet je laten gaan, maar mijn moeder lijkt dat niet te snappen. En nu gaat ze helemaal weg, naar Parijs, geloof ik. Ze wil haar school niet eens meer afmaken. Mijn moeder is het er niet mee eens. Ik heb nog geen gelegenheid gehad er het fijne over te horen van mijn zus, maar de gedachte aan haar vertrek maakt dat mijn hart ineenkrimpt. Zonder haar in de buurt wordt het voor mij moeilijker om van het leven te houden. En daarom, vooral daarom ben ik Valerie zo dankbaar dat ze er is. Terwijl iedereen in ons gezin bezig is met haar eigen problemen, is zij er speciaal voor mij.

De kist met daarin mijn vader verdween in de grond. We spraken er thuis niet meer over, want zo had hij het nu eenmaal gewild.

Valerie pakt mijn hand. Samen lopen we een eindje, zonder bestemming. We laten mijn rouwende familie achter ons. Er schijnt een waterig zonnetje, maar onze adem blijft zichtbaar door de kou. Ik denk aan Maria en vraag me af of ze echt naar Parijs gaat. Ik denk aan mijn leven thuis met mijn in stilte rouwende moeder en mijn koude zus die vast spoedig met 'haar Wim' in het huwelijksbootje zal stappen. Ik denk aan de toekomst, aan wat ik wil, maar eigenlijk weet ik alleen wat ik niet wil. Mijn leven zoals het is, moet zo snel mogelijk eindigen.

'Ik wil hier weg,' zeg ik. 'Zodra ik klaar ben met school, wil ik hier weg.'

Valerie knijpt in mijn hand.

'Waar wil je naartoe?' vraagt ze.

Zonder na te denken zeg ik: 'Amsterdam.'

We lopen verder tot het bruggetje waar we vaker staan om te praten, of om te zoenen. We leunen over de reling. Ik zie de lucht verkleuren, van blauw met wit naar grijs, verderop donkergrijs.

Ik denk aan mijn vader die aan de hemelpoort rammelt. Er wordt niet opengedaan. God heeft geen plek voor zelfmoordenaars. Eigen initiatief wordt niet gewaardeerd in het paradijs. Huilend druipt mijn vader af en gaat voort als een zwevende geest tussen hemel en aarde.

Ik kijk naar het gips om mijn pols. De rol van Romeo is naar Dirk gegaan, een vriendelijke jongen van mijn leeftijd. Ik was de afgelopen dagen te afgestompt om ervan te balen, maar ik ga niet naar de voorstelling kijken, daar heb ik geen zin in. Met de leden van de toneelgroep kan ik mijn verdriet niet delen. Mijn hoop dat zij echte vrienden zouden worden heb ik opgegeven – ook tussen hen blijkt het moeilijk om me bloot te geven. Ook zij weten niet wie ik echt ben, ze kennen alleen de persoon die ik goed kan spelen.

Valerie pakt me vast bij mijn gipsvrije arm en draait me naar zich toe. Ze zoent me, eerst voorzichtig, daarna volop. Ik beantwoord haar zoen, omdat het mijn donkere gedachten verdrijft, omdat ik haar liefde wil voelen, in plaats van het onbegrip dat ik koester voor mijn vaders beslissing.

Valerie laat haar armen op mijn schouders rusten en sluit haar handen achter mijn nek.

'Ik ga met je mee,' zegt ze. 'Ik ga mee naar Amsterdam.'

Ik lach. 'Echt?'

Ze knikt. 'Ja, echt. Ik wil ook een nieuw leven, weg van hier. Wat moet ik nou in dit dorp? Niks toch zeker?'

'Ik wil niet dat je je verplicht voelt.'

'Dat voel ik me niet. Julius, ik wilde dit altijd al.' Ze kijkt even weg en laat een ondeugend lachje ontsnappen. 'Kan ik je wat toevertrouwen?'

'Natuurlijk.'

'Ik durf het haast niet uit te spreken, maar ik doe het toch maar. Je belooft om het niet tegen mijn ouders te zeggen, toch? Of tegen iemand anders? Mijn zusje weet het zelfs niet.'

'Alsof ik zulke diepgaande gesprekken heb met je ouders.'

Valerie kijkt me streng aan.

'Ik beloof het.'

'Ik ga helemaal geen medicijnen studeren. Ik wil helemaal geen medicijnen studeren.' En dan harder, met haar handen om haar mond: 'Ik wil geen medicijnen studeren!!'

Ik lach en trek haar weer naar me toe.

'Laat je vader dat maar niet horen.'

'Ik weet het, maar hij komt er vanzelf wel achter, ooit.'

'Wat wil je dan doen?'

'Ik wil meubels maken. Met mijn handen werken. Ik wil later een huis met een werkplaats, een soort atelier, waar ik meubels maak van mijn eigen lijn. En ik ga er geld mee verdienen ook.' Ze schrijft met haar vinger in de lucht. 'Made by Valerie.'

Terwijl ze me haar droom toevertrouwt, sprankelen haar ogen.

De plaatjes van haar fantasie lijken te weerkaatsen in het water. Ik zie ze voor me. En ik, heb ik een rol in haar toekomst? Ik durf het niet te vragen.

'Gaan we dit samen doen?' vraagt ze dan. 'Samen weg van hier, samen een nieuw leven beginnen. Weg van dit stomme dorp, van die bekrompen jongens die je in elkaar hebben gebeukt, van die stomme ouders met hun verwachtingen, weg van zussen die niets om hun lieve broertje geven.'

Na die laatste opmerking knijpt ze me kort in mijn wang. Het is genoeg om me aan het huilen te brengen. Zal ze Maria ook bedoelen? Ziet Valerie het zo? Het is ook moeilijk anders uit te leggen dan op die manier. Ook al ben ik nog zo gek op haar, mijn zus laat me in de steek op misschien wel het moeilijkste moment in mijn leven. Door haar vertrek leert ze me onbedoeld de betekenis van absolute eenzaamheid.

'Wat zie je toch in mij?' zeg ik.

'Wat?'

'Wat zie je toch in mij? Ik ben die rare. Ik ben die slungel. Ik word in elkaar getimmerd. Ik ben een loser. Wat zie je in mij?'

Valerie lacht. 'Doe eens normaal. Je bent geen loser.'

'Dat is niet wat anderen denken.'

'Wat kan mij het nou schelen wat anderen denken?'

'Waarom ben je met mij?'

Ze pakt mijn kin vast en dwingt me haar aan te kijken. 'Julius, ik ben gek op je. Ik vind je geen loser. Ik vind je geweldig. Je bent creatief, je bent lief, je bent mooi. En ja, je bent af en toe een beetje raar...'

'Dank je...'

'Maar dat vind ik juist leuk aan je. Ik hou van dat rare.'

Ik trek een wenkbrauw op. 'Daar moet ik geloof ik even over nadenken.'

'Niks daarvan. Ik wil het nu weten. Gaan we dit samen doen? Gaan we samen weg van hier?'

Ik sluit haar in mijn armen.

'Graag, Valerie,' zeg ik dan. 'Mijn rare ik gaat graag met jou naar Amsterdam.'

Vlug geeft ze me een kus en pakt me bij mijn goede arm.

'Dat is dan afgesproken. Kom, nu moeten we cake eten met je familie.'

De ochtend daarop staan de tassen van mijn zus op de overloop. Ze heeft gepakt, nog voordat we met elkaar gesproken hebben. Ik tref haar aan de ontbijttafel beneden. Mijn moeder zegt niets en rommelt wat bij het koffiezetapparaat. Christa zit met rode ogen aan tafel.

'Maria,' zeg ik alleen maar. 'Waar ga je heen?'

Christa schuift haar stoel naar achteren en kijkt met het donker in haar ogen naar onze zus. Ze zegt: 'Had je dat nog niet door, Julius? Deze dame gaat naar Parijs. Daar denkt ze het te kunnen maken.'

'Christa,' zegt Maria, 'alsjeblieft. Ik wil op een goede manier weggaan, doe alsjeblieft niet zo koppig.'

'Je zou helemaal niet weg moeten gaan.'

Christa staat op en loopt naar boven. Mijn moeder verdwijnt met een kop koffie uit de keuken. In de spiegel waar ze langs loopt zie ik het gezicht van een oude vrouw. De ouderdom heeft zich aangediend, als een onderhuidse spion die pas vandaag open kaart durft te spelen.

'Ik ga naar Parijs, lief broertje.'

Ik kijk haar aan. 'Wat ga je daar doen?'

Ze haalt haar schouders op, een enkele traan loopt over haar wang. Ze strijkt met haar vingers langs haar kortgeknipte boblijn.

'Een beetje schilderen, gitaar spelen. Werk zoeken, misschien. Leven. Léven! Ik moet hier weg, Julius.'

In stilte laat ik bezinken wat ze me vertelt. Het is echt waar,

Maria gaat naar Parijs. Ik ben haar kwijt. Ze staat op en loopt om de tafel heen. Ze geeft me een kus op mijn wang, strijkt met haar hand over mijn haar.

'Sorry, Juul. Het spijt me.'

Met die woorden laat ze me aan de keukentafel zitten en vertrekt ze naar boven. Ik hoor haar douchen, ruik haar parfum en weet dat het voorlopig de laatste keer is dat ik die geur zal opsnuiven. Ik adem diep in, inhaleer de herinnering aan mijn zus.

Even later. Haar hakken klossen op de trap, ik hoor de tassen langs de muur gaan. En ik, ik zit nog op dezelfde plek aan de ontbijttafel. Als ze in de deuropening verschijnt sta ik op om haar te omhelzen.

'Doe voorzichtig,' zeg ik.

Ze lacht en zegt luchtig: 'Ga jij nou ineens de grote broer spelen?'

We nemen afscheid. Van mijn moeder krijgt ze drie zoenen en wat binnensmonds gebrabbel dat ik niet versta. Christa laat zich niet meer zien. Hoe verder Maria naar de deur loopt, hoe groter het gat lijkt dat ze achterlaat. En hoe kouder het in ons huis wordt. Tot de deur in het slot valt en de ijstijd aanbreekt. Het zal een tijd worden van grijstinten, met Valerie, Dave, mijn houtskool en de kledingkast van Tineke als reddende verschijnsels van kleur.

8

Ik zit in de klas en kijk naar de tuinbroek van de tekenleraar, meneer Couprie. Een van de hengsels is losgeschoten, maar hij heeft het zelf niet door. Het ziet er merkwaardig uit. Niemand van mijn klasgenoten zegt er wat van. Ik ook niet.

'Ik heb de mooiste opdracht die jullie je maar kunnen wensen,' spreekt hij zangerig.

Het verbaast me niet. Elke opdracht die hij geeft vindt hij de mooiste. En dat ben ik met hem eens.

Het tekentalent dat ik op jonge leeftijd ontwikkelde, verbeterde ik op de middelbare school. Nog voor mijn eerste dag op de 'grote school' was het mijn lievelingsvak.

Ik kan het erg goed vinden met meneer Couprie. Inmiddels ben ik zelfs een van zijn lievelingen. Ik mag speciale werken tekenen en schilderen, op heuse doeken. Ik weet nog dat ik het de eerste keer haast van angst in mijn broek deed toen ik op zo'n groot en duur doek tekeer mocht gaan. Totdat meneer Couprie me een duwtje tegen mijn schouder gaf en zei: 'Niet zo voorzichtig, Juul! Ik weet dat je het kunt. Maak er wat moois van.' Hij verdween uit het lokaal, om koffie te halen of zo, waarop de rest van de klas uitvoerig begon te kletsen, kauwgum onder het bureau plakte en grapjes uithaalde. En ik, ik zette mijn eerste toets op een echt doek. Het was fantastisch.

'Jullie mogen je droom tekenen!' De ogen van Couprie stuiteren door het lokaal. 'Nou? Geweldig toch? Mooi toch? Je droom!

Dat is geweldig, jongens.' Hij balt zijn vuist. 'Kom op! Ik ben benieuwd wat jullie ervan bakken.'

Er wordt gegrinnikt. Niemand reageert echt.

'Ik ben blij dat jullie ook enthousiast zijn,' besluit hij. 'Ik zet zo een stuk muziek op en dan is het de bedoeling dat jullie je laten meevoeren. Ga mee op die emotie, volg je gevoel. Schets je diepste verlangens. Op deze schets borduren we de komende tijd voort, dus kijk in je hart en haal daar je inspiratie uit.'

Meneer Couprie loopt naar de stereotoren en zet een cd van Bach op. Dan gaat hij zitten op de bureaustoel naast zijn installatie, laat zijn voeten rusten op het bureau en sluit zijn ogen. Alsof hij erop vertrouwt dat het onder begeleiding van meester Bach wel goed zal komen.

Ik staar naar mijn vel en begin te tekenen. Ik haal het dunne staafje houtskool langs mijn vel papier. Ik schets strepen over het witte vlak, draai rond met mijn hand, veeg te harde lijnen uit, breng schaduwen aan en staar gebiologeerd naar het resultaat. Dan ga ik weer verder. Ik raak aangeschoten door de emotie van de muziek, laat me meevoeren op de klanken van de klassieke componist. Ik verdwijn in een wereld die alleen in mijn dromen bestaat, in mijn fantasieën. Alleen in mijn eigen wereld. Ik ben niet meer in dat klaslokaal, maar bijna één met het papier. Ik ben niet in een veilige omgeving, mijn klasgenoten kunnen zich elk moment tegen me keren, maar toch voel ik de spiritualiteit van het moment. Ik raak in vervoering.

Als de cd is afgelopen, opent meneer Couprie zijn ogen. Hij is zichtbaar geroerd. Hij staat op en wrijft verheugd in zijn handen. Ik kijk naar het vel papier dat voor me ligt en nu pas zie ik het, vanuit de blik van een buitenstaander. Nu pas zie ik het. Mijn ogen worden groot. Prikkels van paniek benemen me het ademen, ik word rood, ik begin te zweten.

Met angstige ogen zie ik hoe onze tekenleraar op me af komt, om de klas te laten zien wat ik van mijn schets heb gemaakt. Hij is degene die als eerste in de lach schiet. De klas volgt al snel. Demonstratief houdt hij mijn werk omhoog, zodat ook de klasgenoten die achterin zitten het goed kunnen zien en het daarna op een bulderen kunnen zetten.

Een naakte vrouw. Een blote jonge dame op een chaise longue. Dat is wat ik heb getekend. Dat is mijn droom. Dat is mijn diepste verlangen. Dat is wat ik nu deel met de rest van de klas, open en bloot.

Mijn geschetste vrouw is prachtig. Er zijn borsten, er is een beeldige vagina, gedeeltelijk bedekt met schaamhaar. Ze heeft de vrouwelijke vormen waarvan ik mijn leven lang al droom, en mooi, lang haar waarvan alleen ik weet dat het rood is. Ze is de vrouw die mijn gedachten al sinds mijn kleuterjaren beheerst, die met me mee is gegroeid. Ze is de vrouw die ik zelf ben en die niemand in me ziet.

Ik kijk om me heen en zie de lachende gezichten, wijzende vingers. Dan sta ik op en ren de klas uit. Ik ren door de gang, zonder dat ik weet waar ik naartoe moet gaan. Ik vlucht het toilet in. Gelukkig is er niemand.

Ik leun op de wasbak en kijk mezelf aan. Ik zie angst in mijn ogen, angst om ontdekt te worden. Ik wil het niet. Het kan niet. Het mag niet. Ze mogen niet weten wie er in mij schuilt, het zou niet geaccepteerd worden. Ze begrijpen het niet.

Ik heb mijn klasgenoten een kijkje in mijn ziel gegund. Het plekje dat ik altijd zo goed heb afgeschermd, dat alleen van mij is. Ik voel me zo naakt als de vrouw op de schets. En iedereen lacht me uit.

Ik houd mijn handen onder de kraan en plens wat water in mijn gezicht.

Dave steekt zijn hoofd om de hoek.

'Gast?' zegt hij. 'Wat is er aan de hand?'

Ik kijk hem aan met een nat gezicht, vis wat doekjes uit de dispenser en dep mijn wangen en voorhoofd droog.

'Ik weet het niet,' zeg ik hem kalm. 'Ik weet het niet.'

Mijn vriend krabt ongemakkelijk over zijn rug. Praten – als het niet over meisjes gaat – is niet zijn sterkste punt. 'Nou,' zegt hij, 'ik ook niet, maar ik vind het wel heel tof wat je gemaakt hebt.'

'Waarom?'

'Als ik van die lekkere wijven kon tekenen, zou ik de hele dag niets anders doen. Vet man, complimenten. En ik ben niet de enige, meneer Couprie ging natuurlijk weer helemaal uit zijn dak. We hebben je werk net klassikaal besproken...'

'Meen je dat?' zeg ik. 'Wat werd erover gezegd?'

Dave haalt zijn schouders op. 'Gewoon, dat het mooi is, natuurlijk. Wat moet je er nog meer over zeggen, het blijft gewoon een tekening.' Hij grinnikt. 'Helaas voor mij. Ik zou het er wel op doen, hoor.'

We lopen terug naar het lokaal.

'Was je zo geschrokken van je eigen fantasieën, jongen?' grapt meneer Couprie. Hij slaat me vriendschappelijk op mijn schouder. 'Ik moet zeggen, je bent de eerlijkste van allemaal. Volgens mij zou elk joch in deze klas zo'n schets moeten maken. De droom van iedere puber.'

Ik glimlach.

'Zonder dollen, mooi gedaan weer, Julius.'

'Dank u wel.'

De bel gaat. Niet eerder was ik daar zo blij mee.

Steffie springt van het bed af en schuift de stoel bij het tafeltje aan de kant. Ze gaat op tafel zitten, leunt verleidelijk achterover met haar ellebogen in de vensterbank en laat haar hoofd nonchalant tegen het raam zakken. Theatraal, zoals het haar past. 'Teken mij eens,' zegt ze. 'Ah, toe.'

'Nou, ik weet niet of dat zo'n goed idee is.'

'Doe niet zo flauw. Je wilt het best.'

'Hoe weet je dat?'

'Ik weet dingen. Ik zie dingen.'

Ik kijk om me heen. Het kan ook wel even. Van de arts heb ik een brief gekregen met telefoonnummers die ik na de operatie misschien nodig heb, voor het geval dat er iets mis zou gaan. Ik pak het papier, draai het om en kijk tegen een wit vel aan. Ik schuif het laatje naast mijn ziekenhuisbed open en vis er een pen uit. Daar moet ik het maar mee doen. Ik kijk naar Steffie, die opgaat in haar pose tegen het beregende raam. Het heeft iets romantisch, zoals ze daar hangt, in mijn kamer. Het is ongemakkelijk, maar ook vertrouwd. Het is nieuw en ook bekend.

Ik begin te tekenen.

We zijn in de boerderij van haar ouders. Valerie met haar guts in de weer, ik met mijn houtskool. Samen schaven we aan werken die in onze gedachten groter worden dan ze in werkelijkheid zullen zijn.

Ik kijk naar Valerie en vraag me weer eens af wat ze met me moet. Ze is beeldschoon. Ze is slim. En ik? Ik blijf toch die rare slungel. Ik durf de vraag niet aan haar te stellen, niet meer. Ze wordt er boos van als ik laat merken dat ik onzeker over haar ben. Ze zegt dat ze dol op me is. Ze zegt dat ze van me houdt. En ook al maken we plannen voor de toekomst, voor onze gezamenlijke vlucht uit het dorp – in mijn hoofd blijft de vraag rondzingen wanneer ze me zal verlaten. Want dat dat op een dag zal gebeuren, staat voor mij vast.

'Wat is er?' vraagt ze. 'Waarom kijk je zo?'

Ik schud mijn hoofd. 'Niks.'

Ze loopt naar me toe en kust me, alsof ze mijn onzekerheid probeert weg te nemen. Dan kijkt ze naar de schets die ik aan het maken ben. Ze knijpt haar ogen kritisch samen, verschuift het vel papier af en toe.

'Zou het voor de compositie niet mooier zijn als je die figuur meer in het midden uitwerkt?' vraagt ze.

'Misschien,' zeg ik.

Ze heeft gelijk. Valerie verstaat de creativiteit van mijn geest, ze begrijpt het. Zij creëert zelf ook, maar richt zich vooral op het scheppen van iets tastbaars. Beeldhouwen is haar passie. De vormen die zij kan schaven uit een stuk steen, of kan kneden van een stukje klei, zijn bewonderenswaardig. Ze maakt vooral abstracte kunst, abstracte vormen die volgens haar een bepaalde emotionele waarde vertegenwoordigen.

We brengen middagen op de boerderij vaak zo door. Er is ruimte genoeg om te werken. Ik vind het heerlijk om daar te zijn, weg van thuis. Geen klusjes in het hotel die altijd liggen te wachten, geen moeder met depressieve gedachten. Geen zus die alles beter weet.

Ik voel me vrij op die boerderij, ook al heb ik met de ouders van Valerie geen directe klik. Met haar zusje kan ik goed overweg. En als het tussen haar en Dave weer aan is – van tijd tot tijd gaat het uit, omdat Dave met een ander meisje zoent tijdens een schuurfeest – gaan we met z'n vieren op pad.

Tijdens die middagen op de boerderij broed ik op mijn toekomst. Op onze toekomst. Wat wil ik gaan doen? Wat heeft Amsterdam voor ons in petto? Iets met die creativiteit, zoals meneer Couprie doet, dat is zeker.

Ik wil weg uit dit dorp. Weg van de pestkoppen die me blijven teisteren. Elke keer brokkelen ze weer een stukje van mijn ego af. Ik moet weg zien te komen voordat er niks meer van mijn ziel over is. Voordat ik eindig als een zielig hoopje niks.

Ik denk aan Maria, die zomaar heeft gedaan wat ook mijn hartenwens is. Zij ging gewoon weg toen ze dat wilde. Ze is er niet op teruggekomen. Ze dook in het avontuur en het lijkt de goede keuze. Ik mis haar, maar bewonder haar ook.

'Sprak je haar nog weleens?' vraagt Steffie.

Ik schud mijn hoofd. 'Eigenlijk niet. Het was lastig. Ze schreef af en toe, maar ze had geen vast adres om naar terug te schrijven. Bellen deed ze zelden.'

'Dat is vast moeilijk voor je geweest.'

'Ja, ik miste haar.'

'Wanneer zag je Maria weer?'

Ik denk na, wrijf door mijn ogen. 'Dat moet pas een jaar later geweest zijn. Toen zag ik haar weer voor het eerst. Maria was toen achttien, ik zestien. Onze vader was een jaar dood en we zouden hem met het gezin herdenken door bij elkaar te zijn. Ook in de kerk zou aandacht aan zijn overlijden besteed worden.'

'Hoe was dat?'

'Parijs had haar veranderd, Maria. Ze was gelukkiger, zo leek het. Ze was haar droom achternagegaan, leefde van optredens met haar gitaar, schreef gedichten en schilderde – soms kreeg ze een goede opdracht van een belangrijk zakenman die Laurent heette. Ik had meteen al het idee dat hij meer was dan een belangrijk zakenman, maar daar repte ze niet over. Van zo'n opdracht kon ze weer een paar maanden leven.'

Ik pauzeer even en denk terug aan de lange lokken haar die ze had laten groeien. Maria had de boblijn die ze had toen ze vertrok compleet laten verwilderen. Ze is van nature minder rossig dan ik, bij haar lijkt het meer blond, maar toen ik haar voor het eerst weer zag, had ze het gitzwart geverfd. Het stond haar mooi. Het maakte haar verfijnde gezicht nog breekbaarder.

'Ik weet nog dat mijn moeder en Christa deden alsof ze het leuk vonden om haar weer te zien. Ze luisterden tenminste een halfuur naar haar verhalen. De afgunst die rondom het vertrek van Maria in huis was blijven hangen hielden ze vakkundig verborgen. Omwille van de lieve vrede. Ik zat erbij, meestal zwijgend, en wachtte mijn moment af. Ik zou haar later wel spreken.'

'En?'

'Nou, en dat gebeurde. Ze vertrouwde me zelfs haar diepste geheim toe. Ze gaf me eindelijk de echte reden voor haar vertrek prijs.'

We lopen door het stuk bos waar we vroeger vaak speelden.
'Ik mis je,' zeg ik. 'Je bent de enige die...'
'Ik weet het en dat spijt me.'
Maria slaat een arm om mijn schouder en drukt me tegen haar borst. Ze blijft mijn grote zus, ook al is Christa de oudste. Als oudste lijkt zij juist nergens bij te willen horen, al helemaal niet bij ons.
'Soms wil ik gewoon naar Parijs toe fietsen, bij jou komen wonen.'
Ze lacht, breeduit, zwaait haar zwarte strengen haar over haar schouder.
'En Valerie dan? Is het nog steeds aan?'
Ik knik. 'Ja, ze is lief. Wij willen ook weg van hier.'
We ploffen neer op een bankje, strekken onze benen en leunen lui naar achteren.
'Marie?'
'Ja.'
'Waarom ben je nou weggegaan, zo snel na papa?'
'Het is ingewikkeld, Juul.'
'Ik ben geen kind meer, ik ben niet achterlijk.'
Ze kijkt opzij en lijkt nu pas te zien dat ik gelijk heb. Dat ik meer ben geworden dan haar kleine broertje. Dat ik klaar ben voor haar verhaal. Oud genoeg voor de waarheid.
'Er is iets gebeurd, vroeger,' begint ze. 'Toen we een stuk jonger waren.'
Ik ga rechtop zitten, trek mijn knieën naar me toe, alsof ik ze nodig heb ter bescherming.
'Weet je nog dat we met z'n allen gingen kamperen in Friesland?' vraagt ze.

Het was de zomer van 1987, ik was vijf, Maria zeven en Christa negen jaar. Het hotel werd beheerd door de broer van mijn moeder en zijn vrouw, zodat wij een weekje weg konden. Ik weet nog dat mijn vader aan het ontbijt vertelde dat hij zich schuldig voelde dat hij en mijn moeder zo hard werkten, waardoor hij ons weinig zag. Hij wilde het goedmaken, tijdens deze vakantie. We mochten allemaal iets noemen wat we het liefst met hem zouden gaan doen. Hij zou ons ieder apart een dag mee op stap nemen. Verrukt van plezier bedachten we de gekste dingen, van helikoptervliegen, tot junglesafari's.

Ik wilde graag naar de schminkworkshop die de camping organiseerde. Het uitje werd een van de mooiste herinneringen die ik aan mijn vader heb. Samen brachten we de middag door in de tuin van het activiteitencentrum. Eerst leerden we een patroon ontwerpen, en later mochten we elkaar schminken – precies zoals we hadden bedacht. Ik werd een tijger, mijn vader een vlinder. Alle kleuren van de regenboog waren voorhanden. Ze hadden kwasten in alle maten, glitters, het was een walhalla, ik genoot van elke minuut. Trots showde ik het eindresultaat tijdens het eten aan mijn moeder, aan Maria en Christa. Ik weet nog dat ze onder de indruk waren. En ik weet nog dat mijn vader mijn ontwerp tot ik ging slapen op zijn gezicht liet zitten. Hij liep gewoon met de afwas naar het sanitairblok en deed alsof er niets aan de hand was. Ik gierde het natuurlijk uit van het lachen, ik vond dat ik de gekste vader van iedereen had. Ik viel die avond met een glimlach in slaap. Mijn moeder vond het zelfs niet erg dat ik mijn kussen besmeurde met schmink. Het kon niet meer stuk.

De volgende dag was het de beurt aan Christa. Zij wilde ponyrijden. Mijn vader stond op van zijn klapstoel, dronk nog een laatste slok koffie en begon te hinniken en met zijn voet over de vloer te vegen. Hij gebaarde dat ze op zijn rug moest springen. Ik zag dat Christa dezelfde verbazing ervaarde als ik een dag daarvoor. Zo kenden wij onze vader niet, als een man die aandacht aan zijn kinderen besteedde, als een vrolijke man. Mijn vader was doorgaans somber, streng, serieus. Wij voelden ons als kinderen eerder een blok aan zijn been, dan een plezierige aanvulling op zijn leven. Aarzelend sprong Christa op zijn rug, maar al snel liet ze haar verbazing varen. We hoorden haar in de verte nog giechelen terwijl ze het pad van de camping af liepen op weg naar de boerderij verderop, waar de pony's stonden. Al op de eerste dag had ze er bij aankomst hoopvol naar staan turen.

Uitzinnig kwam ze die middag terug. Ze wilde op paardrijden als we terugkwamen, wilde paardenverzorgster worden als ze groot was en viel met haar nieuwe paardenknuffel in slaap. Missie twee was volbracht, mijn vader was goed op weg.

Tot die derde dag. Mijn vader vroeg Maria wat ze het liefst zou willen doen.

'Op junglesafari!' riep ze wild van enthousiasme.

Ze kon niet wachten, had haar rugzakje al gepakt. Ze bleef volhouden. Waar ik, zo jong, maar al vol realiteitszin mijn helikopterdroom had ingeruild voor een schminkworkshop, bleef zij vasthouden aan haar ware droom: een junglesafari.

'Lieve Maria,' zei mijn vader, 'er is hier toch geen jungle? En we kunnen natuurlijk niet naar Afrika!'

Maria keek beteuterd om zich heen, schrok van de reactie van onze vader, die ze de ochtenden daarvoor zo enthousiast had gezien. Ze had gedacht dat zij ook op zijn rug mocht springen, dat hij ook haar lachend mee zou nemen. Dat ze op junglesafari zouden gaan. Ze had er zo geduldig op gewacht, ze was zo zoet geweest, en nu ging het niet door.

'Dan wil ik niets,' fluisterde ze.

Ze ging weer zitten en nam een slokje van haar limonade. Ze hield zich groot, slikte haar tranen in.

Ik weet nog goed dat ik naar mijn vader keek, vol ongeloof dat hij haar liet zitten. Dat hij ons wel een onvergetelijke dag had bezorgd en dat bij haar niet zou doen. Maar plotseling zag ik zijn blik veranderen, minder enthousiast dan de vorige dagen, of eerder: minder oprecht enthousiast. Alsof hij een toneelstukje opvoerde.

'Wacht eens even!' zei hij op geheimzinnige toon. Hij stond op. Maria keek hem argwanend aan. 'Ik geloof dat ik toch een jungle in de buurt weet te vinden!'

Maria stond ook op. 'Echt?' riep ze, de teleurstelling alweer voorbij. 'Echt, papa?'

'Ja!' zei hij. 'Hop, spring maar op mijn rug, meisje.'

Maria danste een rondje, hing de verrekijker om haar nek en sprong op zijn rug. Ook zij zou de dag van haar leven hebben. Gerust gingen wij verder met spelen, we pingpongden met de andere kinderen van de camping, lunchten met onze moeder. Zonder dat we wisten wat er zich echt afspeelde in die jungle van mijn vader.

Toen de twee tegen de avond terugkwamen zag Maria er moe uit. Ze huilde. Mijn vader legde haar in bed en vertelde ons dat ze zich veel te wild had gemaakt, waardoor ze nu uitgeput was. Een nachtje slapen zou haar goed doen. We aten de spaghetti bolognese met z'n vieren verder in stilte op. Mijn vader was alweer veranderd, alsof hij zijn voorraad vrolijke energie had verbruikt tijdens de uitjes en hij nu weer gewoon de vader werd die we kenden. Ik weet nog dat ik dat jammer vond.

Maria schraapt wat vuil onder haar nagel vandaan met een dun takje. 'Het was de ergste dag van mijn leven, die junglesafari,' zegt ze. 'Hij probeerde het wel, hoor, papa. Hij deed alsof hij herten zag, liet me ernaar zoeken met mijn verrekijker. Hij wees me op bijzondere vogels, die een moment van rust op een tak hadden gevonden. Hij deed zijn best, dat echt.' Een zucht. 'Totdat we aankwamen bij een veld met een hoog soort gras, of graan. Ik weet het niet meer precies. Eerst vond ik het spannend, want ik kon niks meer zien, alleen maar al die sprieten om me heen. Een soort doolhof, waar ik samen met papa doorheen liep. Maar ineens bekroop me een gevoel dat me bekend voorkwam, van jaren daarvoor. Het was niet goed. Ik voelde dat het niet goed was. De manier waarop hij naar me keek, ik herkende het. Het was een herinnering die ik ver had weggestopt, die eigenlijk al niet meer bestond, maar toen in alle hevigheid terugkwam. Ik kreeg het benauwd en loog dat ik opeens zin had om te zwemmen met de andere kinderen, dat ik terug naar de tent wilde. Het was het beste wat ik kon verzinnen om me uit die situatie te redden, maar het was niet goed genoeg. Ik was zo jong, nog zo klein. Hij walste met het gemak van een ballroomdanser over mijn leugen heen en zei dat we eerst even moesten ontspannen en dat we daarna wel terug zouden gaan. Hij liet zich lachend vallen op de grond en keek me toen serieus aan. Hij vroeg of ik bij hem kwam zitten. En ja, dat deed ik. Ik durfde hem niet tegen te spreken, want ik was net zo bang als ik in mijn herinnering voor hem was geweest. Opeens was het ding daar. Hij was helemaal groot geworden en hij had hem uit zijn broek gehaald.'

'Jezus, Maria.' Ik onderbreek haar uit egoïsme, uit zelfbescherming. Alsof mijn intuïtie me zegt dat ik het vervolg beter niet kan horen. Ik schud mijn hoofd, slik de misselijkheid weg. 'Sorry, ga door.'

'Ik moest het aanraken, voorzichtig, met mijn vingertjes, en ik moest er af en toe een kusje op geven. Het duurde ongelooflijk lang. En hij bleef me de hele tijd aankijken met die blik, met die ogen. Er is veel dat een menselijk brein kan verdringen, Julius, dat zal je nog verbazen, maar de manier waarop hij toen naar me keek zal ik mijn leven niet vergeten. Daarna moest ik wachten, verdween hij eventjes, hoorde ik een raar gekreun, voordat het weer stil werd. Ik speelde met de gedachte om heel hard weg te rennen, gewoon lukraak een kant op, weg van daar. Maar precies op dat moment verscheen hij weer, met de lach zoals hij die ochtend op zijn gezicht had. Een lach die deed alsof er niets gebeurd was. Ik moest weer op zijn rug en dat deed ik. Onderweg vertelde hij dat ik tegen niemand over ons avontuur mocht vertellen. Wij waren de jungletijgers en dit was ons geheim. Hij zei dat mama erg verdrietig zou worden als ik het zou vertellen. En dat ik vast niet zou willen dat mama verdrietig zou worden. Ik zweeg de hele weg naar huis. Pas terug bij de tent moest ik huilen, maar mama vond me vervelend, weet ik nog. Ik herinner me dat ze tegen papa fluisterde dat ik een stom en verwend kind was.'

We lopen zwijgend verder door het bos, ik struikel bijna over een tak, Maria werpt een stuk schors voor zich uit. Ze vertelt verder, zonder dat ze zich bewust lijkt van mijn aanwezigheid. Het verhaal moet eruit, na al die jaren.

'De volgende ochtend maakte hij me huilend wakker. Hij vroeg of ik meeging, broodjes halen voor het ontbijt. Eerst wilde ik niet, maar ik had met hem te doen, hij leek zo verdrietig en hij was toch mijn papa. Ik voelde me schuldig. Als ik de vorige avond niet zo hard had gehuild, was hij misschien niet verdrietig geweest. Misschien had ik hem gekwetst.

Terwijl we naar de campingbakker wandelden via een bospaadje waar geen mens te bekennen was, viel hij plotseling op zijn knieën en vroeg me om vergeving. Hij huilde zo hard, er waren zo veel tranen dat ik er bang van werd. Vergeef me, Maria, vergeef me, Maria, zei hij steeds. Vergeef me, Maria, vergeef me, Maria. Totdat ik, vanuit een onwerkelijke kracht die ik vanbinnen voelde zei: "Ja, papa, ik zal je vergeven. Het is al goed." Het was alsof ik de volwassene was, hij het kind. Ik de verantwoordelijke, de verstandige en hij de doorgedraaide kleuter. Het huilen stopte uiteindelijk, hij droogde zijn tranen en stond op. We liepen in stilte verder en hebben er daarna jaren niet meer over gesproken. Hij wist wel dat hij me niet meer aan mocht raken, ik weerde zijn aanrakingen af, wist een fysieke confrontatie slim te omzeilen. En zo leefden we jaren verder.'

'Ik heb nooit iets gemerkt. Nooit.'

'Dat was ook de bedoeling. Ik wilde het niet, dat iemand het wist. Ik schaamde me, soms ging ik zelfs zo ver dat ik dacht dat het helemaal niet gebeurd was, dat het een soort hersenspinsel was. Maar als ik terugdenk aan het moment, voel ik me weer net zo, en weet ik dat het echt zo is gegaan. En...' ze houdt even stil '...en ik weet ook dat dat niet de eerste keer was. Wel de laatste keer, niet de eerste.'

'Hoe kon je verder met hem in één huis leven? Hoe deed je dat?'

'Ach ja, hij was niet vaak thuis, zat altijd maar in dat stomme hotel, dus zo moeilijk was het niet. Maar tijdens de puberteit, toen ik bijna zeventien was, kreeg ik last van vreselijke dromen. Daarover. Ik werd gillend wakker, voelde me extreem depressief. Papa zag aan me dat het niet goed ging en vermoedde wel waardoor dat kwam. Op een avond kwam hij bij me zitten op mijn kamer. Ik was aan het studeren voor mijn examens. Hij vroeg me hoe hij het ooit kon goedmaken, omdat hij zich nog steeds schuldig voelde. Ik zag mijn kans schoon, want ik voerde al jarenlang een strijd. Ik wilde naar de kunstacademie, maar mama vond dat ik moest gaan werken. Ik moest geld verdienen, een baantje zoeken en op zoek gaan naar een goede man.' Maria schudde haar hoofd. 'Dat bekrompen mens. Maar goed, ik vroeg hem dus om op mama in te praten. Hij zegde toe, hij beloofde het. Jij gaat naar de kunstacademie, zei hij. Ik moest huilen, het voelde als een uitweg, en dat monster van een vader zou me er nog bij helpen ook.'

'En toen?'

'De ochtend erna hing hij in de schuur. Slappe zak.'

Steffie, misschien vind je me hard en gevoelloos als ik dit zeg, maar soms denk ik dat het een zegen is dat mijn vader zijn leven eigenhandig heeft beëindigd. Hij had mij nooit geaccepteerd zoals ik ben. Sterker nog, hij zou een strijd zijn aangegaan waarvan ik me nu geen voorstelling kan maken. De gedachte alleen al dat ik op mijn vader af had moeten stappen met het ware verhaal over mijn identiteit brengt een doodsangst in me naar boven. Hem vertellen dat zijn enige zoon eigenlijk een dochter is? Als ik eraan denk hoe hij gereageerd zou hebben, groeit in mij dat gevoel van onbehagen. Het gevoel dat me zegt dat het geen zin meer heeft als ik niet kan zijn wie ik ben. Dat het leven dan geen zin meer heeft. Misschien lijk ik in dat opzicht toch meer op hem dan ik soms wil denken.

9

Mijn pen strijkt vastberaden over het witte vel. De blauwe lijnen weerspiegelen de betoverende contouren van Steffie, die ik zonder haar uitvoerig te bekijken voor me zie. Haar zwijgen is niet ongemakkelijk. De situatie – wij met z'n tweeën, mijmerend over het leven, gevoelens, mijn problemen – is me niet vreemd. Ik weet wie ze is, Steffie. Haar uiterlijk is een blauwprint van mijn dromen. Haar verschijning is als een blik in een spiegel, zoals ik me die vaak heb voorgesteld.

'Hadden jullie eigenlijk seks?' vraagt ze. 'Jij en Valerie?'

Ik knik en doe een poging nonchalance uit te stralen. 'Hoezo?'

'Maar ik bedoel, hadden jullie veel seks?'

'Wat is veel?'

Steffie draait met haar ogen, trekt een van haar lange benen op. 'Hoe ging dat dan?'

'Je vraagt naar een bekende weg, volgens mij.'

'Niet zo preuts, nou. Je weet wel wat ik bedoel.' En dan: 'Vond je het lekker?'

'Natuurlijk.'

'Zo vanzelfsprekend is dat toch niet? Je gebruikt het lichaamsdeel dat je het meest verafschuwt van jezelf. Je haat die piemel. Hoe kun je daar nou plezier van hebben?'

Ze heeft gelijk. Ik kijk om me heen – geen verpleegster te bekennen. Ik zucht en dan zeg ik: 'Ik heb het moeten leren.'

Ons nummer. 'I Don't Wanna Miss a Thing' van Aerosmith. We dansen op mijn zolderkamer. Het lichaam van Valerie is strak tegen me aan gedrukt. Haar heupen wiegen op de snijdende uithalen van Steven Tyler. Mijn handen volgen haar zachte billen.

Ik druk mijn neus tegen haar kruin en ruik haar.

Ik zeg: 'Ik hou van je.'

Ze beweegt haar hoofd en kijkt me aan. Die ogen. Ik zie dat ze lacht. Dan duikt ze weer tussen mijn schouder en mijn nek en dansen we verder, het hele nummer lang.

Ik heb een kaarsje aangestoken. Valerie staat voor me, ik leun tegen haar aan in de opening van het dakraam. Het uitzicht is zwart – met alleen de verlichting van lantaarns, schemerlicht uit woonkamers zonder gesloten gordijnen. We turen een beetje de verte in en zeggen niet veel. De buitenlucht danst met scherpe passen over onze wangen, die zalig gloeien.

Ik kus Valerie in haar nek. Ze laat haar hoofd gedwee opzij zakken en hapt naar adem. Ik ga voorzichtig met mijn hand langs haar arm en voel aan de zachte stof van haar blouse. Ik streel haar borsten, die schuilen onder de zijde.

Steven Tyler begint opnieuw.

Valerie draait zich om. Onze neuzen tegen elkaar, vier ogen op zoek naar contact. We praten, geloof ik. We spreken een stille taal, die alleen wij begrijpen. In die taal weet ik precies wat ik moet zeggen, ik kom geen woorden tekort. Valerie verstaat me en ik haar.

De kus is als een eerste kus, zo een waar je lang op hebt gewacht. Met zachte tong, verkennende bewegingen. Er is niets anders dan die kus. Ik wil niets anders dan die kus.

Ik zit onder haar blouse nu, met mijn hand op haar blote huid. Ze buigt zich meer naar voren, meer naar me toe. Ze wil dat ik haar naaktheid voel, dat is wat ze zegt. Ze zegt: voel me, voel me dan. Ik ben er voor jou.

Haar handen om mijn kaken geklemd. Ze zoent me, zonder eind.

Mijn vingers verdwijnen van haar huid, nemen de tijd om de knoopjes los te maken. Ik weet niet wat ik doe, maar toch doe ik het. Ik volg mijn handen, die soepel haar beha loshaken.

Haar handen, nog steeds langs mijn gezicht. Ze voelt zich bloot, ze is nerveus. Kwetsbaar. Ik duw haar een stukje naar achteren en leid haar handen langs haar lichaam. Dan schuif ik de blouse van haar schouders en laat de bandjes van haar beha omlaag glijden. Ik kus haar nek, ik kus haar sleutelbeen en dan kus ik haar borsten – voor het eerst in mijn leven kus ik de borsten van een vrouw, een echte vrouw. Mijn tong trekt rondjes om haar tepel. Ik negeer de zwelling in mijn broek.

Dit is iets moois, dit is niet voor piemels.

Ik richt me op de andere tepel. Haar borsten zijn perfect. Zo droom ik ze, als ik denk aan de schoonheid van het vrouwenlichaam. Zo zie ik ze het liefst. Zo wil ik ze.

Valerie trekt mijn shirt uit en laat het naast ons neervallen.

Terug bij haar lippen. Opnieuw een kus.

Mijn vingers strelen haar blote rug, duwen haar dichter naar me toe. Bloot tegen bloot, dichter bij haar naaktheid kan ik niet komen.

'Ik ook van jou,' fluistert ze zacht.

Dan klinkt de ringtone van haar telefoon. We schrikken allebei. Het moment spoelt weg, als water door een doucheputje.

Valerie loopt naar het toestel en neemt het aan.

'Ja,' zegt ze. 'Ja, ik stond op het punt om weg te gaan. Ik kom er nu aan.' Ze hangt op en haalt haar schouders op. 'Mijn moeder.'

We kleden ons aan en ik loop met haar mee naar beneden. Het huis is leeg. Mijn ouders zijn nog aan het werk in het hotel. Bij de deur nemen we afscheid met een laatste zoen.

Ik kijk haar na en loop weer naar boven. Ik leun op de rand

van het dakraam, net als daarvoor. Ik duik weer in ons moment en ontbloot de harde piemel in mijn broek. Ik ruk zonder te kijken. Ik richt me op de lichtjes, op de donkere lucht. Ik staar in de verte, naar geparkeerde auto's, naar bomen. Ik kijk naar boven en zoek een antwoord. Ik ruk. Ik ruk, maar ik weet niet waarom. Het is lekker, ook al wil ik dat niet. Ik verafschuw mijn slurf, maar het gevoel dat ik nu heb, brengt me dichter bij mezelf. Ik verwar haat met genot, walging met lust. Het gevecht tussen mijn emoties wordt niet gewonnen. Ik kom al klaar voor ze er samen uit zijn.

Als ik de volgende ochtend wakker word, stuur ik als eerste een berichtje aan Valerie.

Ik schrijf: 'Happy valentines day, liefje.'

Vanmiddag hebben we afgesproken. We gaan wat drinken, misschien nog naar de bios. Ik heb een cd voor haar gekocht, met rockballads. Aerosmith staat er ook op – natuurlijk.

Na een blokuur Engels, heb ik een tussenuur. Ik loop naar de mediatheek, waar ik heb afgesproken met Dave om samen onderzoek te doen voor ons werkstuk voor geschiedenis. Onderweg schiet ik het toilet nog even binnen.

Ik draai me om, kijk naar de deur. Ik weet niet precies waarom. Dan schud ik mijn hoofd en open een van de hokjes.

Dan toch, de deur gaat open. Ik kijk over mijn schouder en zie een bekend gezicht. Kevin kijkt me aan en knikt, bij wijze van groet. Ik sla mijn ogen neer.

Zijn aanwezigheid alleen al maakt dat ik me klein voel, nietig, onwaardig. Hij weet hoe kwetsbaar ik kan zijn, hoe hij me met eigen handen en voeten te gronde kan richten. En hoe ik dat zonder tegenstribbelen zal toelaten, zonder dat hij er daarna ooit nog hinder van zal ondervinden.

Mijn moeder heeft na de vorige keer aangeboden naar school te stappen, naar onze mentor of naar de rector, om te praten.

Ze heeft geopperd een woordje te wisselen met de ouders van de jongens, ze op hun verantwoordelijkheden te wijzen, maar ik heb stug geweigerd de namen van mijn belagers te noemen. Ik wil er niet meer aan herinnerd worden en weet bovendien dat het mijn zaak niet zou sterken als mijn 'mammie' eens een appeltje met ze kwam schillen. Als er al een appeltje geschild wordt, dan moet ik het zelf doen.

Ik verdwijn in een hokje en pis in de pot. Ik veeg mijn geslachtsdeel af, trek door en rits mijn gulp weer dicht. Als ik het hokje uit kom, staat Kevin daar nog, onbewogen, alsof hij op me wacht. Ik doe of ik het niet merk, was mijn handen en veeg die droog aan mijn broek. Zonder iets te zeggen wil ik weglopen.

'Ik wil je mijn excuses aanbieden, voor die avond.'

'Wat?'

Ik draai me om, even verbaasd als argwanend.

'Je hoorde me wel,' grijnst hij. 'Mijn excuses, voor toen.'

Ik weet me geen houding te geven en haal mijn schouders op.

'Oké,' zeg ik.

Weer wil ik weglopen.

'Aanvaard je ze?'

De situatie voelt ongemakkelijk, er klopt iets niet, maar wat dat precies is weet ik nog niet. Ik kijk naar Kevin, die allesbehalve schuldbewust de wereld in tuurt. Ik ontdek dezelfde blik van afschuw, een onverminderde haat in zijn ogen, de grijns die onheil voorspelt.

'Ja, prima,' mompel ik, vooral om van hem af te zijn.

We worden opgeschrikt door de deur die opengaat, opnieuw een openbaring van slecht nieuws. Tim staat in de opening.

'Jij wacht hier, goed?' zegt hij tegen iemand die ik niet kan zien.

De rekensom is snel gemaakt, het is mis, goed mis. Ik probeer nog weg te komen, zoek ondertussen naar mijn telefoon om Dave te alarmeren, maar Tim grijpt me al bij mijn blouse. Hij is sterker, veel sterker, ik heb geen kans. Hij trekt een wc-hokje open en duwt me er met kracht in, zodat ik op het toilet terechtkom. Kevin komt in de opening staan, trekt zich omhoog aan een buis die een meter onder het plafond hangt, zet zich af en lanceert zijn schoen in mijn gezicht. Even duizelt het me, even ben ik mijn oriëntatievermogen kwijt. Ik kom pas weer terug op aarde als ik de ijzerachtige smaak van bloed proef.

'Wat dacht je nou?' roept Kevin. 'Dat ik echt mijn excuses zou aanbieden? Denk je echt dat ik er spijt van heb dat we je in elkaar hebben gebeukt?'

Ik antwoord niet.

'Ja, hè? Dat dacht je, hè?'

Tim kijkt om het hoekje en lacht. 'Moet je hem nou zien! Vieze flikker. Vergeet je niet je broek naar beneden te trekken als je moet schijten? Zo gaat het natuurlijk niet, hè?'

Kevin duwt hem opzij en stapt naar voren. Hij hurkt bij me neer, zodat zijn gezicht heel dichtbij komt. Ik kan in zijn oog spugen. Ik heb alleen het lef niet.

'Julius, we moeten even praten, jij en ik. Die avond hebben we je geprobeerd te waarschuwen, dat Valerie voor jou geen partij is. Ze is te mooi voor jou, te speciaal. Misschien lijkt het alsof ze je interessant vindt, maar vroeg of laat is ze op je uitgekeken, dus als goede vriend wil ik je adviseren ermee te kappen.'

'En je kunt maar beter naar hem luisteren,' roept Tim vanuit het hokje ernaast. Ik hoor een straal urine in de pot kletteren.

Kevin gaat verder. 'Straks, in de pauze, ga ik naar Valerie toe en geef ik haar een roos. Daar had jij vast niet aan gedacht, maar het is Valentijnsdag vandaag. Het geeft ook niet, want alleen echte mannen weten hoe ze een vrouw kunnen verrassen.'

'Ze hoeft je roos niet,' fluister ik.

'Wat zeg je?' zegt Kevin. Hij slaat met zijn vlakke hand tegen mijn wang. 'Ik verstond je niet goed. Je moet wat duidelijker leren praten, joh.'

Tim grinnikt en spoelt de wc door.

'Het zal je nog verbazen hoe blij Valerie is met die roos, let op mijn woorden. Ik zal haar mee uit vragen en ze zal blozen. En stiekem zal ze niets liever willen dan met mij uitgaan. Wat moet ze nou met jou? Jij laat je in elkaar trappen nadat je haar thuisbrengt. En nu weer. Wat heeft ze daaraan? Nee, als je echt van haar houdt, maak je het vandaag nog uit en geef je haar de ruimte om in te gaan op mijn voorstel. Iedereen blij, toch? Ja, behalve jij misschien, maar dat kan toch niemand wat schelen.'

Nu lachen ze samen zo hard alsof er geen betere grap te bedenken valt.

Ik houd mijn hoofd achterover om de stroom bloed uit mijn neus te stoppen. Kevin stroopt wat wc-papier van de rol aan de wand en geeft het aan me.

'Hier,' zegt hij, 'ga jezelf een beetje opfrissen. Je lijkt wel een baby die in de ketchup is gevallen.'

Na die laatste opmerking lopen de jongens weg en dringt de leegte in het toilet zich aan me op. Vanuit de verlaten gang klinken echo's van hun gelach. Ik ben het zo zat, ik ben er zo klaar mee, maar ik heb er geen benul van wat ik moet doen om het te stoppen. Ik ben geen partij voor ze.

Ik staar naar het beeld in de spiegel, dat inderdaad maar weinig verschilt van dat van een baby die in de ketchup is gevallen. De vergelijking van Kevin is net zo raak als de trap die hij heeft gegeven. Het bloeden stopt en ik veeg de bloedresten van mijn gezicht met repen wc-papier die ik onder de kraan houd. Er blijven propjes op mijn gezicht plakken die ik er één voor één weer af peuter. Je ziet overduidelijk dat ik weer te grazen ben genomen. Niet alleen mijn neus is kapot, ook de huid van mijn wang ernaast toont een lelijke schaafwond. Het vuil dat waarschijnlijk van de onderkant van Kevins schoen afkomstig is, krijg ik er niet af met water en het gerecyclede toiletpapier.

De deur van de wc gaat open. Ik draaide me geschrokken om,

betrapt bijna, en prop snel het bebloede papier in de prullenbak. Het is te laat, hij heeft het al gezien. Hij kucht in zijn vuist en straalt een rust uit die wijsheid verraadt.

'Loop even met me mee, jongen,' zegt hij.

Meneer Couprie gaat me voor naar zijn tekenlokaal en sluit de deur nadat ik op zijn stoel heb plaatsgenomen. Hij verdwijnt in het hokje waar hij de verf en de mappen met het werk van zijn leerlingen bewaart en komt terug met een grote, witte verbanddoos.

'Dit gaat even prikken,' zegt hij, terwijl hij een watje met jodium besprenkelt.

Hij strijkt het watje voorzichtig langs mijn wang en de onderkant van mijn neus. Het prikt inderdaad, net als de tranen achter mijn ogen, waartegen ik met al mijn kracht vecht. Het gebaar van meneer Couprie, zijn zorgzaamheid terwijl hij niet vraagt naar wat er is gebeurd, ontroert me. Ik weet dat ik bij hem terecht kan met mijn verhaal als ik wil, maar ik weet ook dat hij dan in actie moet komen. En dat, dat wil ik absoluut niet. Dat zou ik net zo erg vinden als de gedachte aan mijn moeder die op een goede ochtend haar fiets in het rek op het schoolplein zou parkeren, recht voor het biologielokaal, omdat ze een afspraak heeft met de mentor om te praten over de pesterijen. De blikken die zullen volgen, het gefluister, het geroddel, de afgang. Ik moet er niet aan denken.

Een halfuur te laat loop ik de mediatheek binnen. Ik zet mijn tas naast die van Dave en pak een stoel.

'Lekker op tijd, weer,' zegt hij. En dan, harder: 'Jezus, wat is er met jou gebeurd, gast?'

'Niet zo hard alsjeblieft!' sis ik. 'Iedereen kijkt.'

'Wat is er gebeurd?' Dave staat op. Hij is een strijder, klaar voor de slag om mijn eer. 'Tim weer?'

Ik knik en schaam me terwijl ik dat doe. 'Eigenlijk vooral Kevin dit keer. Ze waren met z'n tweeën.'

'Juul, ik ben er klaar mee. Ik trommel wat gasten van voetbal op en ik ga die klootzakken een lesje leren, je hebt geen keuze. Ze moeten met hun fikken van je afblijven.'

'Nee, Dave, alsjeblieft...'

'Waarom niet? Waarom laat je ze dit doen, elke keer weer? Ik durf te wedden dat dit op de basisschool ook al gebeurde. Hoe lang laat je ze hier nog mee wegkomen? Je bent toch zeker niet hun persoonlijke boksbal? Nee, het moet maar afgelopen zijn. En als jij het zelf niet regelt, dan doe ik het wel.'

Ik betast mijn wang en voel hoe schraal de huid nog is. Inmiddels zal die vast vuurrood geworden zijn. De zin in vanmiddag is totaal verdwenen. Valerie zal zich vast doodschamen om met mij en mijn gedeukte tomatenkop in het café te zitten, en ik heb er moeite mee haar daarin ongelijk te geven. Kevin zei het al: wat moet zij met een zwakkeling als ik? Wat heeft ze aan me?

'Laat me het dan zelf regelen, Dave,' zeg ik na een tijdje.

Hij schudt alleen zijn hoofd, waarmee hij mijn woorden als waardeloos afdoet.

We werken door in de pauze, zodat we tenminste nog iets hebben om te laten zien het uur erna. Terwijl Dave even naar de wc is, sta ik op en slenter naar het raam. Ik staar naar de leerlingen die zich als een mierenmassa krioelend voortbewegen over het plein. Het is mooi weer, er wordt gelachen en, zo schiet door mijn hoofd, niemand die aan mij denkt. Niemand die mij ziet, die mij mist. Mijn ogen vinden Valerie op een bankje, zittend naast twee van haar vriendinnen. Ze eten een broodje, kletsen, lachen. Ook Valerie lijkt niet aan mij te denken of me niet te missen. Ze zoekt me niet eens, ze ziet me niet kijken.

Ineens voel ik me als God die Zich realiseert dat Zijn macht niets meer waard blijkt, dat de wereld nog slechts uit ongelovigen bestaat. Ik zie het gebeuren. Kevin verschijnt ten tonele. Hij klemt een roos tussen zijn kaken, precies zoals hij beloofd had, en loopt recht op Valerie af. Ik denk alleen maar: hij doet het echt, hij doet het echt, hij doet het echt.

En ja, het is waar, hij doet het echt. Bij het bankje laat hij zich theatraal op één knie vallen en buigt hij zijn rug voor mijn meisje. Míjn meisje. Ze schiet in de lach en kijkt verlegen naar haar vriendinnen. Ik zie hoe Kevin haar de roos aanbiedt, met zijn vrije hand tegen zijn borst gedrukt. Ik zie hoe Valerie glimlacht, om zich heen kijkt van ongemak. Ik zie hoe ze begint te blozen en de roos van hem aanneemt, precies zoals Kevin me beloofd heeft. Ik zie hoe ze hem haar hand laat pakken en hoe hij er een kus op drukt. Ik zie hoe ze dat toelaat en er nog bij lacht ook. Ik zie, ik zie, ik zie, ik zie het allemaal. Wat ik zie is dat Kevin gelijk heeft gekregen. Hij heeft me met mijn neus op de feiten gedrukt en eigenlijk moet ik hem er alleen maar dankbaar voor zijn.

Als Dave terugkomt, zoemt de bel en is het tijd voor de geschiedenisles. Vanaf mijn positie kijk ik recht op de ingang van de school. De stroom mieren komt op gang en beweegt zich in dezelfde richting. Er ontstaat een file bij de deur, maar langzaam zie ik het plein leegraken en wordt de zwerm voor de ingang dunner. We lopen naar het lokaal, zwijgend. Af en toe kijkt iemand me verschrikt aan.

Ik ben in elkaar geschopt, ja. Kun je het zien?

Mijn gedachten draaien overuren, mijn hart ploetert als dat van een aangeschoten hert. Gewond, gehavend, gekrenkt.

Ik houd mijn pas in en zeg: 'Ik ga, Dave. Ik ga naar huis. Ik voel me niet zo lekker.'

Nog voordat hij iets terug kan zeggen, klop ik hem op zijn schouder en snel de gang door, in tegengestelde richting. Ik moet duwen om mijn weg naar frisse lucht vrij te maken, maar dat kan me niets schelen. Ik moet weg, ik moet naar buiten. Ik haal het net. Ik open de toegangsdeur en kokhals. Drie keer geef ik over en staar ondertussen met waterige ogen naar het braaksel dat uit mijn mond gutst. Het lijkt niet op te houden. Ik ben misselijk van ellende, ziek van hartzeer en ik walg van mezelf.

Ik wankel in de richting van mijn fiets, steek het sleuteltje in het slot en vis mijn mobiele telefoon uit mijn zak. Ik tik een sms aan Valerie waarin ik schrijf dat het uit is en dat ze vrij is te doen wat ze maar wil. Daarna zet ik mijn toestel uit en stap op de fiets. Ik lig de rest van de middag in bed en huil. Ik jank waar mijn moeder bij is, ik jank alleen. Ik jank als Christa op commando van mijn moeder komt kijken wat er aan de hand is, ik huil als ze wanhopig hoofdschuddend weer vertrekt. Ik ben ontroostbaar.

De regen is gestopt. Door de donkergrijs gestreepte hemel dringen zelfs wat stralen licht. Ik vertel een donkergrijs verhaal. Ik kijk naar Steffie. Zou ze me al zat zijn? Zou ze al snakken naar kleur en weg willen rennen?

'Is dit wat?'

Ik draai het vel papier om en laat de pentekening door Steffie bekijken. Ze trekt eerst haar ene wenkbrauw op, dan haar andere. Ze kijkt van mij naar het papier en gaat weer op mijn bed zitten, zoals eerder. Dan pakt ze me bij mijn armen vast en trekt me in een rukje naar voren, alsof ze me wakker probeert te schudden.

'Rare gek! Waarom heb je het in godsnaam uitgemaakt met Valerie?'

'Ik...'

'Dat is precies wat die eikels wilden!'

'Ja, rustig. Ik weet het, ik weet dat het stom was.'

'Stom?' Steffie laat een zucht van ergernis ontsnappen. 'Zwak, laf en dom zul je bedoelen. Dit had ik niet van je verwacht, Julius. Het valt me vies van je tegen. Je laat dat meisje toch niet zomaar zitten, met een lullige sms nog wel.'

Ik glimlach flauwtjes om haar plotselinge uiting van woede. 'Het spijt me als ik je nu heb teleurgesteld.'

'Het spijt je helemaal niet. Kijk nou naar jezelf, je lacht erbij terwijl je dit zegt. Het is niet om te lachen. Ik vind het heel erg dat je dat hebt gedaan.' En daarna, iets rustiger: 'Als vrouw kan ik me gewoon goed voorstellen hoe verschrikkelijk dat voor haar moet zijn geweest. Ze wist van niets, je hebt haar niet eens verteld over Kevin, over wat hij heeft gedaan. Dit kwam echt onverwacht voor haar.'

De blik van Steffie zegt me dat ik me nog eens moet verontschuldigen, dat ik na al die jaren opnieuw door het stof moet om de reden van mijn impulsieve besluit toe te lichten. Om te bekennen dat ook ik het een dom besluit vond, dat het me veel pijn deed en dat ik het er nog steeds benauwd van krijg als ik eraan terugdenk.

'Wat vind je van mijn tekening?' vraag ik in plaats daarvan.

'Die interesseert me niet, nu niet meer. Ik wil weten hoe je het hebt opgelost.' En na een stilte: 'Je hebt het toch zeker wel opgelost?'

10

Ik droom over borsten, ronde glimmende tieten die als vlezige ballen aan mijn borstkas vastzitten. Ik droom dat mijn spiegelbeeld echt is. Ze zijn van mij. Ik voel ze, ik knijp in ze, ze zijn echt. Ik heb borsten.

Dan word ik wakker en kijk recht in de ogen van mijn moeder. Ik schiet overeind.

'Jongen,' zegt ze. 'Heb je goed geslapen?'

Ze zit op de rand van mijn bed. De blik in haar ogen verraadt zorgen die ik als kind niet kan wegnemen. Ze heeft zich de plooien in haar huid en de grauwheid in haar uitdrukking eigen gemaakt. 'Bezinning', zou het juiste woord kunnen zijn.

En dan, ineens dan weet ik het weer, wat ik heb gedaan. Wat er is gebeurd. Mijn moeder tast voorzichtig met haar vingers langs de schrale plek op mijn wang. Ik draai mijn hoofd weg.

'Hebben ze je gisteren geslagen op school?'

Ik knik en zeg: 'Zoiets.' En peuter slaap uit mijn ogen.

'Wil je erover praten?'

'Nee,' zeg ik. 'Liever niet.'

'Ik wil weten wie het heeft gedaan. Zijn ze met meer? Waarom doen ze dit?'

'Mam, het komt wel weer goed.'

'Hoe dan?'

'Gewoon.' Ik stap uit bed. 'Het komt wel weer goed.'

Ik laat mijn moeder achter op bed. Ik loop de trap af en sluit de badkamerdeur achter me.

Het warme water prikt in mijn gezicht. Als ik mijn ogen sluit, denk ik aan Valerie. Ik denk aan hoe ik haar heb gekwetst. De zorgvuldig opgebouwde band die we hadden heb ik met één sms tot gruis geslagen. Bedrog, niets meer dan bedrog. Ik ben haar kwijt. De gedachte kruipt als een wurgslang omhoog en wikkelt zich om mijn nek. Mijn hart begint te bonzen, ik krijg het benauwd. Ik hijg, ik snik, ik duizel, ik hap naar lucht.

Met blote billen zit ik op het doucheputje. De warme, natte troost blijft op me neerdalen. Mijn halflange haar kietelt mijn nek.

Er wordt op de deur gebonsd. Het is mijn moeder.

Ik draai de kraan uit.

'Julius!' schreeuwt ze.

Aan haar stem hoor ik dat het niet de eerste keer is dat ze mijn naam roept. Ze staat er al een tijdje.

'Ja,' zeg ik. 'Wat is er?'

'Is alles in orde daar?'

'Ja.'

'Weet je dat zeker?'

'Mam, laat me maar even, goed?'

Voetstap voor voetstap daalt ze de trap af. De ene keer een bonk – vanwege de knie – de andere tred wat minder.

Ik denk aan mijn kansen terwijl ik me afdroog. Kevin, Tim en consorten, ze verkeren in de veronderstelling dat ze me in elkaar kunnen meppen wanneer ze daar maar behoefte aan hebben. Een juiste veronderstelling, en effectief is die nog ook. Ik heb me gewonnen gegeven, nog voordat de strijd om de liefde van Valerie goed en wel begonnen is. Ik ben een zwakkeling. Ik ben laf. Ik ben een bang schaap.

Boven hijs ik me in wat kleding en zet ik mijn telefoon weer aan. Piepjes staan in de file voor mijn luidspreker. Bericht na bericht verschijnt op mijn scherm.

Valerie stuurde me er vijf. Ik lees ze, terwijl het toestel vibreert in mijn handen. Druppels nat vallen van mijn haar op het scherm.

Valerie, 13.45 uur
Wat? Doe even normaal, wat is dit?

Valerie, 13.53 uur
Je mag best antwoorden.

Valerie, 14.27 uur
Juul, ik hou van je. Waarom doe je dit? Waar ben je??? Laat even wat van je horen.

Valerie, 22.54 uur
Ik weet niet waar ik dit aan te danken heb. Ik ben nog nooit zo verdrietig geweest.

Valerie, 23.59 uur
KLOOTZAK!

Ik besluit niks terug te sturen. Ze wil antwoorden die ik haar niet durf te geven. Angst is het antwoord, laffe angst. Ik was te bang om voor haar op te komen en ik heb het lef niet daarvoor uit te komen. Dan ben ik haar voor altijd kwijt.

Mijn ogen speuren door de gang, jagen op haar mooie blonde haren. Ze is nergens. Halverwege de ochtend hoor ik dat ze zich ziek heeft gemeld. De mededeling laat een steek in mijn onderbuik achter.

In de gang kom ik Rianne tegen, ze geeft me een flinke duw. Ze zegt geen woord, kijkt me alleen maar even aan. Tussen Dave en haar is het net weer aan, maar ik weet dat ze onzeker is. Ik lees dubbel zoveel haat in haar ogen. Ik incasseer de haat. Ik heb het verdiend.

Dan lopen we allebei verder – alsof er niks is gebeurd.

Dave draait de hele dag om me heen en bewaakt me als een

persoonlijk beveiliger. Hij loopt met me mee naar het toilet, hij volgt me als ik wat uit mijn kluisje ga pakken en in de pauze trakteert hij me op een broodje kroket.

Ik vertel hem niet over Valerie, omdat ik me al kleiner voel worden bij de gedachte. Hij zal er geen respect voor kunnen opbrengen. Hij komt er natuurlijk vanzelf wel achter, via Rianne, of Valerie, maar zolang ik dat moment kan uitstellen gun ik mezelf dat.

Constant die twijfels. Steeds weer die afweging. Zal ik naar de boerderij fietsen? Het blijft bij twijfelen.

Na het laatste uur biologie, waarvoor we buiten op het grasveld allerlei opdrachten moesten uitvoeren, haal ik mijn boeken uit mijn kluisje. Het valt me op dat Dave niet meer om me heen cirkelt. Het lucht op, voelt vrij, maar ik voel me ook naakt zonder hem. In elke jongen die voorbijloopt zie ik Tim, of Kevin.

Ik ruik poep, de indringende geur van hondenpoep. Ik draai de onderkant van mijn schoen om en zie een donkerbruin plakkaat in de sporen van mijn gymp. Ook dat nog.

Ik rits mijn tas dicht en zoek een weg naar buiten door de chaos aan scholieren, die, in grote haast om het schoolgebouw uit te komen, bijna over elkaar heen lopen in de richting van het plein. Er is commotie. Geroezemoes voorspelt een spektakel.

Buiten zie ik waar de bijenzwerm naartoe gaat. Aan het eind van het plein, bij het hek staat een grote kring leerlingen naar iets te kijken. Er wordt gejoeld, geschreeuwd, gegild door sommige meisjes. De groep wordt steeds dikker en ik besluit ook te gaan kijken. Terwijl ik mijn slanke lijf door de massa heen weet te duwen, begint me te dagen dat er gevochten wordt. Instinctief wil ik omkeren, omdat mijn ervaring uitwijst dat ik tijdens vechtpartijen niet tot het winnende soort deelnemers behoor. Mijn rode wang als kroongetuige.

Nieuwsgierigheid prikkelt me, net als ieder ander in de kring. Ik wil toch kijken, eventjes maar. Nog twee rijen en dan sta ik vooraan. Als vanzelf lijken de mensen nu opzij te stappen, om me de ruimte te geven ertussen te komen. Ik herken Peter. En daar staat Jan. Voor Jan zie ik Mustafa en Ollie. Allemaal maatjes uit mijn voetbalteam. Mijn verbazing vecht met ontzetting, als ik Daves blik vind. Hij staat naast twee gedaantes op de grond. Niet zomaar twee gedaantes, het zijn de gekrenkte ego's van Tim en Kevin die ik met een bebloed gezicht hoor kermen.

'Daar ben je!' roept Dave. 'Kom even hier, Juul.'

Mensen kijken me aan en maken plaats, zodat ik in de cirkel kan stappen. Onwennig kijk ik om me heen en ik onderdruk een rare neiging om naar het publiek te zwaaien. Tim staat op en trekt Kevin overeind. Elk spiertje in mijn lichaam spant zich. Gewenning van de natuur.

'Dit gebeurt er als je een maat van ons lastigvalt, Tim,' roept Dave. 'En jij, Kevin, zoek een leven. Of blijf je altijd het schoothondje van Tim? Sukkel!'

Kevin veegt wat bloed van zijn wang. Hij loopt mij tegemoet en gaat heel dicht bij me staan. Hij trilt van woede, hij ademt als een woesteling, hij de stier, ik de rode lap. Hij kan elk moment losbarsten, dat weet ik, dat voel ik. Ik verstijf, zet me schrap voor een confrontatie, ook al voel ik me gesterkt door de aanwezigheid van mijn voetbalvrienden. Het ontroert me dat ze voor me zijn opgekomen, zonder dat ik erom heb gevraagd.

Ik weet niet hoe ik ze ooit moet bedanken.

Voor het eerst sinds lange tijd, misschien wel voor het eerst in mijn leven, voel ik me niet meer alleen. Het is nu: wij samen tegen hen, in plaats van zij tegen mij en dat gevoel overweldigt me zo dat ik er bijna tranen van in mijn ogen krijg.

Kevin fluistert vinnig. 'Denk je zo van ons af te kunnen komen? Laat je je vriendjes dit opknappen? Je bent zelf nog te laf om een klap uit te delen.'

'Hou je bek, Kevin,' zeg ik terug.

De woorden komen beheerst mijn mond uit. Van zenuwen of angst is voor een buitenstaander niets te merken. Alleen als er nu een doorsnede van mijn lijf gemaakt zou worden, zie je het: de jacuzzi vol hete olie, nervositeit die in mijn ingewanden kolkt.

'Het is klaar nu,' ga ik verder. 'Je blijft voortaan met je poten van me af.'

'Hoor je dat?' roept Dave, die trekt aan het rechteroor van Kevin. 'Luisteren! Kun je dat?'

Kevin grijnst. 'Stoere praatjes?' zegt hij en hij haalt naar me uit.

Net op tijd kan ik wegduiken. Ik zie Dave boven op hem springen. Samen maken ze een duikvlucht naar de grond. Terwijl Mustafa en Peter de steeds agressiever wordende Tim in de houdgreep hebben, zit Dave boven op Kevin. Ik sta ernaast, en werp een vluchtige blik op de menigte, terwijl Dave met zijn vuist tekeergaat op het gezicht van mijn belager.

'Dave, zo is het wel genoeg, volgens mij,' zeg ik zachtjes, waarop Dave stopt.

'Je hebt gelijk,' antwoordt hij. 'De rest bewaar ik voor jou.'

Voor mij? Ik bal mijn vuist en kijk ernaar. Moet ik het nou overnemen? Mijn vuisten gebruiken?

'Kom op, man, het zal je goed doen.'

Ik twijfel en kijk Dave aan, in de hoop dat hij gaat lachen, dat het een grap is, dat ik niets hoef te doen. Kevin gaat ondertussen zitten en maakt aanstalten om weer op te staan.

'Hij doet toch niets, Dave,' lacht hij, nadat hij op de grond heeft gespuugd. 'Hij is een mietje. Een vieze flikker die zijn vuisten niet durft te gebruiken. Hij laat zich liever slaan, daar geilt hij op.'

Het geluid gaat uit. De tijd stopt. De stomme film met incidenten waarmee ik al sinds de basisschool moet omgaan raast voorbij. De pesterijen, de keren dat ze me lieten struikelen in de klas, duwen, trekken in de gang, en later het opwachten, het achternazitten, het in elkaar trappen. Het is een donkere, rauwe film met die ene keer, de avond waarop Valerie en ik verkering kregen, als intens dieptepunt. Mijn bezoek aan het ziekenhuis. De wond die ik nu weer in mijn gezicht heb.

En het stopt. De film gaat op zwart en schakelt over op het hier en nu.

Ineens hoor ik weer geluid, ik hoor gejoel. Applaus? Ik kijk om me heen en zie mijn schoolgenoten lachen en springen met hun handen in de lucht. Ik kijk naar mijn rechtervuist, die pijnlijk aanvoelt en dan zie ik Kevin liggen. Hij ligt op de grond, met zijn hand voor zijn neus.

Ik heb hem geslagen. Ik heb het gewoon gedaan.

De roes van adrenaline die ik ervaar, maakt dat ik naar hem toe durf te stappen. Ik hurk bij hem neer, net zoals hij een dag eerder bij mij in de wc's deed. Hij kijkt op en grijnst. Altijd maar die grijns. Ik heb er toch heel wat voor over om die nog een keer van zijn gezicht te vegen.

'Was dat nou zo moeilijk?' mompelt hij.

Nu pas zie ik dat zijn neus een gekke kromming vertoont. Het ontsiert zijn gezicht, maakt eerder een clown van hem dan een gevaarlijke straatvechter. Ik weet niet of hij dat aan mijn klap te danken heeft, waarschijnlijk mag Dave die eer opeisen, maar dat hij dit keer niet wegkomt met wat hij heeft gedaan – ook hij moet nu naar het ziekenhuis – dat vind ik enigszins rechtvaardig.

'Je blijft een mietje,' zegt Kevin nog, terwijl hij op dat moment met zijn vingers lijkt te ontdekken dat zijn neus niet meer recht staat.

In alle rust kijk ik op hem neer. Ik besluit niet meer te antwoorden. Het is goed zo.

Kort daarna wordt de kring toeschouwers uit elkaar gedreven door twee conciërges en wat docenten. Iedereen maakt dat hij wegkomt, zo ook mijn voetbalmaten, Dave en ik. We halen onze fietsen en snellen weg. Ook al ben ik vol van wat er is gebeurd, de jongens hebben het er niet meer over. Ik zoek naar een manier om ze te bedanken, maar de meeste jongens buigen al vroegtijdig af naar rechts, richting de nieuwbouwwijk waar ze wonen. Mustafa steekt zijn duim in de lucht en verdwijnt uit het zicht. Hij zegt daarmee: 'Maak je niet druk, het was een kleine moeite, vriend.'

Dave en ik fietsen door, zwijgend. Totdat we bij het punt komen waar ook wij afscheid moeten nemen. We stappen af.

'Dank je wel,' zeg ik uiteindelijk.

'Hou op, man! Ik zei toch dat ik het zou regelen. Ze laten je nu met rust, dat lijkt me duidelijk.'

'Toch... bedankt, man. Het betekent veel voor me.'

'Geen probleem.'

'Wat ga je nu doen?'

'Naar Rianne, denk ik. Even een wip maken, hopelijk.'

Ik schiet in de lach. Hij wil alweer op de fiets stappen als ik zeg: 'O, wacht, dan moet ik je eerst nog wat vertellen.'

Hij stapt toch op. 'Dat het uit is met Valerie? Alsof ik dat nog niet wist. Wat denk je nou, dat ik onder een steen leef of zo?'

Ik glimlach ongemakkelijk. 'Sorry,' zeg ik. 'Dat ik het niet eerder heb verteld.'

'Maak je niet druk. Als het maar niet is om die Kevin, want dan trap ik je zelf nog in elkaar.'

Ik haal mijn schouders op.

'Gast, ik praat wel met haar straks. Misschien helpt het.'

Na die woorden fietst hij weg.

Ik parkeer mijn fiets naast een bankje en ga zitten. Ik staar naar een rode kat aan de overkant van de weg en ik denk aan jurken, aan hoge hakken, aan rode lippenstift, aan een wespentaille en aan ronde billen. Ik kies voor een vlucht naar mijn droomwereld.

'Ben je nog steeds met hem bevriend?' vraagt Steffie.

'Met Dave?'

Ze knikt.

'Nee,' zeg ik. 'Het is pijnlijk. Ik ontdekte de grens van zijn vriendschap toen ik mijn masker voor hem afzette, pas jaren later. Toen ik hem vertelde wie ik echt ben.'

'Toen je vertelde dat je transseksueel bent.'

'Dat ik vrouw ben.'

Steffie wuift met haar hand.

'Transseksueel, transgender, man, vrouw, weet ik veel, het doet er niet toe. Hoe ging dat gesprek?'

Ik denk terug aan de confrontatie. Ik woonde al jaren in Amsterdam toen ik hem opzocht om open kaart te spelen. Ik ontdekte de voorwaardelijkheid van onze band.

Hij staat met een voetbal onder zijn arm. Ik stel me hem voor als figurant in een filmpje over amateurvoetbal. Hij is inmiddels een van de jeugdtrainers van onze oude club. Ik woon alweer jaren in Amsterdam samen met Valerie. Rianne heeft net definitief met hem gebroken, nadat Dave haar voor de zoveelste keer had bedrogen. Het meisje had ontroostbaar bij ons op de bank gezeten. Dave vertelde het me wat weken daarna zelf ook, maar ik ben dan allang niet meer de persoon die hij als eerste belt in dat soort situaties.

De afstand tussen ons is inmiddels kilometers lang – onze werelden groeien uit elkaar. Toch zie ik hem nog als een goede vriend, een trouwe maat van vroeger, die voor me opgekomen is en die een persoonlijk gesprek over mijn geslachtsidentiteit waard is. Als hij het zou horen via het roddelcircuit, geef ik hem daarmee een onverdiende klap in zijn gezicht.

We knikken elkaar toe. Een hand, een korte omhelzing. Hij klopt me hartelijk op de schouder. Ik kijk naar mijn oude vriend. Het donkerblauwe trainingspak zit te strak rond zijn buik. Voor hem op het vochtige veld beweegt een kudde magere jochies met modderknieën die zijn aanwijzingen in de wind slaan. Verderop wat ouders, vooral vaders, een paar kinderen.

Het rennen achter zo'n bal aan, het duwen, het trekken, van tijd tot tijd de noppen langs je benen die gemene schaafwonden aanbrengen: ik ben blij dat ik er niet meer tussen sta. Ik haatte het spel, vroeger – ook al deed ik of ik ervan hield met heel mijn hart. Het gras, de setting, ik haatte het allemaal.

Dat durf ik geloof ik nu pas te denken.

Na de wedstrijd zitten we in een rustig hoekje van de kantine, iedereen is buiten, of in de kleedkamer. We drinken het laatste beetje koffie uit de kan.

Ik begin te praten. Ik vertel over de strijd die ik heb gevoerd, de rollen die ik me heb aangemeten, ik leg uit wat genderdysforie is, voorzichtig spreek ik over het traject waarin ik zit en ik benadruk dat er niets aan onze band hoeft te veranderen. Ik vertel wat ik doormaak. Wat ik voel, zo ongeveer. Ik vertel hoe ik hoop dat de veranderingen mijn leven zullen verlichten. Ik vertel hoe gelukkig ik me nu al voel, ook al maken Valerie en ik een moeilijke tijd door. Als ik uitverteld ben, blijft het stil. Dave trommelt met zijn vingers op tafel.

Ik zeg: 'Dave, ik ben je dankbaar voor je vriendschap. Ik wil dat je dat weet.'

Waarop hij antwoordt: 'Jezus, ik wist wel dat je anders was, maar...'

'Maar?'

'Maar dit?' Hij schuift zijn stoel langzaam naar achteren, hij trekt zich terug. Ik verlies hem, dat voel ik. Hij glipt weg. 'Dit had ik nooit kunnen bedenken,' zegt hij.

'Misschien moet je even aan het idee wennen. Je bent niet de eerste aan wie ik het vertel en ik merk dat er meer mensen moeite mee hebben. Dus ik geef je de tijd, alle tijd die je maar nodig hebt.'

'Nee, nee,' mompelt hij. En weer: 'Nee, nee... Geen tijd. Ik heb geen tijd nodig. Ik hoef geen tijd, ik hoef niet te wennen. Ik vind het, ik kan het niet geloven. Sorry, Juul, maar ik kan hier geloof ik niet mee omgaan. Het is...'

Een totale stilte verzwaart de pijn die mijn hart vult. Dave kijkt weg, ik zoek hem, zijn blik. Maar hij vermoordt onze vriendschap zonder die in de ogen te kijken.

'Dit is te raar,' zegt hij. 'Ik heb hier geen...'

Er lopen drie jongetjes uit zijn team de kantine binnen. Ze schallen zijn naam, in koor. Dankbaar kijkt hij de jochies aan en staat op.

'Er is iets met de douche!' roepen ze.

'Ik kom al, ik kom al.'

Hij laat me zitten. Zonder iets te zeggen loopt hij weg. Hij laat me achter in een kille, lege voetbalkantine, zonder verwachting, zonder hoop. Ik hoef niet op hem te wachten, hij zal niet meer terugkomen. Ons gesprek is afgelopen.

Ik zou mijn vriend pas weer spreken op een volgend pijnlijk moment in mijn leven.

11

'Hou je van films?' vraag ik.

Steffie kijkt me glazig aan.

'Wat?' zegt ze. 'Ik zit nog midden in je verhaal. Best heftig.'

'Ach, het is gebeurd. Mensen zijn mensen. Je moet niet zoveel van ze verwachten. Dan raak je ook niet teleurgesteld.'

'Dat klinkt cynisch.'

Ik haal mijn schouders op. 'Zou kunnen.'

'Wat voor films bedoel je?'

'Gewoon, films. Hou je van films?'

Ze knikt. 'Ja, ik wel. Vooral romantische.'

'Ik ook,' zeg ik. 'Ik hou van films waarin gevochten wordt voor de liefde. Het cliché van de ware voor wie je vecht tot het eind, ook al is het moeilijk, ook al zijn er tegenslagen, is voor mij de standaard.'

'Daar heb je je zelf dan niet echt aan gehouden.'

'Uiteindelijk wel. Tenminste, na het schoolpleingevecht heb ik mezelf voor een keuze gesteld. Of ik moest me erbij neerleggen dat het echt over was tussen Valerie en mij – wat betekende dat ik nog een lange, verdrietige weg te bewandelen had om over haar heen te komen.'

'Of?'

'Of ik zou voor haar vechten.'

Steffie houdt haar hand omhoog.

'Zo mag ik het horen!' En dan, als ik mijn hand ook ophoud,

zegt ze: 'Je hebt toch wel voor dat laatste gekozen, hè?'

Als ik knik, slaan we onze handen tegen elkaar aan. Steffie lacht en laat zich tevreden naast me zakken. We liggen zij aan zij op mijn ziekenhuisbed.

Ik denk terug aan de middag waarop ik besloot de spierbundels te laten voor wat ze waren en voor mijn meisje te gaan. Ik weet nog dat ik het haast in mijn broek deed van angst, maar dat ik mezelf dwong het op z'n minst te proberen.

Vastberaden trap ik me door de vlagen wind. De boerderij komt in zicht en mijn hartslag gaat omhoog. Ik kom droog aan, als ik het zweet op mijn rug niet meetel, en ik besluit dat als eerste positieve ontwikkeling in mijn gevecht te zien.

Ik klop aan bij de voordeur, wat ik eigenlijk nog nooit gedaan heb. Meestal loop ik achterom en die deur is altijd open, voor iedereen. Ik hoef maar te joelen of de moeder van Valerie komt er al aan om mijn jas aan te nemen en me een kop thee in te schenken. Nu doet ze open, als een verraste huisvrouw, ook zij lijkt te moeten wennen aan een nieuwe situatie.

'Julius!' roept ze uit. 'Wat een eer. Kom je tekst en uitleg geven aan ons verdrietige schaap?'

'Ik...' zeg ik. Verdrietige schaap? Ik vind het een vreemde benaming voor een dochter met een gebroken hart, maar ik schat in dat ik op dit moment niet in de positie ben om daar een punt van te maken. 'Ik,' zeg ik nog eens, 'ik ben bang dat ik een grote fout heb gemaakt.'

Een glimlach, vriendelijker dan ik me heb voorgesteld in het scenario van de confrontatie. Zal ze me dan toch leuker vinden dan ik denk, de moeder van Valerie? Het lijkt erop, maar ik voel terughoudendheid om mezelf nu al een veer in de reet te steken.

'Kom binnen, Julius, dan kun je Valerie vertellen over je grote fout.' Een schaterlach. 'Als ze bereid is je te woord te staan tenminste. Ze is nogal, hoe zal ik het zeggen?' Zoekend naar woorden stapt ze naar achteren. 'Gepikeerd. Ja, ze is nogal gepikeerd de afgelopen dagen, maar dat zul je begrijpen.'

'Ik begrijp het.'

'Ze is boven.'

De vrouw verdwijnt de keuken in en ik loop de hal door naar de trap, als ze me terugroept.

'Julius?' schalt haar stem. Zal ze me dan toch niet zomaar laten gaan? Heeft ze zich bedacht? Zal ze me eerst zelf willen uitfoeteren voordat haar dochter dat kan doen?

Ik loop naar de keuken en steek mijn hoofd om de hoek. Ze zit inmiddels op een kruk aan de bar en heeft een sigaret opgestoken.

'Ja?' zeg ik en ik schrik van dat ene woord, omdat het nogal brutaal van toon is.

Ik hoop dat de moeder van Valerie mijn uitspraak niet op die manier opvat en begrijpt dat de zenuwen een machtig spel spelen.

'Ik neem aan dat je het goed komt maken?'

Ik knik. 'Ja, als Valerie me nog wil, dan. Ja.'

Ze blaast een grijze wolk door de keuken.

'Ik ga er voor het gemak van uit dat je niet van plan bent haar nog een keer verdriet te doen,' zegt ze. 'Daar kan ik voor het gemak toch best van uitgaan, denk je niet?'

Het klinkt als een dreigement. Haar woorden worden omlijst door dezelfde glimlach die ze me bij de voordeur had geschonken, een glimlach die het dreigement in ernst versterkt. In gedachten zie ik voor me hoe de moeder van Valerie me zal straffen als ik haar dochter nog eens verdriet doe. Puntige hooivorken zie ik, sigarettenpeuken, scherpe lange nagels. De gruwelijkste scènes schieten door mijn gespannen hoofd.

'Ik heb er veel spijt van,' zeg ik. 'Ik hou van Valerie.'

Ze inhaleert lang, zo lang dat ik me afvraag waar ze al die rook laat. Nog even en het moet haar oren uit komen.

'Goed zo, Julius,' zegt ze. 'Ga maar.'

Ik taai af en vertrek naar boven. Valerie ligt op de bank in haar kamer met een boek van Heleen van Royen in haar handen en schrikt zichtbaar van mijn komst. Ik stap haar kamer binnen. Tot zover ben ik nog niet uitgescholden, is er nog niets naar mijn hoofd gegooid en ben ik nog niet gewond. Mijn vertrouwen groeit enigszins. Valerie gaat rechtop zitten en legt Heleen naast zich neer.

'Hoi,' zeg ik.

Haar mond valt open, ze rolt met haar ogen en schudt haar hoofd. Ik heb me door Dave weleens laten vertellen dat er geen groter 'disrespect' voor een man bestaat dan een vrouw die met haar ogen rolt. Ik voel geen 'disrespect', maar vooral verwarring. Ik weet me geen houding te geven, ik weet niet waar ik moet beginnen.

Valerie gebaart wanhopig met haar handen in de lucht.

'Dit is alles wat je te zeggen hebt? Je maakt het uit, per sms, ik hoor dagen niets van je, en dan is alles wat je te zeggen hebt: "hoi"?'

'Sorry. Ik...'

'"Sorry" is al beter. Ga verder.'

'Sorry, Valerie. Het spijt me heel erg. Ik ben hier om het uit te leggen.' Even kijk ik van haar weg, om de juiste woorden te vinden. 'Hoewel...'

'Hoewel?'

'Hoewel ik het zelf ook nog niet helemaal begrijp.'

Van de ene op de andere seconde laat Valerie haar boosheid varen, gooit haar irritatie overboord en toont me haar kwetsbaarheid. Ze huilt, zo hard ze kan. En ik, ik voel mijn hartspier samentrekken. Ik voel me schuldig, verdrietig en boos tegelijk.

Ik loop naar haar toe en laat me voor haar op mijn knieën zakken. Even denk ik aan Kevin, die hetzelfde heeft gedaan op het schoolplein, en overweeg ik net als hij mijn hand op mijn borst te drukken. Misschien zal het gebaar haar vertellen dat ik van haar hou, misschien zal het haar herinneren aan Valentijnsdag, aan de roos die ze van Kevin kreeg en de sms die ze van mij ontving. Geen goede herinnering.

'Ik heb met Dave gesproken,' zegt Valerie door haar tranen heen. 'Ik weet wat ze doen, die eikels. Ze trappen je steeds in elkaar.'

'Weet je ook van...'

'Van gisteren? Dat jullie Tim en Kevin te grazen hebben genomen? Ja. Dat is eigenlijk net als die sms die je me stuurde... Ik verwacht dat soort dingen niet van jou, Juul. Het lijkt net...' ze schudt haar hoofd met bovenop een wilde knot blond haar, '...alsof ik je niet meer ken.'

'Je hebt een roos van Kevin gekregen.'

'Dus?'

'Ik heb het gezien. Je lachte erbij, je liet je hand door hem kussen.'

'Sorry, Juul, maar je weet...'

'Voor mij was dat gewoon te veel op dat moment. Even daarvoor hadden ze me te grazen genomen bij de wc's. Het voelde als verraad, als verlies. Terwijl ik weet dat het nergens op slaat, ik weet het.'

'Het spijt me dat je dat hebt moeten zien. Ik wou dat je ons achteraf had kunnen horen. We hebben Kevin zo hard uitgelachen... Echt, wat een sukkel.' Ik speel met de hand van Valerie, knijp één voor één in haar vingers. Ik waag haar aan te kijken, en reik met mijn hand naar haar wangen om de tranen ervanaf te vegen.

Ze lacht, verlegen, opgelucht, of verslagen.

'Lieve Valerie,' fluister ik. 'Het spijt me zo. Het spijt me zo. Het spijt me zo.'

Ze knikt. 'Ik weet het.'

'Ik weet niet wat me bezielde.'

'Het is al goed.'

Ik druk mijn lippen op die van haar en ze laat het toe. O ja, ze laat het toe. Ik geniet van het vertrouwde gevoel, de intimiteit, de liefde, de wetenschap dat het goed zal komen. Ik moet de komende tijd extra mijn best doen, dat staat vast, maar ik zal het doen, zonder moeite.

Met een tevreden gevoel fiets ik terug naar huis. Het gevecht waarop ik me had voorbereid, is makkelijker gebleken dan in mijn angstige voorstellingen. Ze houdt van me, dat moet toch zeker wel, anders zou ze me nooit zo gemakkelijk terug in haar armen laten.

Dit keer heeft ze me vergeven, maar ik weet dat ik me niet nog eens zo'n fout kan permitteren. Al is het alleen omdat ik anders haar moeder achter me aan krijg. En dat zou geen mens willen.

Thuis tref ik mijn moeder in de woonkamer. Ik vraag me af wie er in het hotel is. Ik zie steunverband over haar maillot ter hoogte van haar knie. Het been met de zere knie steunt op tafel. Ze is oud, mijn moeder.

Ik ga naast haar zitten.

'Hoe gaat het, mam?' vraag ik.

'Redelijk, best redelijk.'

'Wie is er in het hotel?'

'Je zus. Met Wim.'

'Oké,' zeg ik. 'Goed.'

'Hoe is het met jou?' vraagt ze. 'Je gezicht ziet er beter uit.'

'Ik voel me ook beter. Het is goed gekomen, mam, zoals ik al zei. Ze zullen me met rust laten nu.'

Ik zeg het stelliger dan ik zelf geloof. Mijn moeder lijkt dat te zien, maar reageert met een flauwe glimlach. Door de pijn heeft ze geen kracht meer voor zorgen.

Steffie draait zich op haar zij. Ze leunt met haar hoofd op haar hand en kijk me uitdagend aan. Ik laat het toe, zoals ik haar de hele dag al toe heb gelaten. Ze voelt zich merkwaardig vrij, die meid, maar ik kan niet zeggen dat ik me er onprettig bij voel. Ik ken haar. Ik ken die ogen. Ik ken die lach. In een vorig leven waren we vast dikke vriendinnen.

'En,' zegt ze, 'lieten die eikels je ook echt met rust?'

'Ja, je zult het niet geloven.' Ik schud mijn hoofd. 'Tim, Kevin en aanhang waren rustig geworden, dat verbaasde mij destijds ook. Of het lag aan de rake stoot die de neus van Kevin krom had gemaakt, weet ik niet. Ze zeggen trouwens dat Valerie de roos die ze van Kevin kreeg midden in de aula heeft geknakt en pontificaal tussen de lege blikjes cola en boterhammenzakjes in de vuilnisbak heeft gestopt. Kevin stond erbij te kijken en voelde zich natuurlijk uitermate in zijn eer aangetast. Het schijnt dat hij zich er sinds die tijd van had overtuigd dat Valerie een stom en lelijk wijf was en dat ik haar mocht hebben, dat we goed bij elkaar pasten. "De homo en de hoer" noemde hij ons – en ach, dat deed me eigenlijk niet zoveel. Zoals Bonnie en Clyde furore maakten in de jaren dertig, deden wij dat als de homo en de hoer nog eens dunnetjes over in de jaren negentig, de jaren negentig van Waalre welteverstaan. Een periode die niet ongemerkt de boeken in verdween.'

Steffie pakt mijn hand. 'Wat fijn voor je,' zegt ze. 'Ik ben blij voor je.'

Het is bijna examentijd. We hebben geen les meer, en studeren dag in dag uit op de opgegeven stof. Vandaag niet. Vandaag lopen Valerie en ik over de kinderkopjes van Amsterdam – we hebben onszelf een dagje vrij gegund om onze dromen de ruimte te geven.

Voor de buitenwereld is ons ontsnappingsplan nog steeds geheim. Haar ouders verkeren nog altijd in de veronderstelling dat Valerie voor de medicijnenstudie zou gaan, waarvoor ze zich heeft ingeschreven om de gemoederen rustig te houden.

En mijn moeder, die heeft het idee dat ik net als mijn oudste zus in het dorp blijf wonen en er altijd zal zijn wanneer zij me nodig heeft. Het is geen verwachting. Met verwachting kan ik nog omgaan, dat is op een bepaalde manier een teken van liefde – je verwacht dat iemand voor je klaarstaat omdat die van je houdt. Nee, mijn moeder verwacht, of hoopt niet dat ik bij haar in de buurt blijf, ze rekent er vanzelfsprekend op.

Gedwongen loyaliteit.

Ik weet dat ze wil dat ik het hotel overneem. Dat ik haar van haar taken verlos. Dat ze het stokje zonder zorgen over kan geven en zij van haar oude dag kan gaan genieten.

Het gegeven brengt me van mijn stuk, het gaat voorbij aan het idee dat ik een individu ben, met eigen dromen, met eigen wensen. Bij mijn moeder komt het niet op dat die wensen misschien een andere richting uit wijzen dan de overname van het hotel dat ze samen met mijn vader heeft opgezet.

Als toeristen belopen we de weg van onze toekomst. Duiven dartelen voor onze voeten in de hoop een frietje te bemachtigen, straatkunstenaars vragen in stilzwijgen om aandacht en chagrijnig kijkende prostituees met vettige borsten laten ons giechelen van ongemak. De grote stad, met al zijn beloftes, voegt kleur toe aan het plaatje dat we al die middagen op de boerderij zo zorgvuldig hebben geschetst. Ik zie de kleur van hoop, verlangen, maar ook schakeringen van geluk. Het is de mooiste tekening die ik me kan voorstellen.

Ik knijp in de hand van Valerie, tuur over het kabbelende grachtwater en kijk naar mijn vriendin. Het is alsof ik in de spiegel kijk. Ik herken het verlangen in haar ogen. Gedreven door de energie die Amsterdam me geeft, laat ik mezelf midden op de brug op mijn knieën zakken en houd haar beide handen vast. Ze gilt van schrik, lacht van schaamte, bloost van ongemak.

Voorbijgangers stoppen, ondanks het belgerinkel van gehaaste fietsers, en blijven staan om toe te kijken. Aan de overkant van de brug zie ik een drietal Chinese toeristen druk met hun camera in de weer, ze lijken zich te vermenigvuldigen, de groep wordt steeds groter. Een boot met een lading toeristen toetert.

'Valerie,' zeg ik. Ze trekt een hand terug en slaat die voor haar mond. Ik zie een glazig laagje op haar ogen ontstaan. 'Valerie, ik hou van je,' zeg ik. 'Wil je alsjeblieft met me trouwen?'

Ze kijkt naar links, naar rechts, zoekt contact met de menigte om ons heen, alsof ze zoekt naar een hulplijn. Dan, terug op aarde, terug in het moment, kijkt ze me recht in mijn ogen en knikt.

'Natuurlijk,' fluistert ze. 'Ja, gek. Natuurlijk.'

Er wordt luid geapplaudisseerd, iemand fluit op zijn vingers en de Chinese lenzen klikken van steeds dichterbij. Valerie en ik poseren, we kussen elkaar. Voor het moment zijn wij de sterren, het smachtende publiek als achtergrondkoor. Even later loopt iedereen met een glimlach door en ben ik verloofd. Wat een impuls al niet kan opleveren.

'Sorry,' zeg ik als we later terug naar het station slenteren.

'Waarvoor?'

'Dat ik geen ring voor je heb. Het kwam in me op en ik moest het doen.'

Valerie stopt en omhelst me midden op straat. 'Het was perfect zo.'

Een taxichauffeur jaagt ons de stoep op door luid te claxonneren. We moeten nog even wennen aan ons nieuwe leven in die grote vreemde stad, maar wennen lijkt me nog altijd beter dan berusten in een ongelukkige situatie.

Als we in de trein terug naar huis zitten, Valeries hoofd rustend op mijn schouder, onze handen in elkaar gevouwen, fluistert ze in mijn oor.

'Ik wil met je naar bed.'

Ik schiet uit mijn roes. De schrik prikkelt onder mijn huid. Ik wist dat het komen ging, op een bepaald moment. En ook al is mijn relatie met God niet geworden zoals mijn ouders die ooit in gedachten hadden, zet ik het op een bidden. Ik bid sinds lange tijd weer tot die mythische figuur die in een hemel woont waar ik mijn twijfels over heb. Ik bid om te vragen dat ik het kan als het moment daadwerkelijk daar is. Ik hoop het, ik hoop dat ik de man kan zijn die Valerie wil dat ik ben. Ik hoop dat ik haar kan geven wat ik haar hoor te geven. Ik hoop dat die verschrikkelijke slurf tussen mijn benen weet wat-ie moet doen en dat ik het laat gebeuren. Ik hoop dat ik daar de kracht voor kan vinden.

Ik kus Valerie in haar nek en sluit mijn ogen.

12

Steffie vormt een hartje met haar handen. Ze zegt: 'En toen leefden ze nog lang en gelukkig!'

Ik lach.

Ze zegt: 'Als je me dan vraagt van wat voor films ik hou, dan zeg ik: van films waarin de hoofdrolspelers bij elkaar komen, dat vind ik de mooiste verhalen.'

Ik knik.

'Dus?'

'Dus wat?'

'Leefden jullie nog lang en gelukkig?'

'Eventjes wel, ja. Maar toen kwam de eerste dag waarop Valerie ontdekte dat ik niet de man was die aan het prototype kon tippen.'

'Hoe bedoel je dat?'

Ik kijk voorbij haar en denk terug aan de periode.

'We snakten allebei nog steeds naar onafhankelijkheid, weg uit ons geboortedorp, weg van haar ouders, mijn moeder. De officiële, meest geaccepteerde uitweg die we kozen was het huwelijk, en waarom ook niet, we hielden van elkaar.'

Ik staar naar buiten. De hemel haalt niet alleen de regen, maar ook het licht terug zijn poort binnen. De verpleging wisselt van dienst. Ik ruik soep die ik niet mag eten.

'We hielden zoveel van elkaar,' herhaal ik. 'Bijna wil ik steeds "houden van" zeggen, maar ik betwijfel of ik de gevoelens die we vandaag de dag voor elkaar hebben nog zo kan omschrijven.'

Er loopt iemand van de verpleging binnen die de gordijnen sluit.

'Alles goed hier, Julia?'

Ik knik. 'Prima. Een beetje honger, maar ik moet nog even op mijn tanden bijten.'

'Krijg je vanavond nog bezoek?' vraagt ze.

Ik kijk opzij naar Steffie, die stoïcijns voor zich uit staart. Ze hangt op mijn schouder en lijkt zich niet bezig te houden met de verpleegster.

'Nee,' zeg ik. 'Geen bezoek verder.'

'Zal ik de tv voor je aanzetten?'

'Dank je wel, wij zitten hier prima.'

'Goed,' zegt de verpleegster. Ze fronst even en loopt de kamer weer uit. 'Roep maar als je iets nodig hebt!'

Op het zoldertje van mijn ouderlijk huis geniet ik een bijzondere privacy en kan ik vaak op mezelf zijn, vooral nu mijn zussen allebei het huis uit zijn. Christa is getrouwd met Wim en het contact met Maria beperkt zich tot zo nu en dan een kaartje met een krabbel uit Parijs. Ik weet nog steeds niet waar ik mijn reactie naartoe moet sturen, maar ik schrijf haar wel, zo nu en dan. De brieven bewaar ik in mijn bureaula. Ik beeld me in dat ik ze ooit, als we weer herenigd zijn, aan haar kan geven.

De knie van mijn moeder speelt steeds meer op, het wordt zo erg dat ze zelfs tijdelijk een extra personeelslid heeft aangenomen voor het hotel.

Ik weet nu zeker dat ze mijn examens nog even afwacht en dat ik daarna de vraag krijg of ik de toko definitief wil overnemen. Steeds vaker vertelt ze me dingetjes over de administratie, over de boekhouding. Ze is al bezig met de overdracht.

Het zal haar hart breken als ik haar de waarheid vertel. Ze heeft geknokt voor dit hotel. Het is haar levenswerk. De herinnering aan mijn vader. Ze zou er kapot van zijn als ik dat afwijs voor een toekomst in het verre Amsterdam. En daarom is het er nog steeds niet van gekomen open kaart te spelen. Ik wil haar niet kwetsen.

De zolder is mijn schuilplaats. Ik kan er mijn gang gaan. Het is mijn rustige eilandje, waar ik mijn behoeftes de vrije loop kan laten. Als mijn moeder met haar knie de trap beklimt, gaat dat gepaard met een hoop gestomp en kreunstoten, zodat ik ruim de tijd heb om het een en ander op te bergen.

Onder mijn bed bewaar ik een kist met stripboeken en daaronder het bewijsmateriaal voor mijn grote geheim. De stripboeken liggen op een plank – en onder de plank bewaar ik de mooiste kledingstukken die ik bezit. Een paar zwarte pumps in een te krappe maat tweeënveertig. Wat oude rokjes van Maria, twee panty's, een strak shirt met diep decolleté. Als pronkstuk bewaar ik in een dun plastic zakje twee nepkanten damesslips in ordinair rood, ooit gekocht bij H&M.

De kamer van Tineke en haar garderobekast heb ik al lange tijd niet meer bezocht, nadat mijn moeder me eens, op een middag dat ik de kamer binnen was geslopen, dreigde te ontdekken. Ik herinner me nog goed hoe mijn hart die middag in mijn keel bonsde toen ik haar slepende been op de gang hoorde. Ik hoorde haar karakteristieke gekuch, gerommel bij de deur. In een flits van een seconde raapte ik de kleding die ik had willen passen bij elkaar en stapte ermee de garderobekast in. Ik sloot de deur van binnenuit door mijn nagels om een spijkertje te klemmen en hurkte neer. Ik had me nergens anders kunnen verbergen, ze had me overal gemakkelijk kunnen ontdekken. Alleen in de kast zou ze niet komen. Althans, dat hoopte ik.

Ik denk terug aan het moment. Ik weet nog dat ik de deur hoorde opengaan en haar hoorde binnenkomen. Ik hoorde alles, haar ademhaling, het sloffen van haar schoenen, geknisper van een plastic zakje. Ik hoorde haar aanwezigheid, haar bewegingen. Ik rook haar oudedametjesparfum. Ze was nooit eerder zo dicht bij me geweest, ze was dichter bij mijn geheim, mijn ware ik, dan ik ooit had toegelaten. Hoe sterk was haar moederinstinct? Kon ze haar kroost ruiken, kon ze voelen dat ik er was?

Het sloffen kwam dichterbij en nam toe in geluid totdat het stopte, vlak voor mijn schuilplek. Ik weet nog dat ik geen smoes kon verzinnen, geen zinnig verhaal over het hoe en waarom ik in de garderobekast van Tineke zat. Ik weet alleen dat ik me nog nooit zo stil heb gehouden. De seconden lang dat mijn moeder voor die kledingkast heeft gestaan moest ze iets gevoeld hebben, ze moest geweten hebben dat er iets niet klopte, maar ze kon er met haar gedachten niet bij komen. Het kwam in haar realiteit niet voor dat iemand, haar enige zoon, nota bene gehuld in vrouwenkleding, zich in de kast van haar meest geliefde gast had verstopt. In haar wereld was dat godzijdank onwerkelijk. Ik wist dat het haar te ver zou gaan om de kast van Tineke open te doen, om te kijken wat het nu was dat ze voelde, wat haar onderbuik haar probeerde te vertellen, nee, dat zou ze niet doen. Ze zou het ervaren als een grove schending van de privacy van een van haar belangrijkste gasten in het hotel. Ze slofte weg en kort daarna ging ook de deur dicht. Ik nam geen risico, dus ik bleef voor de zekerheid nog een kwartier in die kast zitten. Als mijn moeder echt iets zou vermoeden dan was ze waarschijnlijk nog in de buurt te vinden, of, nog erger, had ze alleen de deur open en dicht gedaan en zat ze op het bed te wachten totdat ik die kast uit kwam. Ik luisterde goed, maar de spanning die door mijn lijf joeg belemmerde me geluiden nog van elkaar te kunnen onderscheiden. Uit de kast komen, het zou een gok zijn. Dus in die kast besloot ik dat het de laatste keer was, dat ik te veel risico genomen had door keer op keer naar die hotelkamer te gaan. Ook al was het jaren goed gegaan, het moest stoppen. Het had Tineke zelf kunnen zijn die de kamer binnen was gekomen. En dan was de ramp onmeetbaar groot geweest.

Mijn verkleedsessies beperk ik nu dus tot een enkele keer op mijn zolderkamer. Ik walg van de drang, maar tegelijkertijd weet ik ook dat het dragen van vrouwenkleding onvermijdelijk is. Ik moet wel. Ik kan niet anders. De stem in mijn binnenste legt het me op. Als ik het niet zou doen, ben ik bang dat het gevoel van onbehagen zich op een heel andere manier naar buiten zal dringen.

Ik kijk in de spiegel en volg mijn wijsvinger langs mijn lijf. Ik verafschuw de veranderingen die mijn lichaam doormaakt. De ochtenderecties. De baardgroei die ontstaat in mijn gelaat. De hoekige vormen van mijn schouders. Mijn geslachtsdeel van behoorlijk formaat. Ik krijg een lagere stem. Niet zo laag als die van Dave, maar een stuk lager dan die van mijn zussen, dan die van Valerie, dan die van normale vrouwen. Soms speel ik met de gedachten de behaarde huid van mijn gezicht er helemaal af te stropen met het scheermesje. Dan duw ik harder, totdat ik een wondje maak en schrik van de pijn, van het straaltje bloed dat over mijn slagroomwang loopt.

Ik haat hoe ik eruitzie, ik haat wie ik ben.

De drang om me te verkleden komt en gaat als een niet te voorspellen, maar heftige griep. Vanmiddag is de koorts op z'n hoogst. Ik ben een paar dagen lang onophoudelijk in de buurt van Valerie geweest, om te studeren voor de examens, om te knuffelen, of om samen rond te lopen en te kletsen over onze toekomst. Ik heb daarnaast een druk sociaal programma afgewerkt met mijn voetbalvrienden en werd ook nog geacht te werken in het hotel.

Eindelijk heb ik een uurtje voor mezelf.

Ik kwam thuis en vertrok direct naar boven. Als een vis, die spartelend zoekt naar een drupje water, werd ik aangetrokken tot de kist onder mijn bed.

Ik laat mijn broek en boxershort zakken tot op mijn enkels, stap eruit en laat de zachte stof van de rode slip langs mijn benen glijden. Ik duw mijn groeiende geslachtsdeel tegen mijn buik en trek de stof strak aan, zodat-ie er niet tussenuit glipt. Gemengde gevoelens koester ik voor het ding, die verschrikkelijke slurf die maar hard wordt wanneer hij dat wil. Ik weet natuurlijk dat de zwelling kan leiden tot een orgasme, iets wat ik op zich, net als iedere man en vrouw, zeker niet als onprettig ervaar, maar het stijve ding confronteert me ook met wat er niet klopt aan mij. Het hoort gewoon niet bij me, het past me niet, en op sommige dagen snijd ik het ding er het liefst eigenhandig af.

Ik heb weleens met een mes in mijn handen gestaan. Ik heb het mes tegen mijn lul gehouden. Maar ik deed het niet, ik zette niet door. Ik was te laf, vreesde de pijn en de sociale afwijzing die zou volgen. Mijn moeder zou me in een gesticht plaatsen als ze erachter kwam hoe ik mezelf had toegetakeld. Hoe verleidelijk het ook was, dat snijden, ik wilde normaal zijn. Als ik zou snijden, dan ging ik de boeken in als die gozer die zijn pik af heeft gesneden, die gek die niet goed bij zijn hoofd is, een rare die alleen is geëindigd.

Ik begin aan de panty die ik, zoals ik mijn moeder vroeger heb zien doen, eerst met mijn handen opstroop, totdat ik bij het voetstuk ben. Ik steek mijn voet in de stof en herhaal de handeling voor mijn andere voet. Hoe meer ik de panty om mijn benen voel sluiten, hoe rustiger ik word.

Ik kies het wollen rokje dat ik ooit in de uitverkoop bij een zaak in het dorp heb gekocht. Bij de kassa had ik om cadeaupapier gevraagd. Het meisje had me aangestaard en haar hoofd geschud. Ze hadden geen cadeaupapier. Ik was als de dood dat ze zou vermoeden dat het voor mij was, het rokje, dat ik het helemaal niet cadeau zou doen. Nog weken na de aankoop had het rokje ongedragen in de kist onder mijn bed gelegen. Ik schaamde me kapot, was bang dat iemand het zou vinden en vooral bang voor het oordeel dat daar onvermijdelijk op zou volgen. Pas veel later stond ik het mezelf toe om het rokje tevoorschijn te halen en het, weliswaar over mijn spijkerbroek heen, te passen.

Inmiddels ga ik grondiger, professioneler te werk. Ik stap met mijn in panty gehulde benen in het rokje en trek het langs mijn heupen op zijn plek. De rits gaat makkelijk dicht – ik ben dun, dun genoeg om nog enigszins met mezelf te kunnen leven. Vroeger hekelde ik mijn onhandige, slungelige lijf, maar nu zie ik er het voordeel van in. Op een dag als vandaag, als ik mijn kleren aanheb, bof ik met dat dunne lijf. Het maakt me vrouwelijk. Een vrouwelijkheid die je terugziet bij de prachtige modellen op de catwalk, niet de vrouwelijkheid die Hollandse dames eigen is. Rondingen heb ik niet.

Ik leg een knoop in de onderkant van het T-shirt dat ik draag, haal diep adem en loop naar de spiegel. Wat ik zie in de reflectie, is de combinatie tussen een gek en een lelijke vrouw, en daarachter, als ik me echt focus op het spiegelbeeld, zie ik mezelf. Ik huil, net als elke keer wanneer ik vrouwenkleding draag. Geen ongeremd gebrul, maar stille, zachte tranen die de huid op mijn wangen kietelen als penseeltjes.

Ik veeg mijn wangen droog aan mijn T-shirt, luister aandachtig boven aan de trap en besluit bij het uitblijven van geluid de kamer van mijn moeder in te sluipen. Ik hoef niet te zoeken, pak mijn lievelingskleur en sluip weer naar boven. Voor de spiegel stift ik mijn lippen donkerroze. Vluchtig, ik schaam me voor mijn eigen gedrag, tuit ik mijn lippen en maak een zoenbeweging naar mijn spiegelbeeld. Dat wat ik zie is mijn innerlijk. Ik voel me ineens extreem opgewonden, maar niet uitermate vrolijk, of geil. Ik voel me niet avontuurlijk en bij lange na niet sexy, ik voel me mezelf. Dat veroorzaakt de opwinding, de confrontatie met mezelf die ik zo vaak moet missen, maakt mijn hart aan het bonzen. En vervolgens voel ik de rust, een golf van rust die me overspoelt. Totdat er alleen nog maar die rust is. Ik en de rust. Ik kijk naar mezelf, ik lach naar mezelf. Ik zoen mezelf, ik omhels mijn spiegelbeeld.

En dan, ineens, zonder aankondiging en zonder waarschuwing, stort mijn wereld in. Ik hoor het kraken van de laatste trede van de zoldertrap, ik weet dat ik pal in het zicht sta en dat er geen mogelijkheid bestaat me nog om te kleden, of een excuus voor mijn uitdossing te bedenken. Ik ben als een opgejaagd dier dat geen kant meer op kan, een prooi waarvan het lot bezegeld is. Zonder om te kijken smeer ik de lipstick op de rug van mijn hand, laat de vegen op mijn kin voor wat ze zijn en kijk schuchter om.

Oog in oog sta ik met Valerie, mijn eerste liefde, mijn enige liefde, mijn verloofde. Mijn toekomst, mijn ontsnappingsmaatje, mijn alles. Haar blik trekt van mijn in pantystof gestoken joekels van tenen tot aan mijn roze bevlekte gezicht. Ze staat daar maar, boven aan de trap. Ze kijkt en blijft dat doen.

Dan doet ze haar mond open en begint te lachen, hard, ongewoon hard voor haar doen, het lieve meisje dat ze is. Daar staat ze dan, haar groenblauwe ogen, dat golvende lange haar, het jurkje met fraai bloemetjespatroon dat ik persoonlijk voor haar heb uitgezocht. Ze lacht en ze lacht en ze lacht.

Ik blijf naar haar staan kijken, in dezelfde houding als waarin ze me heeft betrapt. Ik kijk over mijn schouder naar het bulderende meisje dat zich geen raad weet met wat ze aantreft.

Mijn gezicht wordt warm, vanuit mijn borst probeert een wild kloppend hart op hol te slaan, zweet druipt van mijn onderrug tussen mijn billen. Ik wil verdwijnen, probeer in gedachten de vloer onder mijn voeten weg te hakken, maar de situatie blijft voortduren.

Ineens stopt het lachen en verandert het vrolijke op haar gezicht in angst, de lach in een grimas.

'Waarom lach jij niet?' fluistert ze. 'Wat ben je aan het doen?' Haar toon onvast, haar houding afstandelijk. 'Wat ben je nou aan het doen?' Paniek, nu hoor ik overduidelijk de paniek in haar stem.

Geen woord zal de situatie kunnen redden, geen zin, geen

uitleg zal haar verbijstering kunnen temperen. Met mijn linkerhand verberg ik mijn clownslippen, de rechter- haalt behendig de knoop uit mijn shirt. De zachte tranen van troostend geluk zijn overgegaan in een stroom aan ellendig nat, onhoudbaar.

Valerie draait zich plotseling om en dendert de zoldertrap af.

Ik kijk naar haar vanuit mijn dakraam. Ze fietst de straat uit. Het valt me op dat ze haar jas niet draagt – vergeten, of ze lijdt liever kou dan dat ze nog een seconde langer met mij onder één dak verblijft. Was het afschuw wat ik in haar ogen zag? Afkeer? Teleurstelling, onbegrip, verdriet, haat misschien? Nog een paar seconden lang sta ik daar. Ik sta stil in de tijd, in het moment.

Ineens moet ik het weten, plotseling voel ik de ontembare behoefte om te weten of ze nog van me houdt, of ze nog van mij is. Ik rits het rokje open en scheur de panty onhandig van mijn lijf.

'Julius, wat is er aan de hand?' Mijn moeder onder aan de trap.

'Niks, mam. Laat maar even.'

'Wat heb je gedaan? Waarom is dat meisje zo overstuur?'

'Niks!'

'Niet onder mijn dak, Julius! Hoe vaak heb ik je dat al gezegd? Je wacht netjes tot je getrouwd bent.'

'Ja, mam.'

Ik dank God op mijn ontblote knieën dat mijn moeder denkt dat ik aan seks doe voor het huwelijk – iets wat volgens haar al zondig genoeg zou zijn voor een mensenleven, maar dat terzijde.

Ik vind haar op de vliering in de schuur naast de boerderij van haar ouders, de plek waar ze zich graag terugtrekt. Vaak genoeg hebben we hier met zijn tweetjes gepraat, gekust, gelachen, gedronken, gerookt, gezwegen. Met haar knieën en wenkbrauwen opgetrokken en haar gezicht betraand, zit ze in een hoekje, op een omgekeerde, oude aardappelkist. Er bungelt een sigaret in haar mond die haar, omdat het niet bij haar keurige voorkomen past, extreem aantrekkelijk maakt. Mysterieus. Verrassend.

Ik leg haar jas op de grond.

'Lieverd,' zeg ik, zelf ook nog nieuwsgierig naar mijn aanpak. 'Mag ik bij je komen zitten?'

Hoe kan ik mijn gedrag verklaren? En dan op een manier waarop Valerie het zou begrijpen?

Ze blaast wat wolkjes van de rook die uit haar mond komt, knikt van ja en bijt op haar duimnagel. Valerie kijkt me aan alsof ik een onbekende ben.

'Wie ben jij?' vraagt ze.

'Ik ben het, Julius, zoals je me kent. Er is niets anders aan me, echt niet.'

'Maar...' Ze wijst met haar vinger opzij. 'Wat was dat net? Waarom had je die kleren aan? En de make-up. Het was...'

Ik wacht tot ze haar zin afmaakt, maar haar woorden lossen in het niets op, vervagen in stilte.

'Ik heb nooit gewild dat je me zo zou zien. Ik dacht dat ik alleen was, dat er niemand op mijn kamer zou komen. Het spijt me oprecht dat je me hebt betrapt.'

Ze zwijgt, bolt haar wangen op met lucht en kijkt recht voor zich uit. De sigaret smeult in de asbak op de stoffige vloer.

'Valerie, ik zal eerlijk tegen je zijn. Dat wat je gezien hebt, hoe gek het er misschien ook uitzag, ik doe dat af en toe. Ik heb zo nu en dan de behoefte om me te verkleden, als vrouw. Ik weet wat je vreest, dat ik een travestiet ben of zoiets, dat ik gek ben, of homo. Ik moet je bekennen dat dit allemaal niet het geval is, maar dat het wel meer betekent dan een verkleedpartijtje. Het is iets wat bij me hoort, bij Julius.'

Ik word zenuwachtig van mijn eigen woorden. Hoe durf ik het zo dapper te benoemen, zo stellig te zeggen? 'Ik heb de behoefte om me als vrouw te verkleden', zoiets zeg je toch niet?

Mijn innerlijke stem protesteert. Dit is wie ik ben, zegt de stem, ze heeft het maar te begrijpen.

Toch snap ik niet waarom ik zo eerlijk ben tegen Valerie. Wat win ik hiermee?

'Hoe bedoel je?' vraagt Valerie. 'Wat bedoel je als je zegt: "het betekent meer"?'

'Dat weet ik zelf ook niet zo goed. De drang die ik voel is natuurlijk, komt diep vanuit mijn binnenste en is geen uitspatting of poging om even lekker gek te doen. Als ik er niet aan toegeef...'

'Dan wat?'

Ineens is die blik daar. Ze kijkt me recht aan. Het antwoord dat zal volgen lijkt haar het meest te interesseren van allemaal.

Ik haal mijn schouders op. 'Ik geloof dat ik dan ongelukkig word. Ik moet het doen, ik put er kracht uit. Tegelijkertijd walg ik er net zo van als jij, geloof ik.'

Valerie schudt haar hoofd, haar houding verraadt teleurstelling. Dit is niet de verklaring waarop ze gehoopt had, het is juist het tegenovergestelde. Ze begrijpt er nog minder van. En toch kan ik niet duidelijker zijn, want ook voor mezelf is er niet meer duidelijk dan dit.

Ja, het is me duidelijk dat ik ervan droom er als een vrouw uit te zien, in plaats van als een man in vrouwenkleding, maar om dat met Valerie te delen, om dat ook nog op haar bordje te leggen, dat gaat me een stap te ver.

Kan ik van haar vragen om nog van me te houden als ik er zulke vreemde behoeftes op na houd? Is dat egoïstisch? Ben ik eigenlijk vreemd?

'Niemand weet dit, Valerie. Je bent de enige.'

Ze laat wat lucht ontsnappen. 'Bof ik even.'

Ik schiet in de lach, heel eventjes. Er verschijnt een flauwe glimlach op haar gelaat die meer vertelt dan duizend woorden. Die glimlach verjaagt de spanning. Zolang ze nog kan lachen, hoe zuur de grap ook smaakt, is mijn kans op een toekomst met de liefde van mijn leven nog niet verkeken.

'Weet je nog van die keer dat we op het bruggetje zaten en onder ons een kikkertje verwoed op een waterblad probeerde te klauteren?' vraag ik, zonder een antwoord te verwachten. 'Ik herinner me dat het de eerste paar keren niet lukte, hij glibberde er steeds weer af en spartelde driftig van paniek in het water. Uiteindelijk lukte het en zat hij rustig op het blad, alsof het de gewoonste zaak van de wereld was. In de hoop dat niemand zag dat hij het blad ontzettend nodig had om uit te rusten van dat gezwem en...'

Ik raak verstrikt in een verhaal zonder clou, in woorden zonder betekenis en dat allemaal vanuit een behoefte om clichés te vermijden. Clichés zullen haar tekortdoen. Ik houd niet van haar zoals zo veel mensen houden van een ander, mijn liefde voor haar is speciaal. Valerie knikt bemoedigend, knijpt haar ogen tot spleetjes, wat me vertelt dat ze ook geen bal begrijpt van mijn verhaal.

'Nou goed, voor mij ben jij geloof ik dat blad. Met jou in mijn leven blijf ik drijven, zonder jou verdrink ik. Zo staan de zaken ervoor. Ik heb je nodig en niet alleen omdat ik gek op je ben. Het is namelijk zo, Valerie, jij brengt kleur in mijn leven.'

'Stop alsjeblieft,' kreunt Valerie. Beschaamd houdt ze een hand voor haar ogen. 'Geloof me, het is al duidelijk.'

'Valerie, ik hou van je. Sorry dat ik het zo ongelukkig onder woorden breng, maar ik hou echt van je. Ik hou van je!'

'Jezus, Julius, hou toch op. Natuurlijk hou je van me, ik hou ook van jou. Maar je moet me nooit meer zo laten schrikken.'

Luna, de zwarte kater, komt de vliering op geslopen. Hij mauwt om eten dat hij van ons niet zal krijgen. Het beest besluit het op een staren te zetten.

'Ik kan je niet beloven dat ik dit niet meer doe. Ik zou het je wel willen beloven, maar dan lieg ik tegen je.'

Ze knikt. 'Dat weet ik nu,' zegt ze. 'Denk ik.'

'Kun je daarmee leven?'

'Jawel.' En even later: 'Maar Juul, ik hoef het niet nog eens te zien. Kunnen we dat afspreken?'

Het lijkt me een prima compromis. Ik zal haar niet confronteren met mijn verkleedpartijen, zij blijft van me houden.

'Goed,' zeg ik.

Ik schuif naar haar toe en trek haar van de aardappelkist, zodat we schouder aan schouder zitten. Uit het pakje naast haar op de vloer pak ik twee sigaretten en grijp daarna naar het doosje lucifers. Ik bied haar een sigaret aan, omdat ik verlang naar het beeld van het stokje tabak tussen haar mooie, vochtige lippen.

'Daar roken we op,' grapt ze.

We roken in stilte, terwijl ik af en toe een blik op haar werp. Ik voel een vreemde, onbekende opwinding, die voortkomt uit een gevoel van veiligheid. Valerie weet iets van mij, iets heel groots. Ze accepteert het, bijna als vanzelfsprekend, en dat voelt zo licht als een vergiffenis. Het voelt als een bevestiging van mijn verliefdheid op haar. Ze geeft me een leven, een draaglijk leven. Ik zal met haar trouwen en alleen nog maar van haar houden, de rest van mijn leven.

'Weet je, Julius,' zegt ze. 'Het kan me niet schelen wat mensen van je vinden. Ik hou van jou, om wie je bent. Je bent af en toe een rare snuiter, maar ook daarom hou ik van je. Beloof je me dat je geen geheimen meer voor me hebt, dat er geen verrassingen meer volgen?'

'Ik beloof het.'

'Ik kies voor jou, Juul. Ik ben van jou. Daar mag je nooit meer aan twijfelen.'

Een intens gevoel schudt me wakker. Er ontstaat een bolling in mijn broek. Voor het eerst besef ik waar het ding tussen mijn benen goed voor kan zijn. Ik kan het gebruiken om nog dichter bij Valerie te komen, om mijn liefde voor haar te uiten, om haar te beminnen. Waarom zou ik dat verachten? Ik moet het juist gebruiken om al het moois dat krioelt in mijn onderbuik te delen.

Ik kus haar warme lippen. Mijn tong danst soepel om die van haar, mijn handen onderzoeken haar slanke vormen, haar vingers glijden mijn broek in. Voor het eerst laat ik dat helemaal toe, voor het eerst ervaar ik lust bij de aanraking door een meisje. Lust in de meest opwindende zin. Ik wil Valerie, ik wil haar helemaal. Ik wil bij haar zijn, ik wil haar zijn, ik wil in haar kruipen, in haar zwemmen, in haar dansen, voor altijd.

Het duurt niet lang, onze eerste keer, ook al brengt de ervaring van genot me een gevoel dat een eeuwigheid mag duren. Gretig wieg ik heen en weer, terwijl ik haar hoofd en billen met mijn handen bescherm tegen het schuren over de houten vloer. De blosjes op haar wangen moedigen me aan, de kleine opening van haar mond en de zachte kreuntjes die ze daaruit voortbrengt zijn het antwoord op mijn vraag om genegenheid.

Ik kan het, ik kan het, ik kan het, denk ik. Ik ben gewoon, want ik kan het. Ik heb seks met een vrouw. Ik ben geen homo, ik ben geen gek, ik ben geen rare, ik ben een man die een vrouw kan geven wat ze wil. Ik ben euforisch, in alle staten van geluk waarin een mens kan verkeren.

Misschien voel ik me zelfs man. Misschien verzin ik dat stuk er nu bij.

13

Haar hand rust op mijn borstkas en deint mee met mijn ademen. Haar ogen houdt ze gesloten, maar ze blijft vragen stellen. Fluisterend, in mijn oor. Over de seks met Valerie, over onze verliefdheid, over het huwelijk.

Ik reik met mijn hand naar haar lokken, twijfel eventjes, maar strijk dan liefkozend door het haar van Steffie. Het voelt zo zacht als ik had gehoopt. Ik strijk erover totdat de spieren in mijn arm verzuren. Het lijkt misschien of ik haar troost, maar in werkelijkheid troost ze mij. Door hier te zijn, door bij me te blijven tijdens de angstigste uren uit mijn leven, betekent ze meer voor me dan ze zich zal realiseren.

Als ik stop met strelen, protesteert ze met een zachte kreun. Direct pakken mijn vingers het werk weer op.

'Na die eerste keer was het hek van de dam,' vertel ik verder. 'Seks werd onze dagelijkse realiteit, hoewel ik moet bekennen dat mijn realiteit lang niet zo veel behoefte openbaarde als die van Valerie. Ze was, zoals dat weleens genoemd wordt in dat soort situaties, niet te houden. Nu ze seks eenmaal ontdekt had, was haar geilheid zo krachtig als een stroomversnelling en ik koos ervoor om me mee te laten sleuren, omwille van haar gerief. Als zij gelukkig was, dan ik ook. Als zij tot een hoogtepunt kwam, volgde ik kort daarna. Ik beminde zonder werkelijk genot, maar niet zonder liefde.'

Ik kijk nog even om me heen, maar als ik zie dat er echt geen witte jas meer in de buurt van mijn kamer loopt, ga ik door.

'Ik hield ervan om haar te bevredigen. De momenten waarop ik naar beneden zakte, zo met mijn gezicht langs de borsten en de buik van Valerie, een kusje in haar zij, dan de andere zij, een kusje op haar navel, die momenten sidderde ze van genot. Het genot van verwachting. En als ik dan ver genoeg was gezakt en was aangekomen bij het gevoeligste plekje van haar lichaam, wachtte ik nog even, ik wachtte en blies zachtjes wat lucht tegen haar clitoris. Even niks, even blazen, even niks, en weer liet ik wat lucht ontsnappen. En dan, net als het haar te lang duurde en ze onrustig heen en weer begon te bewegen op het bed, dan liet ik mijn zachte tong over haar lippen glijden. Ze kreunde dan op haar hardst. Die eerste kreet van verrassing, of misschien wel verlossing, was het meest oprecht van allemaal. Valerie hield niet van geluidjes, ze bleef het liefst zo stil mogelijk, maar de eerste kennismaking tussen mijn tong en haar clitoris bracht haar telkens weer van haar stuk. Ze raakte er even door uit balans en waar we op dat moment waren of wie haar misschien zou kunnen horen, dat kon haar dan niets schelen, voor eventjes. Op die momenten hield ik het meest van haar, want dan gaf ze zich helemaal. Dan had ik haar helemaal.'

We zitten op de vliering te roken. Tussen ons in een rekenmachine, een groot kladblok en een fles wijn. We drinken uit de fles. Beneden hangen ontwerpen van meubels die Valerie de laatste tijd heeft geschetst. We zullen ze later vanmiddag bekijken – eerst wacht het serieuze werk.

'Oké,' zegt Valerie. 'Dan rekenen we vijftig per week voor boodschappen. Maximaal zeshonderd voor huur.'

Ze tikt wat in op het machientje en noteert weer een bedrag op het kladblok.

'We zoeken allebei een baantje,' vul ik aan. 'En we vragen een uitwonendenbeurs aan bij de IB-Groep.'

'Hoeveel was die beurs voor uitwonenden ook alweer?'

Valerie en haar rekensommen. Ik weet dat ik me beter niet in die combinatie kan mengen.

'Nou?' Ze kijkt me vragend aan.

Ik glimlach en omcirkel een bedrag op het kladblok dat ze zelf heeft opgeschreven. 'Dat zei ik net en dat schreef je net op.'

Ze gooit haar pen naar me toe. 'Nou en? Betweter.'

Dan pakt ze mijn pen af en richt zich weer op haar rekensom. Ik laat haar in stilte bedragen intikken en wacht geduldig op het oordeel van mijn bètababe.

Ze kijkt op, met fonkelogen. 'Volgens mij,' zegt ze. 'Volgens mij gaat het gewoon lukken.'

'Echt?' zeg ik.

'Echt.'

'Echt?'

'Ja, echt.'

Ik houd mijn handen in de lucht en pak die van haar vast.

'Zie je nou?'

We staan op, kussen elkaar en draaien een rondje in elkaars armen.

We zullen klein wonen, we zullen soms drie dagen hetzelfde moeten eten, maar we zullen op z'n minst bij elkaar zijn, in Amsterdam. Dat is ons vooruitzicht.

'Alleen, Steffie, alleen als zij aan het studeren was, en ik even niet, alleen dan trok ik me nog terug op mijn zolderkamer met mijn vrouwenkleding. Valerie vroeg er nooit meer naar, ik hield er mijn mond over. Dat was de afspraak.

Op sommige dagen knabbelde mijn geweten aan de randjes van die afspraak. De kartelrand die was ontstaan schuurde langs mijn gedachten en veroorzaakte soms een lelijke schaafwond. De ontkenning, die rol, kon ik dat wel blijven volhouden, nog een heel leven lang? Ik had gedacht dat ik aan de liefde van Valerie genoeg had, maar waarom dwaalde er dan toch een sterk gevoel van onbehagen in mijn hart? Waarom bleef die stem in mijn hoofd rondhangen? Op zo'n dag, waarop mijn geweten een flinke hap nam uit de façade die ik had gecreëerd, fietste ik langs de kerk. Gelukkig hoefde ik, naast de zondagsmis, van mijn moeder al jaren niet meer naar catechisatie op woensdag, maar iets in mij trok me naar de kerk. Ik zocht raad, wijsheid, ik wilde praten met iemand die me niet direct zou veroordelen, of die in elk geval een geheimhoudingsplicht had.'

Pastoor Jorissen doet open met een vriendelijk gezicht.

'Julius!' zegt de stem met het statige timbre. 'Wat brengt jou hier op deze mooie dag?'

'Pastoor, kan ik even met u praten?'

Hij knikt. 'Uiteraard. Wil je binnenkomen?'

Nu is het aan mij om te knikken.

'Goed, kom binnen, neem plaats in de woonkamer. Ik sluit even wat af op de computer en dan kom ik eraan. Ik ben altijd zo bang dat-ie het niet opslaat als ik het niet netjes afrond. Wil je wat te drinken hebben?'

Voor de grap, om de spanning te breken, wil ik om een biertje vragen.

'Thee?'

'Daar had ik zelf ook net zin in!' zegt de pastoor. 'Ik zet een potje voor ons.'

Terwijl Microsoft zijn afscheidsdeuntje laat klinken, hoor ik gerinkel in de keuken. Kopjes, de klik van een waterkoker, geknisper van wat ik denk dat een pak koekjes is dat open wordt getrokken. De koekjes worden in een trommel gestrooid, ook dat hoor ik. Ondertussen kijk ik rond in de woonkamer van de pastoor, een plek waar ik nog nooit geweest ben. Al bijna achttien jaar kom ik in de kerk, pal naast zijn woning, maar nooit ben ik hier binnen geweest.

Ik kijk de lange gang in die uitkomt op een deur die toegang naar de kerk verschaft. Onbedoeld ril ik, terwijl ik denk aan de nachten die de pastoor hier alleen doorbrengt. Een kerk in het donker van de nacht heeft niets meer te maken met heiligdom, met vredigheid, met God. Zoals ik het me voorstel, past het decor eerder in een griezelige videoclip van Michael Jackson.

In de hoek van de woonkamer staat een kooi met een hamster.

'Zo.' De pastoor komt binnen met een dienblad. 'Daar ben ik. Sorry voor het wachten.'

'Geeft niet.'

'Wat een weertje vandaag, hè? Eindelijk mogen we weer van een zonnetje genieten.'

Ik knik. Ik ben niet gekomen om over het weer te babbelen, maar het lijkt me dat de pastoor dat voor mij doet, om me op mijn gemak te stellen.

'Hoe gaat het met de examens?'

'Goed.'

'Mooi zo, jongen. Maak je moeder maar trots.'

'Valerie en ik gaan trouwen.'

'Nee, dat meen je niet? O, wat enig!' Hij staat op en steekt zijn hand uit. 'Van harte gefeliciteerd, jongen. Is dat het meisje dat op de begrafenis van je vader op je stond te wachten bij het hek?'

Scherp observeringsvermogen, die pastoor.

'Ja, dat is Valerie. Zij, uh...' ik stop even, vraag me af hoe zwaar pastoor Jorissen daar eigenlijk aan tilt. 'Ze gaat niet naar de kerk.' Het lijkt me een minder ernstige formulering dan: 'Zij gelooft niet in God.'

'En Julius, zou je wel voor God willen trouwen, hier, in onze kerk?'

Ik haal mijn schouders op. Daar hebben we het nog helemaal niet over gehad.

'Ik denk het. Ik weet het niet, wat zij wil dan, maar ik denk het wel.'

'Dat zou me een eer zijn, om jullie te trouwen.'

'Pastoor Jorissen?'

'Ja, jongen.'

'Dat is niet waarom ik met u wilde praten.'

Hij neemt een slok thee en knikt alsof hij dat even moet verwerken. Ik durf te wedden dat hij het vermoeden heeft dat Valerie zwanger is en dat we daarom zo jong willen trouwen.

'Vertel,' zegt hij. 'Wat wil je kwijt?'

'Het is,' begin ik, 'het is niet makkelijk. Ik heb dit nog nooit aan iemand verteld.'

'Neem je tijd.'

'Valerie, ja, zij weet het een beetje, maar ik worstel al heel lang met gevoelens waar ik me ongemakkelijk bij voel.'

De pastoor knikt bemoedigend.

'Soms heb ik het gevoel dat God me het verkeerde lichaam heeft geschonken.'

'Hoe bedoel je dat precies, Julius?'

'Soms wil ik me verkleden als vrouw.'

Schuchter kijk ik op naar de pastoor, peil zijn reactie, alsof die me zal vertellen hoe ver ik nog kan gaan in mijn biecht.

'Wanneer ik dat doe, voel ik me rustig. Het voelt alsof het zo hoort. Natuurlijk doe ik het stiekem en dat is niet fijn. Ik vind het niet fijn om zo'n groot geheim met me mee te dragen, maar zonder kan ik ook niet, snapt u wat ik bedoel?'

'Ik geloof niet dat ik je helemaal goed volg, maar ik doe mijn best. Vertel alsjeblieft verder.'

'Soms fantaseer ik erover hoe het zou zijn als ik met een vrouwelijk lichaam geboren was. Dan zie ik het voor me, mezelf als vrouw. Ik ben een mooie vrouw, in mijn fantasieën, een natuurlijke schoonheid, zou ik wel durven zeggen, maar misschien klinkt dat gek. In elk geval heb ik dat gevoel al zo lang mijn herinneringen teruggaan. Mijn twee zussen, het spijt me om het te zeggen, maar ik was meer dan eens jaloers op ze. Cadeaus die ze kregen met verjaardagen, of voor Kerstmis, de kleding die ze droegen. Ik wilde dat ook, zo ontzettend graag. Het gevoel is ontkiemd als een klein zaadje in mijn hart, iets wat af en toe om aandacht vroeg, maar nu, hoe hard ik het ook probeer te negeren, nu voelt het alsof het is uitgegroeid tot een meloen, zo'n heel grote meloen, weet u wel?'

De pastoor knikt en neemt nog een slok thee.

'Ik weet me niet zo goed raad. Ik wil graag weten hoe ik het kan wegstoppen, dat gevoel. Ik wil er graag vrede mee hebben, met mijn lichaam, met het lichaam dat God me gegeven heeft. Is er iets wat u kunt zeggen om me daarbij te helpen?'

'Julius...' De pastoor staart in de verte. 'Ik moet zeggen, dit is nogal wat, dit wat je me nu allemaal vertelt. Ik heb niet zo een, twee, drie een wijze raad paraat, zul je begrijpen. Maar ik ben bekend met de gevoelens die je beschrijft, die komen vaker voor.'

'Dat...' zeg ik, 'dat verbaast me.' Maar het verbaast me niet alleen, het verontrust me ook. Het is nooit in me opgekomen dat ik misschien niet de enige ben die zich vanbinnen zo verward voelt. De gedachte aan anderen die dezelfde gevoelens koesteren, beangstigt me. Dat betekent dat ik iets heb, zoals mensen kanker hebben, of suikerziekte. Dat ik misschien wel bij een groep hoor, een groep gekken.

'Wat ik je zou willen adviseren is om eens te praten met professionele mensen.'

Een gesticht, hij wil me in een gesticht, denk ik.

'En dan bedoel ik niet dat je gek bent, Julius.'

De pastoor buigt zich voorover en raakt voorzichtig mijn hand aan om zijn opmerking kracht bij te zetten.

'Want dat ben je niet. Je bent een slimme, voorbeeldige, creatieve jongen, altijd geweest en ik bewonder je moed om hier bij mij te komen en je diepste gevoelens op te biechten. Dat vereist nogal wat innerlijke kracht. Ik denk dat het je goed zou doen om met iemand te praten die hier vaker mee te maken heeft gehad, met dit soort gevoelens. Iemand die beter dan ik kan inschatten wat de juiste weg is om te bewandelen.'

'Pastoor Jorissen?'

'Ja, Julius.'

'Is het een zonde als ik toch met Valerie trouw?'

'Zo, wat vraag je me nu toch weer? Een zonde?'

Een diepe zucht van de man tegenover me, die, zoals ik nu zie, ook maar gewoon een man is. Een man met een hamster in zijn woonkamer. Een man die thee drinkt, met een koekje erbij. Met wie je een gesprek kunt hebben. Een man die ook niet alle antwoorden heeft.

'Julius, het woord "zonde" is beladen, dat moet je niet zomaar in de mond nemen. Het betekent overigens iets anders dan veel mensen denken. Zonde betekent: je doel voorbijschieten. Ik zou je willen vragen goed na te denken over de stap van het huwelijk. Het is een grote stap, een verbintenis voor het leven. En je bent nog jong, je hebt de tijd.'

'Waar moet ik dan precies over nadenken?'

'Onderzoek de gevoelens die je me hebt beschreven. Ga eens praten met een deskundige, ik wil je met alle liefde helpen er een te vinden. Ook zij hebben ambtsgeheim, dat weet je toch, Julius?'

Ik sla mijn ogen neer.

'Vraag je af of je echt van haar houdt, van Valerie.'

'Dat hoef ik me niet af te vragen. Ze is de liefde van mijn leven.'

'Wat mooi dat je dat zo omschrijft, Julius. Wat fijn dat je haar al hebt gevonden, zo jong als je bent.' Een flauwe glimlach. 'Denk aan de toekomst. Je vraagt me hoe je vrede kunt hebben met je lichaam, hoe je de gevoelens van onvrede kunt uitdrijven. Maar wat als dat niet lukt? Wat als je er over een paar jaar achter komt dat het niet lukt, dat die gevoelens om aandacht blijven roepen? Misschien kun je dat nu al ondervangen.'

'Door niet met haar te trouwen?'

Pastoor Jorissen schenkt nog een kop thee in voor ons allebei.

'Nee, dat zeg ik niet.' Hij steekt zijn vinger op. 'Luister goed naar me, nu. Ik zeg alleen dat je er absoluut zeker van moet zijn, dat het niet iets is wat je zomaar weer kunt terugdraaien over een paar jaar. Daar zou je mensen onnodig verdriet mee kunnen doen. Je moeder, Valerie, jezelf, eventuele kinderen. Ik wil graag dat je de juiste weg inslaat, Julius. Ik wil je er graag bij helpen.'

'Ik weet niet of ik dat wil, hulp zoeken bij deskundigen.'

'Waarom niet?'

'Wakker ik het dan niet juist aan? Zoek ik die gevoelens van onbehagen dan niet juist op? Ik wil ze vergeten, ik wil verder, zonder al dat gedoe. Ik wil normaal zijn, ik wil zo graag normaal zijn.'

'Dat snap ik, Julius. Dat snap ik.'

'En het enige wat ik zeker weet in mijn leven is dat ik wil trouwen met Valerie. Ik wil de rest van mijn leven bij haar zijn, daar twijfel ik niet aan.'

'Je hebt haar verteld over je gevoelens, zei je dat nou?'

Ik sla mijn handen voor mijn gezicht als ik terugdenk aan de middag op mijn zolderkamer. Ondertussen knik ik. 'Ze heeft me gezien, een keer, toen ik vrouwenkleding paste. Ze heeft me betrapt.'

'En dat was vast geen pretje, zo kan ik me voorstellen.'

Ik schud mijn hoofd. 'Nee, het was verschrikkelijk. Ik had al die kleding aan, maar ik voelde me naakt. Ze werd onverwacht geconfronteerd met mijn geheim en dat spijt me enorm. Ik heb haar geprobeerd uit te leggen waar de behoefte vandaan komt en ik heb de indruk dat ze het begreep. Ze wil het alleen nooit meer meemaken.'

'Het is goed dat je dit vertelt. Dit is namelijk precies wat ik bedoel. Als Valerie dit soort zaken op haar pad tegenkomt, onverwachte zaken, kan ik toch wel stellen, dan kan dat haar kwetsen. En het is goed je af te vragen of je dat wilt, of je dat ervoor overhebt.'

'Ik zou haar nooit willen kwetsen.'

'Dat weet ik wel, Julius. Zo zit je niet in elkaar.'

Er klinkt een bepaalde verwachting door in zijn opmerking die me benauwt. Ik vouw mijn armen over elkaar, en leun naar achteren in mijn stoel. Ik voel een verdedigingsmechanisme in werking treden. Nee, ik ben niet perfect, maar wie is dat wel? Pastoor Jorissen, zeker? Ineens wist ik niet meer zo goed waarom ik me tot hem had gewend. Een moment van zwakte, het geheim werd me even te groot, te complex, te veel. En nu, nu voelt het vooral alsof de pastoor mijn leven overhoop wil gooien. Ik wil helemaal niet naar een psycholoog, ik wil helemaal niet praten met mensen, ik wil dat het gevoel verdwijnt – meer niet. En met mijn stomme kop dacht ik dat pastoor Jorissen me, met al zijn wijsheid, raad kon geven. Dat hij me kon helpen over dat gevoel heen te stappen en me kon laten zijn wie ik hoorde te zijn. Een man die gaat trouwen met een vrouw, iemand die door het leven gaat als een keurige, normale man. Een man zonder verlangen er als een vrouw uit te zien. Een man zonder lippenstift, zonder rare uitspattingen. Een echte man. Ik wil verdomme een echte man zijn, snapt hij dat dan niet?

Ik neem afscheid en bedank hem op beleefde wijze, zoals mijn moeder me dat geleerd heeft. Hij voelt medeleven, ik zie het in zijn ogen en ik haat het. Ook hij heeft me niet kunnen helpen, of erger nog, zelfs hij heeft me niet kunnen helpen. Ik besluit er niet meer over te praten, met niemand meer. Ik doe het zelf wel, ik stop die gevoelens zelf wel ergens diep weg.

Ik fiets naar huis terwijl de schemer inzet. Thuis help ik mijn moeder met koken, ik bak spekjes voor de stamppot rauwe andijvie en dek de tafel. Ik open de pot appelmoes die mijn moeder me aangeeft en zet die naast haar bord.

We eten in stilte, met z'n tweeën, en dat vind ik fijn. Ik heb geen kracht meer voor woorden, van welke betekenis ook.

14

De zoute druppel die uit haar oog ontsnapt, vang ik op met de zakdoek die ik bij mijn pak kreeg. Valerie is vandaag onvolkomen gelukkig.

We zijn op het gemeentehuis. Vandaag trouwen we en haar ouders hebben er op het laatste moment toch voor gekozen om niet te komen. Ze staan niet achter het huwelijk, niet achter haar keuze om naar de kunstacademie te gaan in plaats van geneeskunde te gaan studeren. Ze staan niet achter haar definitieve keuze voor mij, zo jong als ze is. Ze staan niet achter ons vertrek naar Amsterdam. Ze staan niet achter haar. Dat doet pijn.

'Het gaat al,' zegt ze. 'Ik moet gewoon even slikken.'

'Weet je zeker dat je dit wilt doen?' vraag ik. 'We kunnen het ook nog uitstellen.'

Ze begint te lachen. Ze wijst naar het zaaltje waar onze vrienden, haar zusje Rianne, mijn moeder, Christa en Wim zitten. Maria is voor de gelegenheid overgekomen vanuit Parijs met haar vriend – de zakenman – Laurent, die ik een jaar of tien ouder schat dan mijn zus.

'En dan al die mensen weer naar huis sturen, zeker?'

'Als het moet. Het gaat om wat jij wilt.'

'Lieve Julius,' zegt Valerie. Haar verdriet lijkt weg te zakken. 'Ik wil jou. Ik wil alleen maar jou. Dus laten we dit doen. Dan hebben we het maar gehad.'

'Goed uitgangspunt.'

'Dat dacht ik.'

'Oké,' zeg ik. 'Daar gaan we dan.'

'Succes.'

'Jij ook.'

Wanneer we het zaaltje in lopen knijpen we om het hardst in elkaars hand. Het is ons geheime teken van liefde.

Achteraf houden we een borrel in ons stamcafé. Voor een goede prijs serveren we nepchampagne, bitterballen en wat andere drankjes. Mijn moeder heeft de ontbijtchef van het hotel gevraagd wat lekkere taarten te bakken en zelf heeft ze haar best gedaan op wat schalen met hapjes. Ik vind het lief van mijn moeder dat ze die moeite heeft genomen, want ik weet hoe lastig ze het vindt dat we niet voor de kerk trouwen.

De ruzie die Valerie kreeg met haar ouders, nadat eindelijk het hoge woord over de studie geneeskunde eruit was, is verschrikkelijk uit de hand gelopen. In de weken voor de examens heeft ze stiekem intakegesprekken gevoerd bij de Rietveld Academie en ze is aangenomen. Euforisch waren we, het was de kroon op haar creatieve werk tot dan toe. Erkenning, bevestiging en meer. Maar haar ouders zijn minder blij. Vooral haar vader verkeert in de veronderstelling dat Valerie haar talenten vergooit aan een hippiestudie en weigert er bovendien voor te betalen. We hebben dit al ingecalculeerd in ons financiële ontsnappingsplan, dus schrikken er niet van. Ik zie wel aan Valerie dat het haar zeer doet, dat ze ondanks onze reële uitgangspositie toch had gehoopt op begrip van haar ouders, op trots, of in elk geval op respect. Het is nogal wat, niet iedereen wordt zomaar aangenomen bij de Rietveld. Ik hoop dat haar ouders zich dat op een dag zullen realiseren.

Hun afwezigheid voelt ook als een opgetrokken neus naar mij toe. Na al die jaren dat ik bij ze over de vloer kom, ben ik blijkbaar toch niet goed genoeg bevonden voor hun dochter.

Ik kijk naar mijn kersverse echtgenote. Valerie is prachtig als altijd. Ze draagt een simpele witte japon, een witte roos in haar opgestoken haar en hoge hakken, op mijn aandringen. Eigenlijk wilde ze platte schoentjes dragen, omdat ze de hele dag moet staan, maar ik smeekte haar de hakken te kiezen. Het maakt haar benen mooier, haar billen strakker en het schoeisel past uitstekend bij haar jurk.

Valerie is een vrouw met een natuurlijke schoonheid. Zonder poespas, zonder make-up, zonder hulpmiddelen is ze nog oogverblindend mooi. Het ruwe werk dat ze doet, het schuren, etsen, timmeren en zagen op z'n tijd, lijkt haar zachte handen niet te schaden. De lompe pakken en besmeurde overalls die ze draagt doen geen afbreuk aan haar aaibaarheidsfactor. Valerie is frêle en toch stoer, lief en toch brutaal, mooi en toch mijn vrouw.

Op donkere dagen denk ik dat het puur zelfkastijding is dat ik voor haar ben gevallen. Ik word immers continu geconfronteerd met hoe het er bij mij vooral niet uitziet, met hoe het er bij mij nooit uit zal zien.

Ik kijk naar mijn moeder en schrik als ze mijn blik beantwoordt. Nog steeds hebben we het gesprek over mijn toekomst niet gevoerd, nog steeds heb ik haar niet opgebiecht dat ik over niet al te lange tijd naar Amsterdam verhuis en daar een opleiding zal gaan volgen. Ik heb gekozen voor een hbo-studie, media en grafisch vormgeven, en kan werkelijk niet wachten om daarmee te beginnen. Het lijkt me fantastisch.

Ineens verschijnt op mijn moeders gezicht een glimlach die ik niet kan plaatsen. Ik lach terug, nog steeds met dat onderhuidse schuldgevoel omdat ik haar al zo lang in het ongewisse laat. Dan doet ze iets onverwachts, mijn moeder. Ze maakt een gebaar dat ik haar nooit eerder heb zien maken. Ze brengt haar hand naar haar mond, drukt er een kus in en blaast die mijn kant op. De oprechte lach, de blik waar trots uit spreekt en de kus die naar me toe fladdert, lijken haast van een vreemde te komen – zo ongewoon is het. Het onderonsje is het intiemste moment dat ik ooit met mijn moeder heb gehad.

Maria, die een paar meter achter mijn moeder staat, ziet het gebeuren en knikt me goedkeurend toe. Ze knipoogt en ik lees de woorden 'toe maar' van haar lippen. Ook zij begrijpt dat mijn moeder uit haar rol schiet, om redenen die niemand dan nog kan begrijpen.

De avond vordert. Ik sta buiten het café een sigaretje te roken, voor het eerst van de dag even alleen, op mezelf. Ik zie hoe het feest zich voltrekt achter het dunne glas van het caféraam en voel me voldaan. Ik heb het gedaan zoals het hoort, ik heb Valeries liefde officieel aan me verbonden.

Ik zie haar staan, in een innige omhelzing met haar zusje. Rianne is tegen haar ouders in gegaan, op zich al respect waard, en ze is er de hele dag bij geweest. Ik ben er blij om, vooral voor Valerie.

'Hé broertje bruidegom!'

Maria staat achter me. De jurk die ze draagt is van een artistiek model, wijd, kleurrijk, zwierig. Ze geeft me een kus op mijn voorhoofd.

'Ik ben trots op je,' zegt ze.

'Ik mis je,' zeg ik.

Ze knikt. 'Dat weet ik. En dat spijt me.'

'Dat moet je niet zeggen,' zeg ik. 'Ik snap je heel goed. Valerie en ik, wij gaan ook, binnenkort.'

'Waar ga je naartoe?'

'Amsterdam.'

Ik merk dat ik de drang voel om op te scheppen tegenover mijn zus. Ik maak mezelf wijs dat ik moet doen alsof het niks is dat we naar de grote stad zullen verhuizen, omdat het hoe dan ook haar vlucht naar Parijs niet zal overtreffen. Ik voel me niet prettig bij die donkere gedachte en probeer haar uit te bannen.

'Cool,' ze knikt me toe en speels duwt ze haar schouder tegen die van mij. 'Ga je me ook vertellen wat je daar gaat doen, of is dit alles wat ik te horen krijg?'

'Ik wil het wel vertellen, maar je houdt je mond. Mama weet het nog niet.'

'Denk je dat?'

'Hoe bedoel je?'

'Nou, dat ik naar Parijs ging wist ze volgens mij eerder dan ik. Je moet haar niet onderschatten, hoor. Ze heeft een neus voor dit soort dingen, voor geheimen.'

Ik weet die uitspraak heel goed te weerleggen, omdat ik al achttien jaar het grootste geheim van het gezin met me meedraag, maar laat mijn zus in de waan over de kwaliteiten van onze moeder als speurneus.

'Ik ga een grafische hbo-opleiding doen, media en grafisch vormgeven. Valerie is aangenomen op de Rietveld Academie.'

'Wauw, wat fantastisch!' Mijn zus klapt in haar handen. 'Gefeliciteerd, voor jullie allebei.'

Ik kijk mijn zus onderzoekend aan. Ik realiseer me ineens dat dit precies is wat zij een paar jaar terug had willen doen.

'We zoeken alleen nog een goedkope woonruimte,' ga ik verder. 'En een bijbaantje, om rond te komen.'

Maria schudt haar hoofd ongelovig. 'Getrouwd en toch een studentenleven, wie had dat gedacht?'

'Ben je verbaasd?'

'Nee,' zegt ze. 'Absoluut niet. Ik wist wel dat je iets van je leven zou maken.'

De band met Maria is altijd goed geweest. Zij was voor mij de beschermende, de liefhebbende zus. Zij was de mama die ik in onze echte moeder niet vond. Ik heb altijd het gevoel gehad dat ze me doorzag, dat ze wist wie ik vanbinnen was, wie ik echt was. Ik herinner me dat ze mijn haren kamde na het wassen, dat ze door mijn halflange lokken bleef strijken, ook al was de klit er allang uit. We spraken nooit zoveel over dingen, maar de intensiteit van haar aanraking sterkte onze band. De prikkels op mijn hoofdhuid dienden als motor voor de fantasiewereld waarheen ik graag ontsnapte. Ik sloot mijn ogen en opende een luik, waarachter ik nog steeds dezelfde was, maar waar alles toch anders bleek te zijn. Die wereld zag me niet als Julius, zoals iedereen in de echte, harde wereld me wel zag. De mensen uit de sprookjeswereld in mijn fantasie noemden me Julia, mijn geheime naam, mijn geheime echte naam. Ik droeg er jurkjes van roze satijn, witte veterschoenen met bloemetjesprint en huppelde over helgroene grasweides waar tulpen als gekleurde verrassingen uit de grond sproten. Ik was er gelukkig.

'Ik ben bang voor de reactie van mam,' zeg ik. 'Wat denk jij? Ik heb altijd het gevoel gehad dat ze mij wil vragen het hotel over te nemen. En dat ik haar nu teleurstel, daarom durf ik het steeds niet te vertellen.'

'Nou, mam is helemaal niet teleurgesteld.'

Ik kijk naar Maria, maar haar lippen bewegen niet. Haar ogen wel, die puilen haast uit.

Ik hoef me niet om te draaien om te weten dat de laatste zin voor het aanbreken van de volmaakte stilte die om ons heen hangt, is uitgesproken door mijn moeder. Ik doe het wel, ik draai me om en zie dat er tranen in haar ogen staan.

'Mam,' zeg ik alleen. 'O, mam.'

Ze loopt op ons af en schuift drie terrasstoelen in een kringetje. Een enkel gebaar met haar rechterhand is genoeg, we moeten gaan zitten, met onze moeder tegenover ons. Een stukje riet steekt uit en prikt in mijn rechterbil, maar ik durf me niet meer te verroeren.

'Lieve kinderen,' begint ze. 'Misschien willen jullie graag dat ik teleurgesteld in jullie ben, misschien is dat het waarom jullie me steeds proberen buiten te sluiten, of zetten jullie je daarom zo tegen me af.' Ze haalt even adem. 'Maria,' ze kijkt mijn zus aan met een schuin gebogen hoofd. 'Maria, ik weet dat je het niet leuk vond dat ik je niet naar de kunstacademie wilde laten gaan. Ik hoopte dat je in de buurt zou blijven, me zou helpen in het hotel, of een andere leuke baan zou zoeken. En nu, als ik zo nu en dan van je hoor vanuit Parijs, nu weet ik dat ik je wel had moeten laten gaan. Het was erg egoïstisch van me om je zo tegen te werken. Dat je me hebt verlaten is daarom mijn eigen fout en ik kan alleen maar hopen dat je ooit weer in de buurt komt wonen. Ik hoop dat je gelukkig bent.'

Er rolt een traan over de wang van mijn zus. Het zijn de woorden die ze al jaren wil horen.

'En Julius, lieve Julius, jij hebt het niet makkelijk gehad als jongste in een gebroken gezin. En ik weet dat ik geen moeder ben geweest zoals moeders ooit bedoeld waren, maar toch moet ik jullie bekennen dat ik het lastig vind om te merken dat jullie me niet in vertrouwen durven te nemen. Dat ik het toch zo ver heb laten komen.' Ze schudt even met haar hoofd. 'Ook dat kan ik alleen mezelf verwijten. Julius,' zegt ze dan weer, 'de bevestiging van je aanmelding bij de Hogeschool van Amsterdam is eergisteren binnengekomen. Het lijkt me een leuke en geschikte opleiding voor je. Ik wil niet...' En nu breekt haar stem. Voor de tweede keer op één dag zijn mijn zus en ik getuige van een moeder die ons vreemd is, van een moeder die emoties laat zien, van een moeder die zich kwetsbaar toont. Van een moeder die van ons lijkt te houden.

Mijn moeder herpakt zichzelf. 'Julius, ik wil met jou niet dezelfde fout maken als met Maria. Ik wil je de kans geven jezelf te ontwikkelen in je eigen richting. Ja, natuurlijk had ik graag gezien dat je het hotel zou overnemen, maar als dat niet is wat je wilt, dan is dat zo. Ik zal het niet van je vragen.'

'Mama, ik weet niet goed wat ik moet zeggen,' zeg ik. 'Het spijt me dat ik het niet eerder heb verteld.'

'Zit er niet over in. Ik weet het nu.'

'Lief van je, mam,' fluistert Maria zachtjes.

Ze heeft het moeilijk, ik zie nu dat er natte banen over haar wangen lopen. Mijn moeder en zij hebben nooit de moed gehad haar vlucht naar Parijs onder woorden te brengen. Nooit hebben ze erover gesproken. Niet voor haar vertrek, niet toen ze terugkwam voor de herdenking van papa, en al helemaal niet tijdens de plichtmatige telefoongesprekken die ze voerden.

'Ik ga nu iets zeggen wat jullie zal verbazen.' Eén voor één kijkt ze ons aan. In haar ogen zie ik vonken van een persoonlijkheid die ik niet ken, die ze nooit aan ons heeft voorgesteld. 'Ik lijk meer op jullie dan jullie denken. De tegendraadsheid die jullie hebben, de vurige passie om voor je eigen leven, voor je eigen geluk te kiezen, die herken ik. Met datzelfde gevoel heb ik ooit het hotel opgezet, samen met jullie vader. Samen gingen we ervoor, en samen zouden we de klus klaren.'

Het werd stil. Mijn moeders spraakwaterval lijkt opgedroogd. Mijn zus weet niets te zeggen, ik wil niets zeggen. Uit solidariteit met mijn zus blijft mijn vader woede oproepen in mijn hart.

'Het liep anders,' zegt mijn moeder tot slot. En daarna: 'Julius, laat me eens gek doen. Geef me een sigaretje van je, dan roken we samen.'

Ik bied mijn moeder een sigaret aan en houd mijn zus het pakje voor. Ze schudt haar hoofd. Zelf steek ik er ook een op.

Mijn moeder leunt achterover. 'En nu we toch bezig zijn, Maria, heb jij ons ook niet wat te vertellen?'

'Wat?' Maria begint op een vreemde wijze te grinniken. 'Hoe bedoel je, mam?'

Ik zie een uitwisseling van twee blikken die ik niet volg.

Ik spreek in slow motion. 'Oké, wat is hier aan de hand?'

'Maria, ik ben je moeder. Denk je echt dat ik het niet zie? Dat ik het niet merk?'

Maria staat op en gaat weer zitten, nerveus, opgewonden, ze slaat haar handen voor haar gezicht en maakt daarna een kijkgaatje door haar vingers te spreiden. Haar uitdrukking is anders, zachter, vrolijker dan net.

'Ik ben zwanger,' fluistert ze.

Ik laat van schrik mijn sigaret vallen en kijk haar aan. 'Wat?'

'Ik ben zwanger.'

Ik zeg nog: 'Echt?'

Ze knikt.

Maria is zwanger en het eerste wat in me opkomt is: dat zal ik nooit worden. Ik walg van mezelf, ik word misselijk. Ik vind het verschrikkelijk om te merken dat ik, diep vanbinnen, als ik nu dood neerval en ze me zouden pellen tot mijn kern, lelijk ben van egoïsme. Van jaloezie.

Ik omhels mijn zus. En daarna mijn moeder. Dan lopen we naar binnen, om wat feestelijks te bestellen aan de bar.

De blijheid die ik toon is oprecht, maar het is slechts een oppervlakkige oprechtheid. Vanuit die oprechtheid wens ik mijn zus alle geluk van de wereld, gun ik haar dit moois. Diep vanbinnen staan de zaken er anders voor, grimmiger, diep vanbinnen zie ik zo groen van jaloezie als het zoete drankje dat ik even later, ter ere van de baby die groeit in de buik van mijn zus, achteroversla.

Wazig van de alcohol en dronken van alle emoties kijk ik opzij naar Valerie als we samen achter in een auto zitten die ons naar het hotel in Amsterdam brengt waar we zullen overnachten. De overnachting is een cadeau van onze vrienden. Ook al is het nog maar voor één nacht, ik beleef het als ons vertrek: wij samen, wij gaan er samen vandoor. We laten het dorp achter ons, met al de herinneringen die we daar hebben opgebouwd. Ik leg ze in gedachten op een brandstapel en steek de boel in de fik. De geschiedenis vervaagt met de kilometer, de pijn vervliegt en maakt plaats voor geluk, nieuw geluk.

Het verkeersbord met de letters 'Amsterdam' danst op mijn

netvlies, dat waterig wordt. De aanraking van Valerie, een kneepje in mijn been. Hier zullen we het samen gaan maken, Amsterdam is van ons.

15

Amsterdam werd van ons. Het eerste jaar was fantastisch. Mijn leven bestond uit studeren, feesten en genieten. Ik gunde het mezelf om te proeven van mijn zelfverworven vrijheid. Ik dronk, ik gebruikte drugs, ik feestte. En het lukte me een tijdje, Steffie, het lukte me echt een tijdje om de stem van mijn hart uit te schakelen. Totdat die in alle hevigheid weer terugkwam. En als straf fluisterde hij niet meer – hij veranderde in een niet te negeren schreeuw vanuit het binnenste van mijn ziel.

Valerie vond werk in een meubelmakerij, waar ze naar hartenlust kon losgaan op oude meubels die het bedrijf opkocht en weer verkocht aan mensen met veel geld. Ik vond een baantje in een copyshop, waar ik klanten hielp met het ontwerpen van logo's en het kiezen van de juiste printlay-out. Na twee maanden in een tochtige huurflat in Diemen, regelde Valerie via de oom van een studiegenootje een nieuwe woonplek voor ons, die we voor een schappelijk prijsje konden huren. Dus vanaf maand drie bewoonden we een zolderkamertje vlak bij de Nieuwmarkt, dat we met tweedehands spullen inrichtten tot knusse woonkamer. De douche deelden we met twee vrienden, Dennis en Mario, homo's die het leven omarmden – net als wij. We kookten op een kookplaat die we van straat plukten, we sliepen op de vliering. Voor de ouders van Valerie zou het een nachtmerrie zijn, voor ons was het een droom die uitkwam.

Het leven lachte ons toe, Amsterdam lachte ons toe. We kregen nieuwe vrienden, studiegenoten, mensen die we leerden kennen in de kroeg, collega's. Ons sociaal leven breidde zich uit tot het bruisende dat ik van het stadsleven had verwacht. Ik vond de mensen heerlijk. Ze waren vrij van oordeel, in elk geval vergeleken met de boeren uit het dorp waar ik vandaan kwam. De rol van vreemde eend hoefde ik niet meer te spelen. Ja, ik was nog steeds die dunne, maar er waren wel meer vreemde snuiters in deze stad te vinden. Bovendien was het niet erg om vreemd te zijn in onze nieuwe vriendengroep, sterker nog, hoe vreemder je was, hoe interessanter de mensen je vonden, hoe meer je gewaardeerd werd. Het contrast met Waalre kon niet groter zijn.

Ik hulde me in die eerste paar jaar in Amsterdam niet meer in vrouwenkleding. Ik taalde er niet naar, of in elk geval zocht ik genoeg afleiding om er niet naar te kunnen talen. Ik gaf mezelf geen gelegenheid, geen tijd, zorgde ervoor dat ik nooit, of in elk geval zelden alleen was. Langzamerhand begon ik te geloven in mijn kwalificaties, mijn mogelijkheden een normaal, onopvallend leven te leiden, als ik maar hard genoeg mijn best deed zou het me lukken. Dat hield ik mezelf voor.

Toch verdween de haat voor mijn penis nooit. En proefde het geluk dat ik dacht te hebben veroverd nooit zuiver. Er ontbrak wat, er bleef wat ontbreken.

Valerie was nooit meer begonnen over de confrontatie met mijn geheim, die middag op de zolderkamer in mijn ouderlijk huis. Zo geschrokken als ze toen was, zo opgelucht leek ze dat het daarna nooit meer was voorgekomen. Ik vond het best, hoewel ik me steeds meer opgesloten voelde, geïsoleerd, eenzaam. Als ik mijn diepste gevoelens al niet met haar kon delen, bij wie kon ik er dan wel mee terecht? En wat zou het betekenen als ik er ooit nog met iemand over zou praten?

Dennis en Mario werden onze beste vrienden. Ik voelde me op geen enkele manier aangetrokken tot mannen, maar wel tot deze jongens. Niet seksueel, maar als mens. Ik bewonderde hun levensstijl, hun openheid, hun vrijheid, hun oprechte karakter. Het leek ze niets te kunnen schelen dat sommige mensen het raar vonden dat ze op straat met andere jongens kusten, dat ze soms werden uitgescholden. Het belemmerde ze in elk geval niet om zich te uiten zoals ze zich voelden, om hun ware ik te tonen.

Ik ging graag uit met Dennis en Mario, de hipste gayclubs van Amsterdam af. Ik kon zo doorgaan voor een homo, dat wist ik sinds mijn roerige lagere- en middelbareschooltijd maar al te goed, en dat kwam van pas. Valerie vond het bovendien niet erg, zij had haar eigen uitjes met haar hippievrienden, zoals we ze noemden. Ik vond de aandacht van mannen leuk, hoewel ik nooit de intentie had er iets mee te doen. Als het me te heet onder de voeten werd, als een man zijn tong in mijn mond dreigde te steken, dan zwaaide ik met mijn rechterhand en wees schuldbewust op mijn trouwring, hoewel dat excuus in een homotent net zo slap was als de lul van Kees, een beruchte barman wiens erectieproblemen publiek geheim waren.

Ik werd steeds extremer in het zoeken naar afleiding, om niet te hoeven luisteren naar de stem die vanbinnen schreeuwde, om niet na te hoeven denken over dat gevoel van onvrede dat maar bleef groeien. Totdat ik op een avond de grens over denderde.

Het is al laat als ik aan de bar het drankje bestel dat ik eigenlijk niet meer moet drinken. De barman staat op een kapseizend schip. De vloer is een wilde zee. Ik zoek houvast aan de bar. Hij schuift me het chemisch gekleurde shotje toe. Ik geef hem geld en knik dat het goed is. Dennis en Mario ben ik inmiddels kwijt. Ze zijn opgegaan in de dansende mensenmassa.

Mijn innerlijke stem fluistert niet meer. Hij schreeuwt. Het knagende onbehagen van het afgelopen jaar heeft plaatsgemaakt voor grillen van wanhoop en angst. Het geluk dat ik zoek in het perfecte plaatje dat mijn leven voorstelt is nep. Ik ben nep. En zelfs de drank spoelt mijn ongeluk niet meer weg.

Ik draai rondjes met mijn lege glas op de bar en staar in het niets. Ik denk erover om naar huis te gaan, maar ik voel me niet in staat die gedachte uit te voeren. Mijn fiets zoeken, slingerend over de grachten naar huis. Waar heb ik mijn sleutels eigenlijk?

Een stem in mijn oor. Ik versta niet wat hij zegt, maar dan kijk ik recht in de ogen van een mooie, Braziliaanse jongen. Hij lacht. Hij pakt mijn hand vast en dat laat ik toe. Alles wat nu gebeurt, gaat snel. Ik vind troost in zijn ogen, warmte in zijn aanraking.

De jongen zoent me. Het is voor het eerst dat ik een man zoen. Zijn tong vindt die van mij en de kus gaat van verkennend, naar gepassioneerd. Hij houdt mijn gezicht vast, mijn handen zoeken twijfelend houvast bij zijn slanke middel. Ik zoen met een man. Ik zoen met een man. En voor het eerst met iemand anders dan Valerie. Ik moet niet met een man zoenen. Ik wil niet met een man zoenen. Ik zoen wel met een man. We zoenen door, hij kan goed zoenen – de Braziliaan. Hij moet het stoppen, hij moet de stemmen stoppen. Kan hij die stemmen stoppen? Laat hem die stemmen in godsnaam stoppen.

Er gaat tijd voorbij, ondefinieerbaar hoeveel precies. Dan voel ik de sterke hand die mijn schouder grijpt. De zoen stopt abrupt. De Braziliaan verdwijnt van mijn netvlies en een boze Mario grijpt me bij mijn kin.

'Waar ben je mee bezig, Juul?' schreeuwt hij over de muziek heen. Ik versta hem wel, maar heb geen antwoord paraat. Hij schudt me heen en weer en zegt: 'Jezus, je bent helemaal lam!'

Ik schud mijn hoofd en haal mijn schouders op. Dan zie ik de Braziliaan weer. Hij loopt weg, naar de dansvloer. Hij besteedt geen aandacht meer aan mij.

Samen met Mario loop ik naar het toilet. Het is er stil, maar mijn oren suizen door de harde muziek. Ik denk dat het goed is om water te drinken. Lopen gaat lastig. Elke stap over die woeste zee kost me energie.

Ik plens water in mijn gezicht en durf niet naar het spiegelbeeld te kijken. Ik durf mezelf niet onder ogen te komen.

Mario zegt: 'Juul, gaat alles wel goed met je?'

Ik plens nog eens water in mijn gezicht en spoel mijn mond. Ik neem een paar slokken. Dan kijk ik op.

'Gaat het een beetje?' vraagt Mario nog een keer.

Dan komt het. Ik proef eerst het zoete drankje dat ik als laatste naar binnen heb gewerkt en dan volgt de rest. Ik leeg de inhoud van mijn maag in een van de wasbakken. Ik hoor dat er iemand binnenkomt, die meteen weer vertrekt. Ik meen een vloek te horen. Het interesseert me niet.

Als ik klaar ben, zet ik de kraan aan en probeer ik de schade enigszins te herstellen. Het ziet er smerig uit.

'Juul, je hebt echt te veel gezopen.'

'Vertel me iets nieuws.'

'Waarom doe je dat nou?' zegt hij. 'Je gaat elke keer verder. Zit je ergens mee? Kan ik je helpen?'

De ruimte draait minder. Ik zie helderder.

'Nee,' zeg ik. 'Er is niets. Stel je niet aan.'

'Ik bel een taxi voor je, die brengt je naar huis. Je fiets neem ik wel mee. Ik heb toch je sleutels nog. Hier.' Hij haalt de huissleutel van mijn bos en stopt de rest van de sleutels weer in zijn zak.

Ik pak de sleutel aan. Hij begeleidt me naar buiten, waar de frisse lucht mijn nieuwe beste vriend is. Ik inhaleer de kou. Wat ik wilde bereiken is gelukt. Ik voel me zo beroerd dat de stem zijn bek houdt. Fantastisch.

Ik kijk naar mijn vriend, die ongeduldig naast me staat. 'Mario?'

'Ik zeg niets tegen Valerie.'

'Goed,' zeg ik. 'Goed.'

'Op één voorwaarde,' voegt Mario toe.

'En die is?'

'Dat ik die lekkere Braziliaan mee naar huis mag nemen.'

Ik schud mijn hoofd als ik aan de jongen denk. Misselijkheid keert terug. Ik voel me zo stom. 'Je gaat je gang maar,' zeg ik. 'Ik wil er niets meer over horen.'

Dan stap ik de taxi in en ontvlucht de confrontatie met mijn eigen wangedrag. Voor nu.

De onvrede die ik diep had verborgen in mijn binnenste kroop dus onder mijn huid vandaan, als de herfst die ongemerkt overging in winter. Ineens was het er. En het voelde koud. Ik wist dat het een van de zwaarste winters zou worden die ik in mijn nog jonge leven had beleefd. Ik was drieëntwintig.

De duivel der onvrede nam me ook te grazen via mijn seksleven. Ik vond het nog steeds fijn om Valerie te verwennen wanneer ik daar de kans voor kreeg, maar kon haar drang naar geslachtsgemeenschap niet delen. Steeds vaker had ik alleen zin om met haar te knuffelen, in plaats van haar, gedreven door passie en lust, te neuken.

Als zij haar haar vastbond in een paardenstaart en zich met haar tong naar daar beneden wilde begeven, trok ik haar zachtjes aan haar schouder omhoog. Ik wilde niet gepijpt worden, ik wilde niet dat dat ding stijf werd, ik wilde niet aan het monsterlijk stuk vlees herinnerd worden. Ik verafschuwde het. En daar schaamde ik me weer voor.

Ze staart naar het plafond. We liggen nog steeds naast elkaar in het smalle ziekenhuisbed. Krap en knus. Buiten is het onbehaaglijk, onze lichamen houden elkaar warm.

'Konden jullie er niet over praten?' vraagt Steffie.

De belofte van een rustige nacht dempt haar stem. Geluiden van piepjes op de gang. Nog slechts een enkele voetstap. Avondgeluiden.

Het wordt mijn laatste nacht met penis. De stilte om ons heen is gepast. Het is stilte voor de storm. En wanneer de storm losbarst, zal hij me meesleuren.

Ik zeg: 'Nee, dat durfde ik niet.'

Even zwijgt de vrouw in mijn bed. Dan pakt ze mijn hand en zegt: 'Dat snap ik wel.'

Ik heb Valerie gebeft. Ik lig nu naast haar in bed en trek haar lichaam naar me toe. Ik knuffel haar. Dan gaap ik en sluit mijn ogen. Het is een stille boodschap voor Valerie. Ik zeg haar hiermee dat ze geen vervolg op haar orgasme hoeft te verwachten. Ik zeg haar in stilte dat ik haar niet ga neuken.

'Heb je een ander, of zo?'

Ik schiet overeind. Het idee alleen al maakt me misselijk. Ik denk aan de Braziliaanse jongen. Sinds die avond ben ik niet meer uit geweest. 'Waarom vraag je dat?'

'Of je vindt me niet meer aantrekkelijk. Het is één van beide.'

'Nee, nee,' stamel ik, 'helemaal niet, allebei niet.'

'Zeg op,' roept ze. Ze stapt uit bed en klautert de vlieringtrap af. Ze mist de laatste trede en valt op haar knieën. Ik hoor haar binnensmonds vloeken en dan: 'Ik let er al weken op. Je wilt me niet meer, je wordt niet meer geil van me. Ben ik soms niet goed genoeg, vind je me niet lekker meer? Ben ik te dik? Te dun? Niet spannend genoeg?'

'Valerie, waar heb je het over?' vraag ik, tegen beter weten in.

'Waar ik het over heb?'

'Ja.'

'Waar ik het over heb?'

'Ja...'

'Je neukt me niet meer, Julius. We hebben al drie maanden niet meer geneukt. Drie maanden!'

Speelt het al zo lang?

'O, natuurlijk, jij hebt het zeker bijgehouden.'

‘Vind je het gek? Het valt toch op? We hadden het altijd zo fijn samen en wat is daarvan over?’

‘Sorry, Valerie, ik bedoel er niks mee. Ik vind je nog steeds mooi, prachtig zelfs, de mooiste. Je bent de mooiste en de aantrekkelijkste vrouw die er bestaat.’

‘Hoe verklaar je het dan? Volgens mij heb je gewoon een ander.’

‘Nee, echt niet. Ik zou nooit met iemand anders naar bed gaan, nooit.’

Het is stil. Ik zit rechtop in bed, zij ergens beneden, waar ik haar niet kan zien. Wanhopig zoek ik naar woorden die haar gerust kunnen stellen, ik zoek naar een redelijke verklaring voor het uitblijven van de wilde vrijpartijen waar zij zo gek op is.

‘Ik denk dat ik gewoon een beetje druk ben geweest, de afgelopen tijd.’

Er volgt geen antwoord. Even later ruik ik de geur van een sigaret.

Ik laat me achterovervallen en probeer mijn plotselinge hoofdpijn weg te masseren. Ik wist dat dit moment ooit zou aanbreken, iedere keer dat ik seks met Valerie bewust afwees hield ik er rekening mee, en toch weet ik er niet mee om te gaan nu Valerie mijn handicap eindelijk ter sprake durft te brengen. Ik kan haar niet meer behagen, niet meer beminnen, het lukt me niet meer. Ik kan geen echte man voor haar zijn.

Hoe vaak heeft ze er al over liggen piekeren?

Misschien heeft ze er al uitgebreide gesprekken over gevoerd met vriendinnen, heeft ze weken om me heen gedraaid voordat ze de moed had gevonden me haar gevoelens voor te leggen. En ik weet niet hoe ik haar onrust kan stillen.

Vlak voordat ik mijn bewustzijn verlies aan de slaap mompel ik nog: ‘Sorry, Valerie.’

Ik weet niet of ze het hoort.

De volgende ochtend. Ze is verdwenen. Er ligt een briefje waarop ze schrijft dat ze een week gaat logeren bij een vriendin. Welke vriendin ze bedoelt, lijkt haar niet noodzakelijk te melden. Ik maak me nu al zorgen. Ik wil weten waar ze is. Ik wil weten of ze nog van me houdt. Ik wil haar niet kwijt. Het komt door die verdomde klotestem. Het komt door die kutpiemel.

Boven de stank van mijn ochtendurine staar ik naar mijn geslachtsdeel. Ik houd het ding in mijn hand en begin erin te knijpen, zo hard ik kan. De pijn interesseert me niet, het voelt goed om het wanstaltige stuk vlees af te knellen. Ik hoop dat het ter plekke zal afsterven en in mijn gele pis zal donderen. Ik zal de boel doortrekken en ik zal me verlossen van alle ellende die het ding met zich meebrengt. Ik zal een dansje om het toilet maken. Eindelijk zal ik gelukkig zijn.

Ik zie het plukje haren op mijn borst, het zijn er niet veel, maar toch, ik zie ze en focus me opnieuw op een mannelijk kenmerk waarmee ik me niet kan identificeren. Plots stop ik met het knijpen in mijn pik en begin aan de haren te trekken. Ik ruk ze eruit, één voor één, tot bloedens toe. Het gaat me niet snel genoeg, ik graai in de mand met douchespullen en vind mijn scheermesje. Zonder water, zonder scheerschuim kortwiek ik de haartjes die even daarvoor nog triomfantelijk de huid van mijn borst ontsierden. Het wordt er niet mooier op. Rode vlekken op mijn blanke huid, bultjes met een bloedend puntje. Ik draai door, ik draai helemaal door. De paniek overvalt me als een roes van alcohol. Ik schreeuw en laat me op de badkamervloer zakken, met het scheermesje nog in mijn hand, mijn onderbroek op mijn enkels.

Ik kras met het mesje langs mijn pols, totdat de huid kapotgaat. Ik wil pijn voelen, een ander soort pijn. Echte pijn. Ik zie het bloed gutsen en voel me steeds lichter, de verlossing komt dichterbij. Ik kan niet meer, ik kan niet meer leven zoals ik leef. Ik voel het bloed druipen, zie een plasje ontstaan op de badkamervloer en ik vind het goed, ik vind het prima.

Dan zie ik Dennis binnenkomen. Ik zie dat hij zijn handdoek op de grond laat vallen. Ik hoor hem schreeuwen. Hij draait zich om. En dan is hij er ineens weer. Hij zit voor me op de grond en pakt mijn gezicht vast.

Dan wordt alles zwart.

16

Ik staar naar de steriele witte muren, de kille witte muren van de ziekenhuiskamer, waar ik me haast thuis begin te voelen. Ik zoek Steffie, maar zie haar nergens. Ik kan me niet herinneren dat ik haar de kamer heb zien verlaten.

Ik denk aan de vagina die ze van mijn penis gaan knutselen. Ik denk aan het advies van Sanne, de psychosociaal medewerker, om mijn piemel die laatste weken met respect te behandelen. Om geen gekke dingen te doen. Ik zou nu zeggen dat wat ik vorige week gedaan heb redelijk gek is, maar dat hoeft niemand hier te weten. Ze weten alles al van me, en dit houd ik mooi voor me.

Het is vreemd dat het ding dat ik zo haat, zo verafschuw, nu fungeert als de bouwsteen voor mijn nieuwe geslacht. Elk stukje van mijn penis wordt gerecycled voor mijn vagina. Alleen de zwellichamen, die gaan weg.

O, boy, die zal ik echt niet missen.

De schede van een biologische vrouw is gemiddeld zo'n acht tot tien centimeter lang. In opgewonden staat is het meer, dan rekt die nog wat uit. Ik heb er veel gesprekken over gevoerd met mijn chirurg, en met Sanne. Ik wil een zo diep mogelijke schede, ook al ambieer ik het niet om gepenetreerd worden. Ik hoor weleens dat transvrouwen geobsedeerd zijn door de diepte van hun schede en ik begrijp dat wel. Eindelijk hebben ze de kans om hun geslacht vrouwelijk te maken, laat de chirurg het dan grondig aanpakken ook. Ik heb gehoord over een dokter in Thailand die schedes van vijfentwintig centimeter weet te maken. Zijn techniek is geheim, niemand weet precies hoe hij het doet, maar zijn kliniek wordt bezocht alsof het een bedevaartsoord is.

Ik zie een witte jas, het vriendelijke gezicht van dokter Peters, mijn chirurg.

'Hoe gaat het hier? Hoe gaat het met de zenuwen?' vraagt hij.

Ik lig alleen in het bed. Ik kijk de kamer rond, maar zie Steffie nergens. De vensterbank is leeg. Achter het gordijn schuilt slechts de donkere avond.

'Het gaat goed,' zeg ik.

'Ik kom je nog even gedag zeggen voordat ik naar huis ga. Morgenochtend zie ik je pas weer op de operatietafel.'

'Heb jij Steffie gezien?' vraag ik.

'Steffie?'

'Dat mooie meisje. Ze houdt me gezelschap.'

Dokter Peters haalt zijn schouders op. 'Geen idee,' zegt hij. 'Ik heb haar niet gezien.' En dan: 'Hoe voel je je, Julia?'

Mijn ogen trekken nog eenmaal door de kamer, maar vangen geen glimp op van dat lange rode haar, de aantrekkelijke lach, de serieuze ogen van Steffie. Misschien is ze even koffie halen, of naar het toilet.

'Ik voel me op zich prima, maar mijn lege maag borrelt een beetje. Niet eten vind ik wel lastig.'

'Ik zal ervoor zorgen dat je straks nog wat beschuitjes krijgt, goed?'

'Beschuitjes?' herhaal ik. 'Goed, het is beter dan niets.'

'Zullen we de operatie nog even doornemen?'

'Wat valt er door te nemen? Ik weet alles al. Je gaat mijn piemel eraf hakken.'

De dokter grinnikt, hij valt even uit zijn rol.

Van de huid van mijn penis wordt de holte van de schede gemaakt. Er zal waarschijnlijk genoeg zijn, zei dokter Peters tijdens mijn eerste consult. De huid van mijn balzak wordt geboetseerd tot schaamlippen. Er wordt goed gekeken naar huid waarop haartjes groeien: die wordt gebruikt voor de buitenste schaamlippen, de huid zonder schaamhaar fungeert als binnenste lippen. Van de eikel wordt een clitoris gemaakt, zo groot als het topje van mijn pink.

Dokter Peters geeft me een doosje. De afbeelding op de verpakking doet denken aan een dildo. Ik weet al wat het is. Het is een vibrator zonder trilfunctie, een dildo zonder genotsdoelstelling. 'Dit is je dilator,' zegt hij.

Ik bekijk het ding met zowel fascinatie als vrees. Ik denk aan de pijn die het zal doen als ik drie keer per dag met het ding naar binnen moet, dwars door het wondgebied, om zo het gat waarvoor ik gevochten heb te kunnen behouden. Ik vrees de pijn, die me uitvoerig is beschreven, maar ik kijk ook uit naar het moment waarop ik met het ding naar binnen kan. Wat zal dat intiem zijn, wat zal dat mooi zijn, pijnlijk mooi.

'De eerste drie maanden dilateer je drie keer per dag. Zorg ervoor dat je een rustige omgeving voor jezelf creëert. Doe het niet vlak voordat er visite komt, of als je bijna de deur uit moet.'

Ik haal het ding uit de verpakking en kijk ernaar, met nog steeds dat nieuwsgierige gevoel. Hoe zou het zijn om dat ding straks in me te hebben? Hoe zou het voelen, daar vanbinnen? Hoe zou mijn vagina eruitzien?

'Na drie maanden ga je terug naar twee keer per dag, daarna naar één keer per dag. Als je het zo consequent doet het eerste jaar, dan geef je het littekenweefsel geen kans en hou je de diepte die ik voor je creëer.'

'Ik zal het doen, dokter.'

'Goed zo. Heb je verder nog vragen?'

Ik schud mijn hoofd.

'Je bent niet bang, ik hoef je niet gerust te stellen?'

'Dokter, al sterf ik, dan sterf ik in elk geval als vrouw.'

Dokter Peters staat op en steekt zijn hand uit. 'Dan zie ik je morgenochtend vroeg, Julia. Tot dan.'

'Tot dan.'

Als hij weg is, denk ik terug aan de periode na mijn eerste zelfmoordpoging. Ik zie het bleke gezicht van Dennis, de zwarte kringen onder de ogen van Mario, het betraande gezicht van Valerie. En ik zie mijn moeder, als eerste zie ik mijn moeder.

Ik lig in een ziekenhuis zoals dit, met mijn pols in het verband. Een zuster haalt het infuus uit mijn hand. Er wordt een kop soep en een boterham gebracht. Een verwijsbrief naar een psychiater ligt naast mijn bed. Zo ziet je leven er dus uit als je er bijna tussenuit knijpt, denk ik. Mensen komen vanzelf naar je toe, kijken je wanhopig aan, willen weten wat er in je omgaat.

Ik denk: nu wel, nu willen ze het wel weten.

Mijn moeder pakt mijn hand vast en zegt: 'Jongen, toch. Wat is er nou allemaal gebeurd?'

Ik wissel een blik met Valerie. Ik sla mijn ogen neer.

'Sorry, mam,' zeg ik. 'Het spijt me als ik je heb laten schrikken.'

Ik denk aan mijn vader, aan de ochtend waarop hij zichzelf heeft opgehangen. Aan het gejank van mijn moeder, dat ik zo kan terughalen, alsof ik vertrouwd ben geworden met het geluid. Ik vraag me af of ik op hem lijk, op mijn vader. Of ik net zo laf ben, nu ik niet meer weet om te gaan met wat zich afspeelt in mijn hart. In zekere zin is dat wat mijn vader heeft gedaan. Hij heeft mensen die hij liefhad pijn gedaan, een onherstelbare pijn, en in plaats van die pijn te verzachten, stapte hij ervan weg. Hij stapte uit het leven en dat was gemakzucht.

Ben ik gemakzuchtig?

Ik kijk op naar Dennis. 'Lieve Dennis, het spijt me zo. Ik heb nooit gewild...'

Ik maak mijn zin niet af. Ik heb nooit gewild dat hij me zo zou vinden, zo zou zien, maar als hij me niet had gevonden was ik er nu niet meer geweest. Een vreemde gedachte.

'Ik ben blij dat het goed met je gaat, man,' zegt Dennis. 'Doe maar rustig aan.'

Hij klopt Mario op zijn schouder en ze lopen samen weg. Mario heeft me niet één keer aan durven kijken. Ik kan het hem niet kwalijk nemen.

Een benauwdheid komt opzetten, als nagezonden straf. Ik krijg haast geen lucht, er steekt een mes tussen mijn ribben. Hoe nu verder? Hoe moet ik nu in godsnaam verder?

Mijn moeder draait zich om naar Valerie, die stil in een hoekje zit. Het hoekje als haar wachtkamer, ze wacht totdat zij mag, totdat zij aan mijn bed mag zitten om te vragen wat me in godsnaam heeft bezield. Ik kan me voorstellen dat ze zich schuldig voelt. Stel dat het was gelukt, stel dat het was gelukt, echoot het in mijn hoofd. Dan had ik de liefde van mijn leven, de liefste vrouw op aarde, de mooiste vrouw van de wereld, achtergelaten met verdriet en schuldgevoel. Ze had zichzelf wijsgemaakt dat zij het was die me tot die zelfmoordpoging had gedreven, dat het haar schuld was.

'Ik geef jullie even wat ruimte samen,' fluistert mijn moeder. Ze geeft me een kus op mijn wang.

'Dank je, mam,' zeg ik.

Mijn moeder verlaat de ziekenhuiskamer. Weer eens moet ik aan de slag om Valeries liefde terug te winnen, om haar ervan te overtuigen dat ze, ondanks alles, toch wel echt bij me moet blijven. Omdat ik anders helemaal verloren ben.

Ze loopt naar me toe en gaat naast me liggen op bed, ze pakt mijn hand, kijkt naar het verband en huilt op mijn schouder. Ze zoekt troost, bij mij, bij degene die haar dit verdriet aandoet.

'Ik hoop niet dat je je schuldig voelt, lieve Valerie.'

Het snikken wordt heviger.

'Want dat is niet de bedoeling. Wat ik heb gedaan heeft niets met jou te maken. Ik ben degene die in de war is. Ik voelde me wanhopig, je weet dat ik al een tijdlang niet lekker in mijn vel zit. Ik weet het allemaal niet meer, Valerie. Ik weet niet wat er van me moet worden.'

Valerie tilt haar hoofd op. 'Wat is er niet goed aan hoe je nu bent? Ik hou van je. Je bent fantastisch.'

Ik vind het lief wat ze zegt, ik vind haar lief.

'Heeft het te maken met seks, Juul? Zit je ergens mee?' Ze slikt haar tranen weg. 'Komt het door onze ruzie, over seks en alles? Ik zat ook nog te denken, is er misschien vroeger iets met je gebeurd? Ben je misbruikt?'

'Nee,' antwoord ik snel, terwijl ik denk aan Maria. 'Nee, dat is het niet.'

Ik kan me goed voorstellen dat Valerie dit oppert. Welke verklaring is er anders voor mijn afwijkende gedrag in bed?

'Waarom dan?' Valerie zoekt naar woorden. 'Waarom? Kun je het me uitleggen?'

Ze draait zich op haar zij, zodat ze me kan aankijken.

'Ik voel me niet gelukkig. En dat komt niet door jou, want het enige geluk dat ik in mijn leven heb, dat ben jij, jij bent mijn geluk. Maar ik ben niet gelukkig met mezelf, met wie ik ben, met hoe ik eruitzie. Dat is mijn probleem, lieverd, dat is waar ik mee worstel.'

'Op welk niveau dan? Vind je je opleiding niet leuk, Amsterdam niet, je kledingstijl, ons leven samen?'

'Het gaat dieper, lieverd. Veel dieper dan dat.'

Valerie ademt in, alsof ze op het punt staat een duik te nemen. Een, twee, drie, hap.

'Is het,' ze lijkt nog te twijfelen, ze brengt het met tegenzin ter sprake, 'heeft het te maken met hoe ik je toen heb gezien? Toen je die vrouwenkleren aanhad?'

Ik dwing mezelf haar aan te kijken en knik, bijna onopvallend. Tranen trekken langs mijn neus, natte slierten die mijn geheim langzaam ontrafelen. Ze doet het gewoon, ze begint erover. Misschien ziet ze me toch. Misschien kent ze me toch beter dan ik denk.

'Doe je dat niet meer, schatje?' vraagt ze. 'Verkleed je je niet meer?'

Ik schud van nee.

'Je hebt me toen gezegd dat als je dat niet zou doen, dat je dan ongelukkig wordt,' gaat ze verder. 'Zou dat het niet kunnen zijn?'

Ik haal mijn schouders op. Het is voor mij ook ingewikkelder dan ik kan vatten, de materie is complexer dan mijn hersenen kunnen verwerken. En Valerie is zo lief om na te denken over een oplossing. Hoe heb ik haar dit kunnen aandoen?

'Misschien,' mompel ik. 'Misschien.'

'En wat als ik er nou eens niet moeilijk over deed?'

Ik kijk haar aan en lach flauwtjes.

'Nee,' zegt ze, 'lach het nou niet weg. Ik ben serieus. Stel nou dat ik je het zou laten doen, dat verkleden. Gewoon bij ons thuis, waar niemand het kan zien. Zou je dat fijn vinden?'

Valerie trekt het mes dat vastzit tussen mijn ribben een beetje los. Ik krijg weer lucht, al voelt het alsof ik die lucht mijn longen binnen zuig door een platgekauwd rietje. Het ruimhartige gebaar van Valerie helpt maar een beetje.

'Ik denk het,' zeg ik dan. 'Ik denk wel dat ik dat fijn zou vinden.'

'Oké,' zegt ze. 'Oké.' En pas veel later, als de stilte onze gedachten heeft ingehaald, nog een keer: 'Oké.'

Ik krijg een eigen plank in de kast, zo bedenken we het. In gedachten noem ik het 'de plank van Julia', maar dat zeg ik niet tegen Valerie. Soms zegt Valerie nadrukkelijk dat ze niet voor tien uur 's avonds thuis is, om me de gelegenheid te geven de avond te gebruiken voor mijn verkleden.

We hebben weer seks. Met regelmaat. Ik doe het vooral voor haar, maar het knuffelen achteraf, het in elkaars armen liggen, genieten van elkaars warme lijf, dat is mijn hoogtepunt. Lepeltje lepeltje in slaap vallen, dat is mijn orgasme.

'Wat vind je van dit rokje?'

We staan in de H&M. Valerie heeft de smaak te pakken. Ze is luidruchtig en melig. Ik weet dat dit de enige bui is waarin ze er op deze manier voor me kan zijn.

'Te tuttig.'

'Dus je bent nog kritisch ook.'

'Ik heb smaak,' zeg ik, 'dat is wat anders.'

Ze duwt me opzij en vist een zwart rokje met witte strepen uit het rek. 'En dit dan?'

Ik neem het kledingstuk uit haar hand. 'Beter,' mompel ik. 'Iets beter.'

'Het is ook nooit goed.'

'Anders kijk je ook even voor jezelf? Dan zien we elkaar straks weer.'

'Nee,' antwoordt Valerie resoluut. 'Nu gaan we dit samen doen ook.' Ze pakt het rokje weer af en hangt het over haar arm. 'Je gaat dit gewoon passen straks.'

We struinen de hele winkel door en eindigen gierend van de lach in een groot pashok. Valerie kust me tijdens het passen. Ze blijft zoeken naar genegenheid. Naar intimiteit. Ze wil me niet kwijt. Ik denk dat ze bang is me te verliezen aan deze vreemde hobby. Misschien is ze nog banger me kwijt te raken door een tweede zelfmoordpoging, ook al heb ik haar beloofd dat nooit meer te doen.

Als we de winkel weer uit lopen, laat ik mijn arm op haar schouder rusten. Ik druk een zoen tegen haar wang.

'Ik hou van je,' fluister ik. 'Dank je wel hiervoor.'

Ze zegt niks, maar steekt haar hand in mijn achterzak. We lopen samen naar huis.

Als ik me verkleed krijg ik vaak een erectie, maar soms ook niet. Als de slurf wel richting hemel reikt, probeer ik hem eerst te negeren. Het is een moedige poging, steeds weer, maar het komt altijd neer op rukken – om er maar vanaf te zijn.

Terwijl mijn hand de voorhuid over mijn eikel beweegt, fantaseer ik over vagina's, over borsten, over lang haar. Ik heb dezelfde fantasie als elke jongeman, alleen wil ik die fantasie zijn. De vrouw van wie ik geil word, zo wil ik eruitzien, ik wil in haar huid kruipen.

Het gebeurt ook, op goede dagen, dat ik geen erectie krijg. Vandaag is het zo'n goede dag. Valerie is de hele avond stappen met vrienden, ik heb het rijk alleen.

Ik hul mijn benen in een zwarte panty. Op de achtergrond zingt Frank Boeijen, de verwarming staat op een aangenaam tropische temperatuur. Ik ontsteek wat kaarsjes. En dan richt ik me op de make-up. Ik kies zorgvuldig – de juiste teint oogschaduw bij mijn kleur ogen, wat blush op mijn hoekige jukbeenderen, een lichte gloss. Het moet niet over the top zijn.

Ik haal een kam door mijn halflange rode haar. Het gaat glanzen als ik het doorkam. Het is mooi, ik heb aardig wat volume.

Daarna een beha, maat 80A, en een leuk jurkje. Als ik klaar ben, draai ik me even weg van het spiegelbeeld, sluit mijn ogen om rustig te worden, een paar seconden lang. Dan open ik ze terwijl ik naar de spiegel toe stap, tot heel dichtbij. Ik kan mezelf aanraken, ruiken, kussen als ik wil.

Ik stel me voor dat dit is wat mensen voelen als ze het beruchte licht aan het eind van een tunnel zien. Als ze na een zware periode in het leven, vrij zijn van zorgen. Het is rust, een zuivere vorm van rust. De rust waarvan ik me kan voorstellen dat ieder ander die van nature bezit.

Ik loop weg van de spiegel en begin aan de afwas van vandaag. Ik was graag af als Julia. Ik wil de gewone dingen in het leven beleven als Julia. Julia studeert graag, tekent graag. Julia leest graag. Julia doet eigenlijk dezelfde dingen graag die Julius graag doet. Ze zijn dezelfde persoon, met een ander uiterlijk.

Ik neem mezelf niet in de maling, dat niet. Ik weet ook wel dat de wereld groter is dan ons Amsterdamse zolderkamertje bij de Nieuwmarkt, maar dat schuif ik voor mijn gemoedsrust onder een denkbeeldig tapijt. Dit is het leven van Julia, het is zoals het is.

'Die rust, is dat dezelfde rust die je nu voelt?'

Ze zit op het bed tegenover me. Ze draagt iets anders nu, hoge hakken onder een strakke spijkerbroek. Een knalgroene blouse, die mooi bij haar haar past, een subtiel laagje make-up als finishing touch. Alsof ze niet weggeweest is, draait ze nonchalant aan het rode haar.

'Je bent er weer.'

'Hoe bedoel je, "je bent er weer"?'

'Toen de dokter net langskwam, was je weg.'

'Nee, dan heb je niet goed gekeken. Ik was gewoon hier.'

Speelt ze een spel? Vindt ze dit grappig? Ik besluit me er niet aan te storen. Ik heb al lang geleden geleerd anderen hun lolletje te gunnen. Als Steffie niet wil vertellen waar ze is geweest, dan is dat haar zaak.

'Om je vraag te beantwoorden,' zeg ik op mijn gemak, 'nee, ik voel nu een ander soort rust. Maar je hebt het goed gezien, het is wel rust wat ik voel. De rust die nu over me heen hangt, die me zelfs bijna ongevoelig maakt voor zenuwen, voor angsten, de rust die risico's doet vervagen, kun je zien als een hoogtepunt van rust. Hier heb ik mijn leven lang naartoe geleefd, eigenlijk. De operatie is als een kers op de taart. Het zal me niet gelukkiger maken, ik ben al zo gelukkig als ik kan zijn met mezelf. Ik moet er wel bij zeggen, zonder de kers smaakt de taart lang niet zo lekker.'

'Ik heb wel zin in taart.'

‘Ik ook.’

‘Zal ik halen, beneden?’

‘Ik mag alleen beschuitjes.’

‘Ach, wat geeft het nou? Wie zou dat in de gaten hebben?’

Weg is ze. Zonder op te staan, zonder weg te lopen, zonder gedag te zeggen, is ze weg. Ik ben weer alleen. Ze laat me achter als een vogel in een kooi. Ik kan geen kant op en ik moet maar afwachten of mijn baasje genegen is me te voederen bij terugkomst.

17

Er loopt een verpleegster binnen. Ze brengt me twee beschuitjes en een glaasje water.

'Ik weet het,' zegt ze, 'ik heb weleens smakelijker maaltijden geserveerd.'

'Het geeft niet.' Ik knijp even vriendelijk met mijn ogen. 'Ik ben al blij dat ik wat mag hebben.'

Haar witte jas steekt ver naar voren ter hoogte van haar buik. Een bolling zo rond als een voetbal. Ik knik en vraag: 'Hoe ver ben je?'

Direct die handen naar haar buik, zoals elke zwangere vrouw doet. Ze strelen de bolling liefdevol.

'Zes maanden,' zegt ze.

'Verloopt alles goed?' informeer ik.

Ze knikt. 'Alles volgens het boekje.'

Ik hap ondertussen in een beschuitje en besluit er zo uitgebreid mogelijk op te kauwen. Zo geniet ik er het langst van.

'Smakelijk eten, dan maar.'

De verpleegster verdwijnt weer.

Ik denk aan Valerie. Geleidelijk aan bracht ze haar kinderwens ter sprake. Eerst wilde ik er nog niets van weten, maar na een tijdje kreeg ze het voor elkaar om me haar droom in te lokken. Zo'n kleintje, dacht ik, waarom ook niet? Het leven doorgeven is iets onvoorstelbaars, het moet iets heel bijzonders zijn.

Het gebeurde, ik liet me verleiden, ze zoog me mee haar

droom in. Samen een kind op de wereld zetten, dat werd haar nieuwe doel. Ze stopte met de pil en de seks werd nog meer beladen dan die al was.

Ik denk aan de twijfels die ik had over mijn capaciteiten als vader. Twijfels die ik niet uit durfde te spreken. Ik vraag me soms af of mijn eigen vader ook twijfels gehad heeft. Is het iets menselijks, of juist wezenlijk typerend voor gevallen zoals ik? Gevallen die met zichzelf in de knoop zitten, die zich afvragen of ze wel in staat zijn om het leven op een fatsoenlijke en verantwoorde manier door te geven.

Ik verdenk Valerie ervan dat ze mij met de komst van een baby hoopte af te houden van mijn vreemde gewoontes. Op dat moment vond ik dat niet eens een gekke gedachte. Misschien, als ik werd overvallen door vadergevoelens, zo dacht ik, misschien zou de mannelijkheid waarnaar ik snakte wel vanzelf boven komen drijven.

'Wat deed je eigenlijk voor werk?' Steffie likt aan een ijsje. 'Er was geen taart,' zegt ze.

Ik plak de laatste kruimels van het beschuitje aan mijn vinger en lik die af. Dat was mijn avondeten.

'Ik had de tofste baan van de wereld. Nog steeds trouwens.'

Steffie, terwijl ze met haar tong een stukje ijs uit haar mondhoek likt: 'Dat vraag ik toch niet. Ik vraag: wat deed je?'

'Ik kwam terecht bij de glossy *MAN*, een blad voor de zelfbewuste man. Ik werd aanvankelijk aangenomen als stagiair, om er mijn afstudeerstage te lopen, en ben blijven plakken.'

'Wat moest je doen?'

'Ik bedacht een nieuwe look en feel, een stoerdere uitstraling, die beter bij de tijd paste. Het blad bestond al bijna tien jaar en het tienjarig jubileum wilde de hoofdredactie vieren met een restyling. Ik had vrij spel, sterker nog, ze hadden me expliciet gezegd me vooral niet aan regeltjes te houden, niet bang te zijn voor hun mening en met mijn creativiteit een effect te benaderen van aardverschuivend niveau. Wekenlang werkte ik aan de uitstraling, aan de typografie, aan de verhouding tussen tekst en beeld. Ik deed inspiratie op in de schappen van The American Book Center op het Spui en sparde veel met Valerie, die net weer een andere kijk op dingen heeft dan ik. Waar ik soms nog te veel dacht binnen de grenzen van mogelijkheden, budget, kosten en commercie, fantaseerde zij vrijelijk over de kleuren, uitstraling en lay-out van een bepaalde rubriek.'

'Dat laten ze een stagiair zomaar doen?'

'Ik geloof dat ze de gok wel durfden te nemen, ja. Er was voordat ik kwam geen budget en geen tijd om er iemand voor aan te nemen. En als ze het niets vonden, kon mijn concept gewoon in de la der vergeten scripties. Bovendien hadden ze mijn werk gezien en vertrouwden ze me, vind je dat zo gek?'

Steffie houdt haar half afgelikte ijsje in de lucht. 'Het is maar een vraag. Ik bedoel er niks mee.'

'De hoofdredactie had wat nieuwe rubrieken bedacht, waarvoor ik vanaf nul iets mocht opbouwen. Zelf verzon ik stiekem ook wat nieuwe rubrieken, terugkomende grapjes voor het blad. Zodra ik mezelf de vrijheid eigen had gemaakt, greep ik de kans met beide handen aan. Het was hemels, mijn innerlijke onvrede werd door mijn passie voor al dat moois, door al die nieuwe prikkels weer even gestild. Samen met het verkleden was dat het beste medicijn dat ik tot dan toe had geprobeerd.'

'Wat vonden ze ervan?' vraagt Steffie. 'Werd er nog iets met je ideeën gedaan?'

'Ze vonden het fantastisch. Mijn concept werd bijna helemaal doorgevoerd. En ik kreeg een baan. Niet als vormgever, zoals ik gehoopt had, maar als creatief manager. Samen met de artdirector, die me tijdens mijn stage had begeleid, moest ik de vormgevers aansturen. Ik moest ze het gevoel van mijn stijl overbrengen, ze enthousiast maken voor de nieuwe look. Ik kon het haast niet geloven, maar als broekie van vijfentwintig kreeg ik de dagelijkse leiding over de vormgevers.'

Ik heb me een jaar lang heel prettig gevoeld. Een jaar lang slurpte mijn werk voor *MAN* mijn aandacht op en gaf me er een dosis levenslust voor terug. Valerie en ik groeiden naar elkaar toe, we struinden alle leuke feestjes af die er te vinden waren en bewoonden nog steeds onze geliefde zolderkamer. We waren onafscheidelijk. Zo, dacht ik, zo hoorde het.

Valerie was afgestudeerd op de Rietveld en werkte aan haar eigen projecten, waarvoor ze subsidie aanvroeg. Daarnaast bleef ze werken bij de meubelmakerij, waar ze een vaste aanstelling kreeg. Haar baas, Alexander, was zo aardig om een atelier voor haar vrij te maken, waar ze aan meubels kon werken, maar waar ze ook de ruimte had voor ander werk. Ze stond perplex van zijn aanbod, herinner ik me nog, maar ik begreep die Alexander wel. Ze was een talent, hij wilde haar behouden. Stiekem droomde ze van die eigen lijn die ze ooit nog wilde lanceren. Ik zie het haar nog doen, op dat bruggetje, met haar vinger. 'Made by Valerie', schreef ze in de lucht. Een droom die zo hardnekkig bleef hangen moest wel uitkomen, dat kon niet anders.

Maar na dat fijne jaar keerde de droom die mijn binnenste zo hardnekkig wist te teisteren terug. Hij vloog met de wind mee, zag me zitten en schoot vastberaden mijn brein in, als een duivelse injectie. Heviger dan ooit raakte ik geobsedeerd door de vrouwen om me heen. Vrouwen die zichzelf konden zijn, die konden dragen wat ze wilden, over straat liepen alsof het de gewoonste zaak van de wereld was, ze spraken over 'vrouwendingetjes' als een vervelende ongesteldheid. Als ik dat soort gesprekken hoorde, klaagzangen over het vrouwelijk lichaam, maakte jaloezie plaats voor vleugjes haat, afgunst, donkere gedachten. Zij hadden niets te klagen, vond ik. Ze moesten eens weten hoe graag ik die menstruatiekrampen van ze had overgenomen, met hoeveel liefde ik een tampon in zou brengen en die hakken, die hun voeten zo pijnigden: och, meisjes, dacht ik, laat mij ze dragen, dan zal ik die hak eens in je wang steken. Dat doet pas pijn. Ik werd onaardiger, onverdraagzamer, chagrijniger. De duivel was bij mijn persoonlijkheid aangekomen en begon daar de zachte randjes vanaf te knagen.

En toen, Steffie, toen ontmoette ik Nina. Zij stookte het vuur op. Ik haatte haar, ik hield van haar, ik omarmde haar, ik duwde haar van me weg. Ze was mijn geweten, ze herinnerde me aan mezelf. Ze werkte me tegen, maar duwde me uiteindelijk het diepe in. Nina was de springplank, ik het jochie met bibberende blauwe lippen. Eenmaal in het water was ze de zwemjuf, die me met haak en al bijstond totdat ik weer aan de kant was. Maar goed, zo ver was het nog lang niet. Ik moest haar eerst nog ontmoeten. En dat ging niet van harte, zal ik maar zeggen.

De ventilator op de redactie draait overuren. Een broeierige namiddag als deze biedt geen genade voor redacties die het moeten stellen zonder elke vorm van airconditioning. Alles plakt. Mijn te strakke T-shirt, mijn collega's, de winegums in de snoeptrommel naast mijn toetsenbord: alles hangt als een kleffe zooi bij elkaar. Kreunend zitten de redacteuren achter de bureaus, zonder puf om te werken, verlangend naar een terras of verkoelende duik in zee, fantaserend over een zonnige reportage buiten de deur – terwijl we werken aan het oktobernummer.

Als achtergrondgeluid klinkt slechts die bejaarde ventilator, afgewisseld door de klakkende slippers van Bart, onze vormgever. Het plastic blijft net iets te lang aan zijn eelterige hak hangen wanneer hij voorbijloopt. Het is een dag die productief gezien bij voorbaat al verloren lijkt, maar toch volgepland is. De zee kun je bijna ruiken vanuit ons kantoor aan de rand van Haarlem – en gaat aan ons voorbij als de smakelijke geur van spek die langs de snuit van een hongerig katje trekt.

Een vrouw, die later mijn beste vriendin zal worden, loopt de redactie op. Ik denk bij mezelf dat ik nog nooit zo'n lelijke vrouw gezien heb. Ze stelt zich voor als Nina.

Nina loenst een beetje, wat haar schattig, maar ook allesbehalve aantrekkelijk maakt. Haar ogen gaan schuil achter een afgrijselijke, grote bril en ze heeft kortgeknipt, geblondeerd sprietenhaar dat aan het begin van de dag nog vitaal alle kanten op wijst, maar tegen een uur of drie moedeloos is ingezakt. Haar figuur is wél mooi, maar dat verhult ze met vuilniszakachtige jurken.

Later pas zal me opvallen dat ze altijd vieze nagels heeft. En die smerige, zwarte randen (god weet wat voor troep het is, ze tuiniert niet) maakt ze dan schoon met een visitekaartje van een klant waar ze die dag geweest is. Er zijn geen woorden voor. Sinds we bevriend zijn zeg ik dat ook vaak tegen haar. 'Ik heb er géén woorden voor, Nina, hoor je dat? Geen enkel woord. Precies zo vies vind ik dit.' Haar antwoord is dan dat ze haar schouders ophaalt. Nina luistert nooit. Ja, ze luistert wel, maar als ik dat soort dingen zeg, doet ze alsof ze me niet hoort. 'Kwak er eens wat nagellak op,' zeg ik ook altijd. 'Dan zie je die zwarte randen tenminste niet.' Haar antwoord daarop is een opgetrokken neus. Ze zegt niet veel, nee.

Ze wordt door de hoofdredactie voorgesteld als de nieuwe commerciële man: dat is het grapje. De nieuwe commerciële man is een vrouw. Nina doorstaat het, lacht mee, maar broedt ondertussen op een duidelijke verandering van de strategie. Dat heb ik al door. Ik observeer haar vanaf mijn bureau. Ik zie hoe ze iedereen een hand geeft, vriendelijk, beleefd, maar ondertussen speelt er van alles in dat hoofd. Dit kan nog weleens een lastige dame worden. Ze gaat de boel op stelten zetten. Ze wordt niet voor niets aangetrokken: er moet meer geld binnenkomen, dat weet iedereen. Van de abonnees alleen zullen we het niet meer trekken, en als we een zelfstandig opererend magazine willen blijven, moet er keiharde cash binnenkomen van adverteerders.

Haar opdracht luidt simpel: hark dat geld binnen.

We worden gelijk bij elkaar geroepen voor een redactievergadering. Nina, met al haar commerciële inzicht, is bereid gevonden haar koninklijke plannen met ons te delen.

'Er gaat behoorlijk wat veranderen in de formule,' begint ze.

Ze houdt een vurige, snoeiharde monoloog over welke verbeteringen ze voor het magazine in gedachten heeft en draait een aantal vaste rubrieken – waaronder een paar die aan mijn brein ontsproten zijn – de nek om, wegens, zoals ze het zelf verwoordt 'een té highbrow uitstraling'. De hoofdredacteur, Jan, een tamelijk visieloze hobbezak die liefst de hele dag onderuitgezakt de krant leest, knikt en knikt. Hij ziet het wel zitten, die plannen van de nieuwe commerciële man. Ook het zwetende rijtje redacteuren lijkt de frisse wind als een welkom geluid te omarmen. Bart licht op bij het woord 'restyling', hij heeft nooit aan de nieuwe stijl kunnen wennen, heeft nooit gevoeld wat ik ermee heb bedoeld.

Ik kijk om me heen en probeer een opkomende uiting van agressie te onderdrukken. Ben ik dan de enige die nog waarde hecht aan ons mooie blad? Aan de kracht van het, toegegeven ietwat artyfarty, maar gewaardeerde magazine dat we nu alweer jaren maken? Een bewezen succes, daar torn je niet zomaar aan, al heet het motief commercieel met de hoofdletter C. Er moet op z'n minst dieper over nagedacht worden.

'Ho eens even,' roep ik op enig moment, terwijl ik opsta en me daarmee probeer te verheffen boven de rest. 'Waar haal jij al die wijsheden vandaan, dame? Ik pik dit niet. We maken hier een prachtig blad en dat kom jij, met je commerciële snoet, hier niet in één middag...'

'Prachtig blad, prima,' antwoordt ze nog voordat ik uitgesproken ben. 'Maar er moet ook geld verdiend worden, denk je niet?'

Ik ben ziedend. Ik wil haar bril wel van haar kop rukken en

er net zo lang op stampen totdat ze me om genade smeekt. Ik vind haar toon respectloos en haar ideeën inhoudsloos. Commerciële rotzooi, daar ga ik echt niet aan meewerken. Briesend, maar zonder nog een concreet woord met de nieuwe commerciële pief te wisselen, dender ik de vergaderruimte uit en doe ik wat ik de hele dag al had willen doen: ik ga naar buiten en steek een Lucky Strike op. Daarna staar ik naar de oververhitte violen in het bloemenperkje.

Mijn derde sigaret krijg ik aangeboden van het kreng zelf, dat me in haar witte hippiejurk naar buiten is gevolgd.

'Wat kun jij kinderachtig zijn,' zegt Nina. 'Ik hoop van harte dat je dat zelf ook doorhebt.'

Ik pak de sigaret aan. 'Als dat zo is, dan ben jij een tactloze trut.'

'Prima,' lacht ze spottend. 'Nu dat duidelijk is, kunnen we dan eindelijk een normaal gesprek voeren?'

Ik knik voorzichtig. 'Mij best.'

We laten het kantoorpand achter ons, lopen kordaat naar een terras aan het eind van de straat en drinken een glas chablis. Ik teken met mijn vinger in het verleidelijke laagje condens dat op het glas is ontstaan en kijk naar Nina, zwijgend. Ze kijkt terug en fronst naar me. Na een tijdje zegt ze: 'Jezus, we lijken wel een getrouwd stel.'

Ze heeft gelijk.

We moeten lachen, zo hard als je achter in de klas doet, juist als het van de leraar niet mag. Het betekent het begin van een intense vriendschap, waarin er geen spannend geheim of pijnlijk verdriet verborgen blijft en geen botte grap ingeslikt wordt.

Nina valt op vrouwen. Soms denk ik dat haar homoseksualiteit, of lesbiisme, zoals ze het zelf noemt, me de moed heeft geschonken mezelf aan haar bloot te geven. Lange tijd wist alleen zij wie ik echt was, hoe ik me echt voelde vanbinnen, ook wanneer ik dat zelf nog niet zo goed wist. Ze wist van mijn strijd. Ze wist van mijn verlangen. En ze wilde het niet verstoppen, zoals Valerie, mijn eigen vrouw dat deed wanneer het onderwerp ter sprake kwam – net als ikzelf. Ze trok het uit me, legde de pijnlijke zenuw van mijn geheim bloot en dwong me die eens aan te raken, er eens mee te spelen. Ze opende een wereld voor me die alleen in mijn dromen bestaansrecht had. Ze lachte veel, maar ze lachte mijn ware gevoelens nooit weg. Ze was de eerste echte vriendin, de persoon naar wie ik mijn leven lang op zoek ben geweest, omdat ik wist dat ik het alleen niet zou redden. Juist in de periode waarin ik de strijd aan het verliezen was, kwam Nina op mijn pad.

18

'Laat me los!' gil ik. 'Laat me los!'

'Nee!' brult Nina in mijn oor. 'Mooi niet. Je gaat eraan!'

Het redactie-uitje van het twaalfenhalfjarig bestaan van *MAN*. Bart organiseert het en durfde het te verzinnen om te gaan paintballen. Hoewel iedereen ertegen opzag, moet ik Bart inzicht nageven: de meeste redactieleden lijken er plezier in te hebben. Zelfs hoofdredacteur Jan snelt met fanatieke tred heen en weer, een hobbezak op oorlogspad.

Ik voel de klauwen van Nina in mijn schouder. Ze zit in het andere team en heeft haar verfkanon verloren. Nu wil ze voorkomen dat ik haar kleurrijk zal afmaken en houdt ze me vast, van achteren. Nina is een gespierde vrouw, en ik ben een slecht excuus voor een man: een mager scharminkel. Hoewel de mannelijke bouw in mijn puberteit onvermijdelijk in gang werd gezet, heb ik mijn spieren altijd klein gehouden, mijn vet minimaal. Mijn vrouwelijke innerlijk is in stilte de strijd aangegaan met mijn mannelijkheid, met als resultaat mijn gebrek aan vorm.

Ze houdt me nog steeds vast, Nina, in een stevige greep. Er ontstaat een worsteling, ik beweeg me van links naar rechts en schreeuw om hulp van mijn teamleden, die het duidelijk te druk hebben met hun eigen verdediging. We vallen, samen, we vallen op de grond achter een baal dekkingshooi en liggen schuddend van de lach in elkaars armen. Ik draai me om, schrik er in eerste instantie van hoe dichtbij Nina ligt, maar voel dan de kriebel in mijn onderbuik. Een zucht van verrukking, van ontlading. Bij Nina kan ik zijn wie ik ben en dat maakt dat ik me vrijer voel dan ooit. Zelfs in publieke ruimtes haalt ze een last van mijn schouders, pulkt ze met die vieze nagels van haar een laag van gereserveerdheid van me af. Het is logisch, we doen het zonder nadenken, het ene moment lachen we nog als melige tieners, het moment erna zoenen we elkaar. Een klein kusje, het duurt zeker niet langer dan een paar seconden, maar in die seconden verdwijnt het oorlogsgebied om ons heen. De kus, het is alsof mijn longen voor het eerst met zuurstof gestreeld worden, alsof het licht feller wordt, de kleuren om me heen mooier, helderder.

En zo onverwacht als die begonnen is, zo abrupt stopt de kus als we een invasie van collega's horen aankomen. We lachen een stiekeme lach, een geschrokken lach. Ik reageer adequaat op de geluiden van de overige teamleden door op te staan en een gillende Nina te belagen met de nodige verfbommen. Zij heeft de worsteling verloren, maar ik vraag me ondertussen af wie de echte verliezer is in deze strijd.

Waar ben ik mee bezig? Eerst die Braziliaan, nu Nina.

Er volgt geen gelegenheid om onze kus te bespreken, de rest van de dag brengen we door in gezelschap van collega's die elk uur dieper in het glaasje kijken, ook Nina zuipt flink door en ik, ik zie de omgeving al uren als een troebele waas. De roes waar ik mezelf in stort biedt geen plek voor gedachten, geen ruimte voor problemen, mijn innerlijke stem vindt er geen gehoor. Ik begin te begrijpen hoe de mens in de fles een verslavend antwoord kan vinden op zijn problemen. Ik kan het me voorstellen, heel goed zelfs.

'Wat ik me afvraag,' zegt Steffie. 'Hoe kan het dat niemand ooit heeft geweten wat er echt in je omging, zelfs Valerie niet, maar dat Nina het wel zag?'

Ik haal mijn schouders op. 'Ik heb het me ook vaak afgevraagd. Ik heb weleens gevraagd of ze soms gedachten kan lezen, of dat ik haar in een dronken bui misschien wat had toevertrouwd, maar ze zei dat ze het wist op het moment dat we elkaar voor het eerst ontmoetten.'

'Dat vind ik wel raar, hoe kun je dat nou zien aan iemand, als je iemand nog helemaal niet kent?'

'Nina had het over een gevoel. Dat ze wist dat er iets groots in me omging, en dat dit het eerste was wat in haar opkwam. En Nina, ja Nina is een apart mens, ze gaat altijd op haar gevoel af. Zo fladdert zij door het leven.'

Bij klanten, bij onenightstands, vrienden, familie, op iedereen past Nina haar onderbuikgevoel toe. Als iets haar niet aanstaat, zegt ze het, recht voor zijn raap. Ik bewonder haar eerlijkheid, haar kracht om uit te komen voor haar primaire gevoelens. Met recht mijn meest gedroomde karaktereigenschap.

Naarmate ik haar beter leer kennen, verdwijnt haar lelijkheid – als een vieze geur waar je aan gewend raakt. Ik ruik niks meer. Ze weet me om haar vinger te winden. Langzaam word ik gek op haar.

Het verwart me, want het lijkt in eerste instantie niet alsof die gevoelens in strijd zijn met mijn liefde voor Valerie. Het voelt niet als bedrog. Maar, als ik eerlijk ben, dan lijkt het nog het meest op een beginnende verliefdheid, die ik overigens niet de ruimte wil geven om tot bloei te komen.

Nina maakt het gevoel van vrijheid in me los. Het gevoel van mogelijkheden in overvloed, de kans op een leven als mezelf. Doordat zij mij ziet zoals wie ik ben, zoals ik me voel, groeit de gedachte dat zij misschien niet de enige is die dat kan zien. Het is een gedachte waar ik stiekem plezier bij beleef. Mijn fantasiewereld krijgt een realistischer karakter en dat windt me op. Toch bevecht ik die wereld ook als een aartsvijand. Zo zit ik in elkaar, als een complex wezen dat zichzelf nauwelijks kan volgen. Hoe kan ik dat dan ooit van anderen verwachten?

Op een avond, een paar maanden voor de paintballkus, zakken we samen door in een Amsterdamse kroeg. Valerie is op stap met haar hippievrienden en vindt Nina, nadat ze haar een aantal keren ontmoet heeft, een fantastisch wijf, met wie ze me zonder bezwaren laat uitgaan. Nina's 'lesbiisme' helpt daar natuurlijk bij, Valerie ziet in haar geen enkele bedreiging.

Ze kan ook niet bevroeden welke vorm van bedreiging Nina ooit nog zal vormen. En dat die veel groter zal zijn dan die van een scheve schaats naast het huwelijksbootje.

'Wat is jouw geheim?' vraagt Nina ineens.

De alcohol toont zich in de glazigheid van haar blik, in de rode konen.

Buiten sneeuwt het, zie ik, onophoudelijk. We zien het witte pak buiten groeien door de vegen op de beslagen ramen.

Het duurt nog een week voordat het Kerstmis is. Mijn moeder heeft gevraagd of we samen met haar naar de nachtmis willen gaan, net als vroeger. En of we willen blijven logeren en de kerstdagen met haar willen vieren. Met Christa, Wim en de kinderen. Ik heb toegezegd, ook omdat Valerie het contact met haar ouders langzaam wil hernieuwen en ze zich op die manier van goede wil kan tonen. We besloten de eerste kerstdag met mijn familie door te brengen en op de tweede dag bij haar ouders langs te gaan. Ik zie ertegen op, maar het is het minste wat ik haar verschuldigd ben.

Christa en Wim hebben inmiddels het hotel van mijn moeder overgenomen. Mijn moeder wordt ouder, vooral qua voorkomen. Soms blijkt ze bovendien vergeetachtig, ze kwakkelt met haar gezondheid. Ze is nog steeds niet over de dood van onze vader heen, weet ik. Rouw heeft ze nooit een hand gegeven, maar juist de rug toegekeerd. Een onverstandig besluit, het vreet haar op, van binnenuit, en dat toont zich steeds meer in haar gezicht. In haar houding. Verdriet verschrompelt haar lichaam, maakt haar op relatief jonge leeftijd tot een oude vrouw.

'Mijn geheim?' zeg ik en ik zucht diep. 'Ik weet niet of ik een geheim heb.'

'Ach!' Nina gooit een bierviltje naar me. 'Hou op, ik weet dat je een geheim hebt.'

'O, ja?' zeg ik.

Er zitten nog een paar stamgasten aan de bar. Op dit uur van de nacht worden de kroegen bevolkt door twee soorten mensen. Mensen die nog niet naar huis willen, en mensen die niet precies weten waar hun thuis is. Ik weet niet goed tot welke groep ik behoor, ik kan me met beide identificeren.

'Ja,' antwoordt Nina. 'En ik weet ook wat het is.'

Ik schrik, alsof ik er bang voor ben dat ze me zal doorzien, terwijl ik dat eigenlijk al weet. Ik voel al dat ze me ziet. Misschien is het haar flauwe glimlach als ze in stilte naar me kijkt, misschien de begrijpende blik in haar ogen als ik een vlammend betoog houd over een pagina waar absoluut geen advertentie op mag komen. Haar stilte vertelt me alles al, maar toch moet ik de woorden horen voordat het tot me doordringt.

'Vertel het me maar, dan.'

Mijn bravoure rijmt niet met mijn kloppende hart.

'Jij, Julius, je bent jezelf niet. Nooit geweest ook.'

Ik weet hoe het voelt als iemand je een klap verkoopt. Schoppen in mijn rug, in mijn buik, ik voel de blauwe plekken van vernedering nog – sommige pijn vergeet je niet. De klap die Nina uitdeelt, de opmerking die inslaat als een rake bom, is gek genoeg net zo heftig als die klappen uit mijn jeugd. Alleen zag ik de klap dit keer niet aankomen.

Ik schud mijn hoofd. 'Nee, hoor,' zeg ik.

De glimlach op het gezicht van Nina wordt steeds groter. Ik zie steeds meer tanden, op een gegeven moment zelfs tandvlees.

Geen glimlach van triomf, maar een van bevestiging.

'Ik zie het,' zegt Nina. 'Ik zie aan je dat je niet gelukkig bent.'

Ik zwijg, zij gaat verder. 'Je ogen verraden het.'

'Het klopt,' zeg ik. 'Het klopt dat ik niet lekker in mijn vel zit, maar dat betekent niet dat ik ongelukkig ben. Ik heb leren leven met een gevoel van onbehagen. En ik ben erachter gekomen dat er in dat leven wel degelijk geluk te vinden is. Valerie, mijn vrouw...'

'Ik geloof je niet.'

'Nou, ja!'

Ik voel een brok van irritatie in mijn keel jengelen om aandacht. Ik probeer hem weg te spoelen met een slok lauw geworden bier.

'Sorry,' zegt Nina, 'dat is gewoon zo. Ik geloof er niks van.'

'Nou, als je het allemaal zo goed weet, dan zorg je toch dat je zelf wat gelukkiger wordt. Volgens mij zit jij ook niet zo lekker in je vel, dat denk ik...'

'Klopt,' onderbreekt ze me, 'maar ik kom er ook eerlijk voor uit. Ik heb geen geheim te verhullen.'

'Waar heb je het over, ik verhul niks.'

'Alsjeblieft, lieve Julius. We kennen elkaar nou al een tijdje, ik begrijp niet dat je ermee kunt leven.'

'Waarmee?'

'Het moet voelen als een dubbelleven.'

'Wat?'

'Hoe is dat, een dubbelleven? Is het verwarrend?'

'Nina, ik weet echt niet waar je het over hebt, sorry, maar ik denk dat het tijd is om naar huis te gaan.'

Ik kijk naar buiten, de sneeuw verleidt me om te komen liggen, gewoon op de stoep. De kou zal een welkome deken zijn, mijn lichaam kookt vanbinnen en vanbuiten. Mijn kop gloeit en is knalrood geworden, de openbaring van mijn geheim, het verraad van de natuur zelf.

'Nee, wacht,' zegt Nina. 'Wacht.'

Ik laat me weer op mijn stoel zakken, vooral om haar niet voor paal te zetten.

'Sorry,' fluistert ze, 'sorry, als je er niet over wilt praten, dan respecteer ik dat. Het is jouw keuze.'

Ze wisselt een blik met de barman en beweegt duim en middelvinger langs elkaar. De man komt direct aangelopen met het bonnetje, dat hij blijkbaar al heeft uitgeprint. Hij wil sluiten.

We rekenen af en lopen naar buiten. Nina geeft me een kus en stapt in een taxi, ik besluit naar huis te lopen.

Ik leg al slenterend mijn hoofd in mijn nek en volg de lichtjes van knusse bovenverdiepingen, waar ik prachtige mensen in mijn verbeelding gitaar laat spelen, wiet laat roken. Waar ik mensen gelukkig zie zijn. Ik volg het licht van lantaarns, het licht van de sterren. Ik loop over het witte tapijt, met de grijze vlokken als mijn gedachten, die dwarrelen op zoek naar een bestemming in de donkere nacht. De lichtjes als mijn gids, de tranen als mijn spoor.

19

Valerie heeft geen kater en mijn hoofd zit te vol om te begrijpen waarom dat zo is. Een bulldozer van dinosaurusformaat is begonnen aan werkzaamheden in mijn kop. De dreunen zijn niet te negeren, zelfs niet met pijnstillers, weet ik al voordat ik ze slik.

'Ik drink nooit meer,' kreun ik. 'Nooit meer.'

Valerie lacht, ze zingt. Een nieuw soort energie lijkt zich van haar meester te maken. Huppelend dartelt ze beneden door onze etage.

Ik vind haar irritant.

'Doe alsjeblieft niet zo druk,' zeg ik vanaf de vliering.

'Dat maak ik zelf wel uit!'

Ik vervloek de bulldozer en probeer mijn gedachten de baas te zijn. De herrie in mijn kop maakt dat onmogelijk.

Ik ruik koffie, versgeperste jus. En spek. Er stroomt een overmaat aan speeksel mijn mond binnen, met een zure bijsmaak. Ik ga rechtop zitten en probeer de omgeving in balans te brengen door diep in te ademen. Ik adem in, en weer uit, in, en weer uit. Ik waag te betwijfelen of het helpt en zoek intuïtief naar een emmer, een zak, een onderbroek desnoods. Iets voor het geval dat het misgaat, iets om mijn maaginhoud niet op de houten vliering terecht te laten komen.

Ik hoor het kraken van de treden. Langzaam, wankelend loopt Valerie de trap op. Een dienblad vol met eten, een koninklijk ontbijt. Kleine vaasjes met roosjes. Ik kijk naar mijn vriendin, haar gezicht straalt. Ze is al helemaal aangekleed.

In gedachten ga ik na wat voor datum het is, of ik iets vergeten ben, maar ik kan nog maar net bedenken in welke maand we leven. Een diepere aanspraak op mijn geheugen laat de bonkende bulldozer niet toe.

'Waar heb ik dit aan te danken?' hoor ik mijn schorre stem zeggen.

Mijn stem klinkt lager dan normaal, ook dat nog.

'Omdat ik van je hou,' zegt ze.

Voorzichtig zet ze het dienblad op het bed en kruipt tegen me aan.

'Gezellig zo toch?'

Ik zeg: 'Hmhm.'

'Vind je het niet leuk?'

'Jawel, Valerie,' zeg ik, 'jawel, schat. Ik moet nog even wakker worden, geef me even.'

'Stel je niet aan. 's Avonds een vent, 's morgens een vent!'

Ik kreun mijn irritatie weg. Valerie wipt overeind en schenkt een kop koffie in, die ze me aanreikt.

'Dank je,' zeg ik, terwijl de geur een golf van weerstand in mijn maag losmaakt.

'Schatje...' Haar stem op standje zwoel, haar ogen verleidelijk op mysterieuze wijze. 'Ik moet je wat vertellen.'

'O...' Ik zet mijn volle kop koffie naast het bed en ga recht zitten. 'Wat dan?'

'Iets leuks.'

'Gelukkig, maar.'

'Ik ben zwanger, Julius.'

'Wat?'

'Ik heb vanmorgen de test gedaan. Ik ben zwanger.'

Mijn maag houdt het niet meer. Ik vind nog net de tijd om mijn hoofd naast het bed te hangen, om mijn koffiekopje opzij te schuiven, waarna mijn maag inhoud loost. Een zuur aroma verspreidt zich over de vliering en verdringt de geur van het feestelijke ontbijt.

'Julius!' Valerie zal veel reacties hebben geënsceneerd in haar hoofd, maar deze zal niet in haar opgekomen zijn. 'Gaat het?'

Ik blijf hangen, er komt meer. Nog eens spuit er een golf zuur mijn mond uit. Tranen van ellende druppelen na. Ik voel me onhandig, ik voel me vies, ik voel me miserabel. Ik denk aan het opruimen van de kots, ik denk aan de reactie waar Valerie op wacht, ik denk aan Nina en ons gesprek de avond ervoor, ik denk aan baby's.

Valerie wrijft over mijn rug.

'Het geeft niet,' zegt ze. 'Het geeft niet. We ruimen het straks wel op. Zal ik een glaasje water voor je halen?'

Nadat ik een geluid uitstoot dat zowel 'ja' als 'nee' ofwel 'wat zeg je?' kan betekenen hupst ze de trap af.

Een kind. Een kind? Krijg ik een kind? Word ik vader?

Ze heeft het echt gezegd, zojuist. Ik stel me in gedachten voor hoe Valerie er als hoogzwangere vrouw uitziet en lach, ondanks de smaak van rotte vis in mijn mond. Ik denk aan hoe prachtig ze zal zijn, aan hoe ze zal stralen. Weer eens wordt mijn binnenste gedomineerd door gevoelens van dubbele aard.

Valerie komt terug met een natte washand, een emmer sop en een glas water. Ze ziet me lachen en blijft even staan kijken, verward.

'Je bent zwanger,' zeg ik.

'Ja...' fluistert ze. 'Gek, hè?'

'Ik vind het fantastisch, Valerie. Echt fantastisch. Sorry voor dit alles, ik ben niet zo lekker, geloof ik. Maar ik kan je wel zoenen.'

Met een klap zet ze de emmer neer. Het glas water geeft ze aan mij, samen met de washand.

'Iew,' zegt ze. 'Nee, dank je.'

Met het dienblad vol eten loopt ze weer naar beneden, het

eten onaangetast, zij geraakt door mijn lompe reactie. Niet veel later hoor ik de deur zachtjes in het slot vallen.

In mijn hoofd is slechts ruimte voor mijn eigen gevoelens. Ik zal vader worden. Trots bevecht de grote macht van de twijfel. De innerlijke stem laat weer van zich horen, overstemt mijn blijdschap, overstemt de bulldozer. Het vaderschap kan ik er niet bij hebben. Ik ben niet geschikt, ik ben geen voorbeeld. Ik ben niet stabiel, niet gelukkig, niet zeker genoeg. Ik kan het niet.

Maar ik wil het wel, zo'n kleintje. Samen wandelen, zandkastelen bouwen, liedjes zingen. Het lijkt me fantastisch. Ik zweef tussen emoties, ben verrukt van blijdschap en zoek direct daarna de zwarte put van ongeluk weer op.

Terwijl ik mijn kots naast het bed opruim en luister naar de onbestemde stilte in het huis, voel ik me alleen. Ik ben alleen met mijn gedachten, alleen met mijn twijfels, en alleen met die stem. De stem die alles altijd beter weet.

Maandag op de redactie. Nina ziet het meteen. We hebben vergadering gehad en ze heeft me al een hele tijd vragend aangekeken. Die loensende ogen achter die enorme bril, ze proberen me uit mijn tent te lokken. Ik probeer haar blik te negeren. Zolang ik haar tenminste niet aankijk, kan ze ook niet verder met het doorgronden van mijn ziel. Dan hoef ik er niet over te praten.

Ik ontvang een mail.

Van: Nina.Broekhuizen@redactieman.nl
Onderwerp: ??
Datum: 22 december 2010, 10.43
Aan: Julius.Caspers@redactieman.nl
Wat is er met jou gebeurd?

Van: Julius.Caspers@redactieman.nl
Onderwerp: re: ??
Datum: 22 december 2010, 10.46
Aan: Nina.Broekhuizen@redactieman.nl
Ik word vader.

Van: Nina.Broekhuizen@redactieman.nl
Onderwerp: re: re: ??
Datum: 22 december 2010, 10.47
Aan: Julius.Caspers@redactieman.nl
Niet????!!!!!! OK. ROKEN. NU!!

Nina staat op van haar bureau met haar pakje sigaretten in de hand. Ze gebaart, een dwingend gebaar. Ik sta ook op en haal het pakje Lucky Strike uit mijn la.

'Zo, jullie gaan alweer pauze houden?'

Bart heeft er vandaag blijkbaar voor gekozen zijn lolbroek te dragen.

'Hou je bek, Bart, ga aan het werk.'

Nina kijkt hem niet aan terwijl ze dat zegt en loopt weg voordat hij wat terug kan zeggen. Ik volg Nina de gang door.

'Oehhh,' hoor ik Bart nog zeggen, 'volgens mij hebben de tortelduifjes het met elkaar aan de stok!'

Er wordt wat gelachen, maar nadat we de deur achter ons hebben gesloten verstommen alle geluiden en is het alleen nog Nina en ik. En de stilte. Buiten steken we een sigaret op, zoals we zo vaak hebben gedaan.

'Je wordt vader.'

Ik knik.

'Jeetje.'

Weer een knik.

'En uh,' zegt Nina, 'wat vind je daar zelf van?'

'Leuk,' antwoord ik, 'fantastisch! Zo'n kleine, wie wil dat nou niet?'

'Ik.'

'Ja, maar jij...'

'Wat is er met mij? Zou ik geen goede moeder zijn?'

'Jawel, maar...'

'Maar wat?'

'Weet ik veel. Ik vind je niet het type voor kinderen.'

'Dank je.'

'Het is niet lullig bedoeld.'

'Weet ik.'

'Oké.'

'Is het gepland?'

Ik inhaleer diep en zucht de rook gelaten weer uit. 'Tja,' zeg ik, 'hoe zal ik dat eens zeggen. Ik geloof dat Valerie het zeker gepland heeft en dat ik de afgelopen tijd niet zo snugger ben geweest. Ik weet dat ze met de pil is gestopt, maar weet ik veel, ik dacht dat er nog tijden overheen zouden gaan voordat het dan zou lukken. Ik dacht dat er een kleine kans was.' Ik pauzeer even. 'Zo veel seks hebben we ook weer niet, snap je?'

'Dus het was gelijk raak?'

Ik schiet in de lach. 'Na een tijdje pas.'

'En wanneer is het...'

'Het is nog heel pril, dus pas over zeven maanden.'

'En nu?' vraagt Nina. 'Verhuizen en zo?'

Ik knik. 'Zal wel moeten. Die zolderetage is niet echt geschikt voor een kleine.'

Nina lacht spottend.

'Wat?'

Ze schudt haar hoofd. 'Niks.'

'Nee, zeg op.'

'Gewoon.' Nina zwaait met haar hand in de lucht. 'Hoe je dat zegt: "een kleine". Ik weet niet, het klinkt nog niet zo uit jouw mond. Ik moet nog even wennen.'

Ik knik, alsof ik haar begrijp.

Ineens buigt ze zich voorover en geeft me drie zoenen. 'Gefeliciteerd. Dan. Maar.' En dan: 'Kom, we gaan naar binnen, het is koud.'

De dag voor kerst is er een redactieborrel tijdens de lunch. We drinken champagne, eten bitterballen, vlammetjes en chips. De sfeer is goed, maar voelt als het tijdelijke genot van een one-nightstand, zoals ik me die voorstel dan. Iedereen heeft plannen, verplichtingen, het is vrijwel zeker dat niemand zal blijven hangen, of later nog gaat doorzakken in de stad, dus de magie van gezelligheid ontbreekt. Ook ik zal niet lang blijven, Valerie en ik nemen aan het eind van de middag de trein naar Eindhoven om na het eten bij mijn moeder in Waalre zijn.

Na een uurtje begint de leegloop. Ingedeukte blikjes bier en verfrommelde chipszakjes in de vuilnisbak, een donkere redactievloer. De enige die overblijven zijn Nina en ik. We zwijgen.

Hoofdredacteur Jan steekt zijn hoofd om de hoek. Aktetas in zijn hand. Ik vraag me altijd af wat er in die tas zit. Papieren, waarschijnlijk, maar wat voor papieren? Hij vindt de tas waarschijnlijk bij zijn functie passen. Misschien heeft hij hem van zijn vrouw gekregen toen hij aantrad als hoofdredacteur.

'Fijne kerst, luitjes,' zegt hij. Ik herinner me dat hij dat twintig minuten geleden ook al tegen ons zei. 'Sluiten jullie af?'

We knikken.

'Nog eentje dan?' vraagt Nina, terwijl ze twee blikjes omhooghoudt.

'Nog eentje dan.'

We drinken samen, zoals we zo vaak samen drinken, in stilte. We steken een sigaretje op – de komende dagen zal de lucht wel wegtrekken.

Ik laat mijn gedachten gaan over de kerstdagen, over hoe het zal zijn om weer in Waalre rond te lopen. Ik kom er alleen nog om mijn moeder of het gezin van mijn zus te bezoeken, en daar kom ik ook te weinig toe. Het leven in Amsterdam, met al zijn verlokkingen en prikkels, slurpt me op. Algauw komt een mens hier in de verleiding te denken dat er buiten de stadsgrenzen geen leven meer is, dat Amsterdam de wereld is, met alles paraat wat nodig is.

'Het spijt me als ik vorige week te direct ben geweest,' zegt Nina ineens. 'Ik wilde je niet in verlegenheid brengen.'

Haar hand op die van mij. Een siddering trekt langs mijn arm, ik voel me naakt. Ze doet het weer, ze ziet me weer. 'Het is zo dat ik je al een tijdje observeer en ik maak me zorgen om je,' gaat ze verder. Ze draait mijn hand om en wijst op het litteken op mijn pols. 'Ik weet dat er iets belangrijks in je omgaat, iets groots. Ik weet dat je eerder gekke dingen hebt gedaan. En ik wil niet dat je dat nog eens doet. Ik wil dat je weet dat ik er voor je ben, als je met me wilt praten. Ik zal je niet veroordelen, ik zal het voor me houden.'

'Dank je, dat is lief van je.'

'Het is niet goed om alleen rond te blijven lopen met een groot geheim, daar gaat een mens aan kapot. Een mens moet delen, op wat voor manier dan ook. Dus, lieve schat, als je het niet met mij doet, prima, maar deel het dan met Valerie, of met een van je beste vrienden. Met Dennis of Mario, misschien.'

'Valerie?' zeg ik. 'Dat gaat niet lukken.'

'Waarom niet? Ze houdt toch van je? Dan wil ze je vast wel helpen.'

Ik weet niet wat de druppel precies is, maar Nina weet de juiste snaar te raken. Ineens doet ze het, ze legt de zenuw van mijn probleem bloot en dat doet verschrikkelijk veel zeer. Ik weet dat het niet anders kan, ik weet dat ik haar nodig heb. Ik weet dat de zenuw zonder haar misschien wel zal knappen, of zal sterven – met mij erbij.

Ik begin te janken. Ik kruip ineen op de vloer en lijk bezeten door het verdriet. Ik wieg heen en weer op mijn ademhaling, schokkend, haperend. Nina komt naast me zitten op haar knieen en pakt me vast, aait me over mijn rug, veegt wanneer ze kan de tranen weg en zwijgt, ze laat me huilen. Ze laat het gaan. Ze zegt niet dat ik rustig moet worden, ze zegt niet dat het goed zal komen, ze zegt niets.

Ik weet niet hoeveel tijd er verstrijkt, maar wanneer ik enigszins kalmeer, voel ik een ongeremde drang om mijn innerlijke stem, de stem die ik bevecht als mijn grootste vijand, om die stem te laten klinken. Ik wil het eruit hebben, ik wil het delen, zoals Nina zegt. En dat wil ik met haar. Als iemand het zal begrijpen, dan is zij het.

'Ik ben geboren in een verkeerd lichaam,' zeg ik ineens. 'Ik ben opgegroeid als man, maar ik voel me mijn hele leven al meer vrouw. Ik dacht dat ik het aankon, ik dacht dat ik het zou volhouden, maar het gaat niet meer. Het gaat niet langer.' Ik haal diep adem en vertel mijn verhaal, vanaf mijn jeugd tot aan die avond. Ik vertel over de pesterijen, de blauwe plekken, ik vertel over de verkleedpartijen, over mijn vriend Dave, over Maria, mijn vader en over Valerie. Ik vertel het allemaal.

Aan het begin van de avond zit ik als een uitgeknepen tube tandpasta naast Valerie in de trein. Achter het raam zie ik de schemer vallen over de Hollandse ansichtkaart die aan ons voorbijtrekt. Valerie leunt op mijn schouder en zegt: 'Leuk hè, dat we ze gaan vertellen over de baby?' Ik zeg van ja, maar voel niks. Ik sluit mijn ogen en laat me grijpen door de slaap.

20

Ineens lijkt het alsof de maanden voorbijvliegen. We zijn verhuisd naar een echt huis in stadsdeel Watergraafsmeer. Ik moet daar erg wennen en ben om die reden veel in de stad met Dennis en Mario, of met Nina. Valerie blijft steeds vaker alleen thuis, een verschijnsel dat nesteldrang schijnt te heten.

Ik heb geen last van nesteldrang en probeer de gevoelens die ik koester bij mijn aankomende vaderschap als het even mogelijk is te blokkeren. Ik stop ze weg op een veilige plek, diep vanbinnen, bij de rest waar ik niet aan wil denken. Functioneren gaat over het algemeen prima op die manier, als ik me maar aan de regels houd. Die regels zijn: genoeg slaap en geen drugs. Zodra ik drugs gebruik, wat niet ongebruikelijk is in mijn sociale kring, gaat de pot met gevoelens open en dan verandert mijn emotionele toestand in een smerig hoopje ellende, in een zwarte pudding van vergeten tranen.

En ik hou niet van pudding.

Alleen bij Nina durf ik mezelf te tonen, alleen met haar voer ik gesprekken over mijn vrouwelijke gevoelens, over Julia, over de haat ten aanzien van mijn mannelijke eigenschappen, en met name over de afschuw voor mijn mannelijke geslacht.

Over mijn vergeefse pogingen een normaal leven te leiden.

Nina heeft zich verdiept in mijn probleem en vertelt me dat ze denkt dat ik genderdysforisch ben, dat ze denkt dat ik een geslachtsidentiteitsstoornis heb. Ik heb nog nooit van die termen gehoord, maar luister naar haar verhaal. Ze zegt dat ze graag zou willen dat ik een gesprek voer met een bevriende psychologe. Als die psychologe het eens is met haar huis-tuin-en-keuken-diagnose, kan zij me eventueel doorverwijzen naar een gespecialiseerde afdeling van een van de twee ziekenhuizen die zich hier in Nederland mee bezighouden. En dat moet me redden, denkt ze, ze denkt dat het mijn leven zal redden als ik daaraan zal meewerken.

Ik heb leren leven met de machteloosheid. En met de wetenschap dat er op een zwak moment ook een eind kan komen aan wat ik van mijn leven heb gemaakt. Het is niet ondenkbaar dat ik, op een bepaald instabiel moment, wanneer ik de pot gevoelens niet goed heb dichtgedraaid, toch zal neigen naar een veilige uitstap, een vlucht uit het leven. Op die momenten overtuig ik mezelf ervan dat als ik niet kan niet leven zoals ik wil, het leven helemaal geen zin heeft. Ik leef voor anderen, ik leef voor Valerie, voor het kindje dat we verwachten. Ik leef voor mijn moeder, voor mijn zussen. Voor mijn werk. Maar ik leef niet voor mezelf. En ik realiseer me steeds vaker dat ik dat mijn leven lang nog niet gedaan heb. Altijd heb ik in dienst gestaan van anderen. Ik heb weliswaar mijn eigen keuzes gemaakt, maar het zijn wel keuzes die rijmen met het verwachtingspatroon dat de maatschappij me als man oplegt.

Op een stille middag op de redactie krijg ik een mail van Nina.

Van: Nina.Broekhuizen@redactieman.nl
Onderwerp: Surprise...
Datum: 12 mei 2011, 15.23
Aan: Julius.Caspers@redactieman.nl
Ik heb een hééééél goed idee. Wil je het weten? x

Van: Julius.Caspers@redactieman.nl
Onderwerp: re: Surprise...
Datum: 12 mei 2011, 15.24
Aan: Nina.Broekhuizen@redactieman.nl
Ja! Ik adoreer jouw goede ideeën.

Van: Nina.Broekhuizen@redactieman.nl
Onderwerp: re: re: Surprise...
Datum: 12 mei 2011, 15.29
Aan: Julius.Caspers@redactieman.nl
Ik ga een weekend weg, naar Parijs! Weet je wie ik meeneem?

Van: Julius.Caspers@redactieman.nl
Onderwerp: re: re: re: Surprise...
Datum: 12 mei 2011, 15.52
Aan: Nina.Broekhuizen@redactieman.nl
Sorry, Bart stond even aan mijn bureau te lummelen. Nou?? Wie neem je mee??

Van: Nina.Broekhuizen@redactieman.nl
Onderwerp: re: re: re: re: Surprise...
Datum: 12 mei 2011, 15.54
Aan: Julius.Caspers@redactieman.nl
Julia.

Ik heb overwogen om Valerie met een smoesje in Amsterdam achter te laten, maar ik kies voor eerlijkheid. Ik ga het gesprek met haar aan, misschien tegen beter weten in, misschien in de hoop op haar zegen.

De avond nadat Nina geboekt heeft, ga ik bij Valerie in bed liggen en wrijf ik over haar dikke buik, de bobbel van verwachting die ons leven overhoop zal gooien. Als ik ernaar kijk, voel ik angst, maar ook liefde. Het kindje dat in haar buik zit, is een deel van mij.

'Lieve schat,' zeg ik, 'ik moet je wat vertellen.'

'Hmm...' Ze kijkt niet op van het boek dat ze leest.

'Ik ga volgend weekend naar Parijs met Nina.'

Het boek zakt langzaam op haar borst. 'O...' zegt ze, 'en dat vertel je gewoon zomaar?'

'Wat bedoel je?'

'Nou, je kunt dat ook overleggen, toch?' Ze zucht overdreven. 'Maar het geeft niet, ik vind het prima. Ze is echt lesbisch, toch? Niet bi of zo? Anders vertrouw ik het niet.'

Ik erger me aan haar kortzichtigheid, hoewel ik haar ook begrijp. 'Nee,' zeg ik rustig, 'ze is niet bi.'

Ik denk aan de kus tijdens het personeelsuitje. Het kriebelt in mijn buik, terwijl ik niet wil dat het kriebelt. De kriebel is verwarrend en doet er niet toe, vind ik. Het weekend Parijs gaat om mijn ontdekking, om de zoektocht naar mezelf, om het openstellen voor die innerlijke stem die me 's nachts wakker houdt en die ik inmiddels niet meer kan negeren.

'Maar ik ga niet als Julius naar Parijs, lieve schat. Ik moet het een keer proberen van mezelf, ik wil weten hoe het is als ik met mijn kleren in de buitenwereld ben.'

'Je vrouwenkleren?'

Ik knik.

'Meen je dat nou?'

'Ja, ik meen het. Het is een idee van Nina, maar ik geloof er nu ook in.'

'Je hebt Nina verteld over...'

'Laat me nou even uitpraten. Ik ben het mezelf verplicht. Het gaat niet langer, ik moet er iets aan doen. Ik moet onderzoeken wat ik hiermee aan moet, ook voor jou, voor de baby...'

'Hou ons erbuiten, alsjeblieft. In hemelsnaam.'

'Valerie...'

'Ja, wat is dit voor onzin! Ik geef je verdomme alle ruimte voor die achterlijke verkleedpartijen, alleen maar omdat ik wil dat je gelukkig bent. Hoe denk je dat het voor mij is, dat ik weet dat mijn man zich in ons huis staat te verkleden? Dat hij een panty aantrekt en god weet wat nog meer. Hoe denk je dat dit voor mij is? En wat gebeurt er? Het is nog niet goed, het is nog niet genoeg.' Ze schudt wild met haar hand door haar haar. 'Je draait helemaal door. Ik begin er genoeg van te krijgen. Wanneer word je nou eindelijk eens normaal?'

Vuistslagen op mijn hart.

Ik kan het haar niet kwalijk nemen. Ze heeft gelijk, vanuit haar perspectief heeft ze helemaal gelijk. Ze heeft er alles wat in haar macht ligt aan gedaan om me te helpen. Mij de gelegenheid te bieden me te verkleden is de uiterste rek geweest in wat zij me kan geven. Dat is haar grens, en misschien is ze met dat gebaar al wel een beetje voorbijgegaan aan haar eigen grens. Misschien ligt het voor haar toch niet zo makkelijk als ze deed voorkomen. Misschien had ik het minder voor lief moeten nemen, had ik haar vaker moeten bedanken voor haar ruimhartigheid.

'Valerie,' zeg ik zo rustig mogelijk, 'ik denk dat we het er allebei over eens zullen zijn dat "normaal zijn" iets is wat ik nooit zal bereiken. Wat ik kan zeggen is dat ik van je hou, zielsveel, en dat ik je geen pijn wil doen, maar dat ik dit nodig heb. Ik ben het mezelf verplicht om wat met die gevoelens te doen. De gevoelens waarmee ik nu al bijna achtentwintig jaar worstel. Ik weet niet hoe het anders verder moet. En na Parijs ga ik hulp zoeken, dan ga ik praten met een professioneel iemand. Maar dat wil ik pas als ik heb ontdekt hoe het is om als Julia door het leven te gaan.'

'Julia...' Valerie schudt haar hoofd. 'Julia? Je hebt zelfs al een naam bedacht. Ik dacht dat het alleen bij die verkleedpartijen bleef, maar straks ga je me nog vertellen dat je je wilt laten ombouwen.'

'Zo ver is het nog lang niet, Valerie.'

'"Zo ver is het nog lang niet"?' Ze staat op uit bed. 'Dat wil zeggen dat het er wel aan zit te komen, Juul? Wat heeft dit allemaal te betekenen? Wanneer was je van plan me hier iets over te vertellen? Nina, ja lieve Nina die weet het zeker allemaal al? Denk ook eens aan mij, denk je weleens aan mij? Ik hou van je, hoor. Ik hou van je! Ik draag je kind, verdomme. En jij, jij bent alleen maar met jezelf bezig. Zo ken ik je niet, Juul. Zo ken ik je niet.'

Ze heeft gelijk. Ik ben nog nooit zo met mezelf bezig geweest als nu. Ze ziet alleen niet in dat dit mijn enige en laatste optie is. Dat ik dichter bij de wanhoop sta dan ooit.

'Zo bedoel ik het niet,' zeg ik. Ik doe een poging om rustig te blijven, maar verhef toch mijn stem. 'Ik weet het ook niet meer! Schat, wil je me levend of wil je me dood? Zeg het maar! Het is aan jou. Ik leg mijn lot in jouw handen.'

'Wat is dat nou weer voor een bespottelijke vraag?'

'Wil je me levend? Wil je dat ik blijf leven?'

'Doe even normaal! Natuurlijk wil ik dat. Ik wil jou, Julius, ik wil jou!'

'Maar met Julia wil je niets te maken hebben.'

'Ik kan dit niet, echt niet.' Valerie loopt weg en sluit zich op in de badkamer. De echo van haar gesnik blijft nog lang nagalmen in mijn kop, maar de stem in mij is inmiddels te luid geworden. Ik begin me af te vragen of dit het is, of dit het is wat mensen egoïsme noemen.

Als ik de volgende ochtend wakker word ligt ze naast me, met open ogen. Ze bekijkt me, ik weet niet hoe lang al. Ik veeg de slaap uit mijn ogen en ik kijk terug, zoek naar liefde in die dromerig mooie ogen, in het gezicht waar ik zo gek op ben.

'Je gaat het maar doen,' fluistert ze. 'Ik weet het anders ook niet.'

En daar gaan we dan. Naar Parijs. Nina en ik in haar blauwe eend. We rijden naar de stad waar mijn geliefde zusje naartoe is gevlucht en ik zal haar nu volgen, in een vlucht naar mezelf.

Ik zal haar verrassen met een bezoek, ik zal haar in vertrouwen nemen, ik zal haar mijn verhaal vertellen. Dit zijn de eerste stappen, zegt Nina, de eerste stappen naar verlossing. Ik vraag het me af, maar ik heb genoeg vertrouwen in haar oordeel om het een kans te geven. Haar ideeën geven mij bovendien vrij spel, ik hoef er zelf niet over na te denken, ik hoef zelf geen knopen door te hakken. Daar voel ik me comfortabel bij.

Zal mijn zus het begrijpen? Ze heeft geweten wat er was, zoveel is me duidelijk, maar zal ze begrijpen dat ik er nu ook wat mee wil doen? Dat ik op zoek wil gaan naar wat die stem vanbinnen me probeert te vertellen?

Ze is bij Laurent weg, Maria, en staat er alleen voor met haar dochtertje Cecile. Hij ging vreemd, geloof ik, bleek onbetrouwbaar. Over de telefoon vertelde ze me dat ze erover dacht om weer naar Nederland te gaan, dat het wel mooi geweest was. Ze dacht erover om ook in Amsterdam te gaan wonen, net als Valerie en ik. Het lijkt me fantastisch om mijn zus terug te hebben.

Ik ontwaak met de melodie van Parijs. Een accordeon speelt toeristen vlak onder ons hotelraam de euro's uit hun zakken. Hij doet goede zaken, zie ik wanneer ik het bloemetjesgordijn opzij schuif. Ik neem me voor hem straks ook wat toe te stoppen.

Pas morgen gaan we naar mijn zus, omdat ze vandaag met Cecile mee is op schoolreisje. Vandaag begint mijn experiment. Vandaag zal ik de wereld laten kennismaken met Julia.

Ik denk terug aan de reactie van Maria toen we haar gisteren belden om te vertellen dat we in de stad waren. Ze liep over van enthousiasme, bedacht gelijk al een serie plannen voor de komende dagen.

Ik sta voor mijn koffer vol kleding, zenuwachtig, maar ook opgetogen. Voor Parijs heb ik nog flink geshopt, dus ik heb veel te kiezen. Fleurige lentejurkjes, maar ook wat broeken die strak aansluiten en leuk staan met een mooie blouse en hoge hakken.

Nina komt de douche uit gelopen en lacht me toe.

'Spannend, hè?' zegt ze. 'We gaan er een topdag van maken! Je gaat het fantastisch vinden.'

'Ik weet niet wat ik moet aantrekken.'

'Je klinkt nu al als een vrouw. Lekker bezig!'

Nina draagt zelf meestal nog de slobberjurken die ze droeg toen ik haar leerde kennen. Het is mijn smaak niet en dat zeg ik haar weleens. 'Je hebt zo'n mooi figuur,' zeg ik dan. 'Dat mag je best wat meer laten zien.' Ze trekt dan haar neus op en zegt: 'Zodat al die mannen naar mijn billen kunnen kijken, zeker?'

Ze heeft mooie billen, Nina. Ik zie dat door de slobberjurken heen, maar nu ze door de hotelkamer loopt met alleen haar slip aan zie ik het ongecensureerd. Ik herinner me nog goed hoe lelijk ik haar vond toen ik haar voor het eerst zag, hoe weerzinwekkend ik haar vond, met dat haar, die bril, haar arrogante uitstraling. En nu, het enige wat ik nu nog zie is een mooie vrouw met prachtige billen, bescheiden borsten en iets te kort haar.

'Je hebt mooie billen.'

Ze slaakt een gil van enthousiasme en begint te schateren. 'Dank je, dank je.' Even staat ze te paraderen met haar achterwerk, bekijkt het zelf vleeskeurend in de spiegel en trekt dan een broek aan.

Dat laatste doe ik ook. Een broek met een blouse van satijn. Het is een enigszins veilige keuze, maar ik voel me prettig bij veilig vandaag, de allereerste dag.

Buiten. De deur sluit achter ons. Ik loop, met haperende pas. Iedereen zal naar me kijken, ik voel het, ik weet het. Mijn gezichtshuid is gladgeschoren, ik draag een beetje make-up, subtiel, niet te overdreven. Mijn jukbeenderen zijn bedekt met wat rouge, mijn halflange rossige haar heb ik steil geföhnd. De kleding zit lekker, niet te strak en niet te los.

Ik voel me vrouwelijker dan ooit.

Ik zoek blikken van voorbijgangers, luister naar wat mensen zeggen. Ik bereid me voor op lelijke woorden. Ik werp mijn harnas vast op.

Ondertussen beweeg ik verder, ik loop achter Nina aan. Het voelt echt, nu ik buiten ben, nu ik niet meer verborgen achter gesloten gordijnen in mijn eigen huis zit. Ik denk aan de verkleedpartijen in de hotelkamer van Tineke, ik was bang dat er iemand binnen zou komen, maar droomde er ook van om achteloos de deur uit te stappen en de straat op te gaan. Ik heb gedroomd van dit moment. Ik keek uit naar de dag dat het normaal zou zijn om met de kleren waarin ik me prettig voel buiten rond te lopen, om ermee onder de mensen te zijn.

Ik sta even stil en kijk om me heen, rustig, zoals elke toerist zich oriënteert. Alleen kijk ik niet naar de gebouwen, maar naar de mensen, naar de slenterende oude man, de blozende Engelsman met het fototoestel op de borst, naar de haastige jongedame met de laptoptas. Kinderen van allerlei soorten. Ik peil de reacties. En ineens zie ik het, valt het me op, mensen kijken helemaal niet naar mij, of in elk geval, niet langer dan normaal. Mijn eerste stappen zijn zo wankel als die van een kind dat leert lopen. Ik wil me vasthouden aan Nina, maar zij loopt een stuk voor me, zodat ik het toch alleen moet doen. De hakken zijn het probleem niet, daar heb ik vaak genoeg mee geoefend, het is mijn zelfverzekerdheid die van twijfelachtig niveau is.

Vinden mensen me gek? Zien ze me als een man in vrouwenkledij? Lachen ze om me achter mijn rug? Ik kijk om, betrap niemand.

Ik zet mijn zonnebril op, schuil achter de donkere glazen, observeer wat ik teweegbreng. En dat is bar weinig.

Het is een dag waarop de frisse lente het stokje heeft doorgegeven aan de zomer. De zon doet haar best en omarmt de nieuwe ik met warme stralen.

Ik voel mijn houding veranderen, mijn spieren ontspannen. Mijn rug rechter, mijn nek langer. Ik begin langzaam te stralen, net als de zon.

En ik denk dat het goed is.

21

Maria is in huilen uitgebarsten. 'Ik wist het,' zegt ze. 'Ik wist het. Ik wist het al die tijd, lieve Julius.' Geschrokken schudt ze haar hoofd. 'Julia, zal ik je zo gaan noemen nu, wil je dat? Julia.'

Er glijdt een last van mijn schouders, ik voel me lichter. Maria reageert zoals ik had gehoopt, maar niet had durven verwachten.

'Blijf me maar Juul noemen, zoals altijd, dat is wel zo makkelijk.'

'Maar,' vraagt ze, 'wat nu? Wat ga je nu doen?'

'Ik weet het niet, Maria. Ik weet alleen dat ik hulp nodig heb, dat ik die moet gaan zoeken.'

Ik kijk Nina aan. Die zegt: 'Een vriendin van mij is psychologe en zij is bekend met wat Juul heeft, of in elk geval, met wat ik denk dat het is. Zij heeft aangeboden om met hem in gesprek te gaan en hem eventueel door te verwijzen naar een genderpoli, dat is een ziekenhuisafdeling waar ze gespecialiseerd zijn in mensen zoals Juul.'

Maria kamt het haar van Cecile, die het gesprek met grote ogen probeert te volgen. Het meisje spreekt uitmuntend Nederlands, met een schattig Frans accent. Maria heeft goed werk afgeleverd.

'Wat fijn dat je zo'n lieve vriendin hebt,' zegt Maria. 'Nina, wat ontzettend lief van je dat je dit doet.' Ze kijkt mij aan: 'Wat vindt Valerie ervan? Ze is inmiddels natuurlijk hoogzwanger. Het zal moeilijk zijn.'

'Ze heeft het er heel erg moeilijk mee, helemaal nu. Ik kan haar geen ongelijk geven natuurlijk. Juist nu kies ik uit om aan mezelf te gaan werken, om hulp te zoeken. Maar ik vertel het je eerlijk, ik moet wel. Anders...' Ik houd even mijn mond. 'Ik weet niet hoe lang ik het nog volhoud.'

'Mama heeft het me verteld van toen,' zegt Maria dan. Ze kijkt even naar Cecile. 'Van je zelfmoordpoging. Ik durfde er nooit over te beginnen. Ik voelde me schuldig.'

'Waarover?'

'Ik ben weggegaan, op een van de moeilijkste momenten voor ons gezin, ook voor jou. Ik wist dat je ergens mee worstelde, volgens mij was ik de enige die dat zag, en toch heb ik je achtergelaten. Mijn kleine broertje...'

'Ach,' mompel ik, 'het geeft niet. Je moest je eigen leven leiden.'

Maria zucht. 'En toen ging je trouwen, naar Amsterdam. Ik dacht dat je het zou redden, dat je eroverheen was gegroeid. Naief, misschien, maar ik zag je ook niet zo vaak meer, natuurlijk.'

'Rustig, maar,' ik leg mijn hand op haar schouder. 'Alsjeblieft, voel je nou niet schuldig. Dat is nergens voor nodig. Ik moest dit zelf doen. En gelukkig had ik Nina.'

Die schenk ik een flauwe glimlach, bij wijze van dank.

Maria springt op van haar stoel en roept: 'Gaan we uit vanavond? Gaan we dansen? Drie,' ze maakt aanhalingstekens in de lucht, 'meiden op stap? Ik regel een oppas. Een vriendin van me, Beatrice, zij wil vast wel oppassen. Ik weet een leuke tent waar we de heupen heerlijk los kunnen schudden.'

Ik lach, maar twijfel. Nina staat ook op en klapt in haar handen. '*Oui! Oui!* Zeker weten,' zegt ze. 'Gaan we doen! Toch, Juul?'

Ik rol met mijn ogen. 'Denken jullie niet dat we dan iets te hard van stapel lopen? Misschien moet ik eerst eens gewoon een supermarkt in, of zo.'

'Onzin,' roepen ze resoluut en ik heb naar ze te luisteren. Ze beginnen al te dansen op de muziek van hun gedachten, op het ritme van de verwachting van een spectaculaire avond. Ik moet wel mee, ik heb geen keuze. En stiekem wil ik niets liever dan dat.

De eerste avond uit als Julia. Ik voel me puberaal nerveus, zo nerveus als de keer dat ik Valerie ophaalde voor ons eerste afspraakje. Toch durf ik geen moment aan mijn zwangere vrouw te denken. Ik ben bang dat het me zal belemmeren, dat ik mijn liefde voor haar zwaarder zal laten wegen dan het verlangen mezelf te ontdekken. En ik zou het doen, ik ben ertoe in staat om voor haar te kiezen in plaats van voor mezelf, maar ik weet ook dat dat zelfmoord zal betekenen.

De diskjockey trakteert ons op de smakelijkste hits uit de jaren tachtig. Ik heb mijn hakken weer aangetrokken en dans op 'Sweet Dreams' van Eurythmics, ik gooi mijn bescheiden heupen in de strijd op 'Never Too Much' van Luther Vandross en zing uit volle borst mee met 'Girls Just Wanna Have Fun' van Cyndi Lauper. Ik voel me vrij, ik beweeg naar hartenlust, ik durf om me heen te kijken en voel me zoals ik me alleen in mijn fantasie kan voelen.

Ik lach naar een mooie vrouw op de dansvloer. We blijven elkaar aankijken terwijl we dansen, ik volg haar bewegingen, zij die van mij. Haar blik spreekt niet van een oordeel, maar van plezier. Ingewikkelde gedachten worden overstemd door het dreunen van de muziek, negatieve gevoelens verdreven door de warmte van de groep mensen die samen zijn gekomen om een leuke avond te hebben. Nina omarmt me, klam van opwinding, wild van euforie. Samen heupwiegen we naar de bar om nog een cocktail te bestellen. Maria laat zich aan de rand van de dansvloer de hemel in prijzen door een knappe Fransman. Ik kijk lachend naar het bijna dierlijke tafereel waarin testosteron en oestrogeen een paringsdans maken. Het doet me denken aan de onrust die in mijn binnenste rondcirkelt. Die gedachte spoel ik weg door de cocktail die Nina me aangeeft in één keer achterover te gieten. Zij volgt mijn voorbeeld en we dansen weer, alsof ons leven ervan afhangt.

Vanavond introduceer ik mezelf aan de wereld, de persoon die altijd in mij zat, maar al die tijd verborgen is geweest. En het is, wat mij betreft, een aangename kennismaking.

De volgende dag vraag ik Nina of ze het goedvindt als ik een tijdje alleen rond ga lopen.

'Ideaal,' zegt ze, 'ik heb zo veel pijn aan mijn benen van al dat gedans. Ik heb zin om de hele dag met koffie en een boek op een terras te zitten. Ik zie je wel weer verschijnen, schat.'

En daar ga ik, als Columbus op zijn eerste reis, op zoek naar ontdekkingen over mezelf, nog onwetend over wat komen gaat, maar wel vol verwachting. Ik heb een rokje gekozen vandaag, mijn benen netjes geschoren. Ik struin door Le Marais, een van de leukste wijken van Parijs, bekijk mezelf kritisch in winkelruiten en wissel vriendelijke blikken uit met verkoopsters van tweedehands zaakjes waar ik een stap binnen waag. Ze zijn stuk voor stuk zo vriendelijk om hun verbazing niet te laten merken, hoewel het contrast met mijn harde mannelijke lijnen en hun frêle verschijning gigantisch moet zijn.

Ik loop langs de Seine, ga een trappetje af en bungel met mijn voeten over de rand, terwijl ik mijn gedachten over het water laat kabbelen. De benen netjes bij elkaar, zoals dat hoort. Ik strijk door mijn haar, zo vanzelfsprekend als elke andere vrouw dat doet, maar toch kijk ik vlug over mijn schouder, om te zien of het iemand opvalt. Ik balanceer tussen het vreemde eendje, de rol waarin ik me vertrouwd voel, en het beeld van de volwaardige, normale vrouw uit mijn fantasie, dat ik graag wil uitstralen. Het ene moment duik ik gespannen in elkaar, het andere moment durf ik rechtop te lopen, te schitteren.

Mijn wandeling voert me naar het île Saint Louis, waar ik verrukkelijk ijs op mijn tong laat smelten, alsof het de eerste keer is. Ik slenter naar de Notre-Dame en laat me fotograferen door Aziatisch ogende toeristen die lachend naar me wijzen. Het duurt even voordat ik begrijp dat ze om de kleur van mijn haar lachen, in plaats van mijn make-up, of mijn ingeklemde oorbellen.

Uren later plof ik neer op een bankje op de place des Vosges en bewonder al die mooie mensen om me heen, die hun leven leiden alsof er niks aan de hand is. Alsof ik hier niet mijn solodebuut als Julia beleef. Ik word genegeerd, of even kort aangekeken en dan alsnog buiten beschouwing gelaten. En ik vind het heerlijk, ik geniet met volle teugen van het gebrek aan aandacht. Dit is waar ik altijd naar snakte, opgaan in de massa, als vrouw, zoals ik dat al die andere vrouwen moeiteloos zag doen.

Een klein meisje komt naar me toe en opent een staarcompetitie. Ik zwaai naar haar en na een korte inschattingsperiode – ik blijk goed volk – zwaait het meisje terug. Ze lacht zelfs en huppelt terug naar haar moeder.

Ik denk aan mijn eigen kind, mijn ongeboren kind, aan mezelf als vader. Voor eens laat ik de gedachten toe. Hoe zal dat gaan? Hoe zal dit verder moeten? Allemaal leuk en aardig, een weekendje weg als Julia, maar wat gebeurt er met me als ik me weer in het gewone leven moet redden? Morgen ben ik weer thuis, overmorgen moet ik naar mijn werk. Dan doe ik mijn mannenshirt weer aan, mijn spijkerbroek, de gympen die mijn voeten nog groter maken dan ze al zijn. En dan, wat moet ik dan? Ik wil er niet aan denken hoe onprettig ik me zal voelen.

Er gaat een rilling over mijn armen. Het briesje dat opsteekt omsingelt me met gedachten aan haar, aan Valerie. Ik mis haar. Ik wil dit alles zo graag met haar delen, het gevoel van euforie dat ik dit weekend beleef, de vrijheid die ik voel, de opleving die ik doormaak.

Wat zal ze ervan vinden als ze me nu zag zitten? Als ze nu naast me op het bankje kwam zitten? Zou ze erom moeten lachen? Zou ze het belang ervan begrijpen? Zou ze nog steeds van me houden als ik verder door het leven ging als Julia?

Ik graai in mijn elegante handtas naar mijn mobiele telefoon en bel haar.

'Hoe gaat het met je?' vraag ik.

'Wel goed,' antwoordt ze, zachtjes, zonder duidelijke intonatie.

'En met die kleine?'

'Ook. Af en toe is hij een druktemaker, dan moet ik echt even gaan liggen, maar verder gaat alles prima.'

'Fijn.'

'Met jou? Hoe is Parijs?'

'Valerie, lieverd, ik zou dit zo graag met je willen delen.'

'Is het fijn?'

'Ik kan het haast niet uitleggen. Ik,' een opborrelende brok emotie slik ik weg. Ik wil haar zo graag uitleggen hoe ik me voel, maar ken er de woorden niet voor. 'Het is fantastisch. Ik heb me nog nooit zo gelukkig gevoeld.'

'Jeetje,' ze is even stil, 'je zegt nogal wat. En met Nina, hoe gaat dat?'

'Zij is lief, net als Maria. We zijn gisteren met z'n drieën op stap geweest. We hebben gedanst.'

'In je vrouwenkleren?'

'Ja, Valerie, daar gaat dit weekend toch om? Ik ben hier als Julia...'

'Het was maar een vraag.'

'Sorry,' zeg ik. 'Sorry, dat weet ik ook wel.'

Ik hoor dat ze huilt.

'Ik mis je,' fluistert ze.

'Ik jou ook, schat.'

'Nee,' zegt ze. 'Ik mis Julius, ik mis mijn man.'

De verbinding wordt verbroken en hoewel ik me ervan probeer te overtuigen dat het bereik misschien slecht is, weet ik dat Valerie de telefoon bewust heeft uitgedrukt.

Ik zie mezelf zitten, op de zonnige place des Vosges, met al die vrolijke mensen, en ik denk dat de weg die ik ben ingeslagen misschien weleens een juiste zal kunnen zijn voor mij, maar zeker niet voor Valerie. Zeker niet voor ons huwelijk.

Ook niet voor onze liefde.

22

Ik voel haar blik op me gericht, ook al zijn mijn ogen gesloten. Haar hand in die van mij, haar adem in mijn nek. We zijn samen, we zijn één.

Ze fluistert in mijn oor, veegt met haar vrije hand een verdwaalde traan uit mijn ooghoek.

'Het komt allemaal goed,' zegt ze. 'Alles. Echt alles komt goed.'

'Denk je dat?' vraag ik.

Ik voel haar lippen tegen mijn wang. Een kus van troost. 'Ik weet het zeker.'

Dan zwijgen we weer een tijdje, Steffie en ik. We zwijgen samen terwijl we denken aan mijn avontuur in Parijs. Aan het alleszeggende telefoongesprek met Valerie. Na dat gesprek denderde onze liefde in sneltreinvaart van een rots af, zo de oceaan in. Niet meer te redden. Ze zou worden opgeslokt door wilde, alles verzwelgende golven. De golven van het leven.

Op een regenachtige zomerdag wordt ons zoontje Beer geboren. Hij krijst bij zijn geboorte, zo hard dat het lijkt alsof hij het leed van de wereld op zijn schoudertjes voelt rusten. Ik voel hoe mijn hart zich vult met vloeibaar geluk, dat een overstroming veroorzaakt die me overvalt. Er schiet van alles door me heen, ik voel alle vormen van liefde die er te voelen zijn. Ik ben niet alleen meer een zoon of een echtgenoot. Ik ben nu ook vader, van een kind, een heus echt kind.

Terwijl verpleegsters voor Valerie zorgen, haar opfrissen en toonbaar maken, mag ik Beer voor het eerst in mijn armen houden. Ik zie dat hij zoet naar me opkijkt, dat hij zich onvoorwaardelijk aan me overlevert. Hij vertrouwt me en dat vertrouwen krijg ik voor niks, het is een cadeau van de natuur. De onschuld van het kleine wezentje ontroert me. Nu zal het beginnen, vanaf nu zal hij nog zoveel moeten leren, nog zo veel lessen, mooi en hard, te verwerken krijgen. Het is maar goed dat hij dat nog niet weet.

Valeries vermoeidheid straalt van haar gezicht. Haar ogen zoeken naar haar kind en ik zie dat het haar geruststelt als ze ziet dat ik Beer in mijn armen houd. Zodra ze klaarligt, leg ik hem op haar borst en ga zelf op de stoel naast het bed zitten. Ik leg mijn hoofd tegen dat van haar en zeg: 'Dit is je zoon, lieverd.'

Ze verbetert me: 'Onze zoon, Juul. Onze zoon.'

Het lijkt of er niets speelt, alsof alles normaal is. Alsof we sinds ik terug ben uit Parijs niet haast geen woord met elkaar gewisseld hebben. Het lijkt alsof ze geen energie meer heeft voor onze ruzie, voor ons conflict. Allebei hebben we een strijd gevoerd, geleund op ons eigen gelijk, maar nu het zover is dat ons kind geboren is, begraven we de strijdbijl. We zijn, al was het maar voor even, een gezinnetje zoals je die in Amerikaanse films ziet. Vader, moeder, kind, precies zoals God het ooit bedoeld heeft.

De billendoekjes zijn op. Ik had Valerie gevraagd nieuwe te kopen. Ze is het vergeten, vrees ik.

De eerste dagen van blije verwondering zijn zonder pardon overgegaan in weken van sleur. Valerie kwakkelt met lichamelijk ongemak. Ik met een gebrek aan rust.

'Valerie!' roep ik. 'Wil je me even helpen?'

Ik krijg geen reactie, terwijl ik haar wel hoor kuchen. Als ik haar kan horen, hoort ze mij ook. 'Valerie,' zeg ik, 'de billendoekjes zijn op. Kun je even een washandje komen brengen? Ik kan Beer hier niet achterlaten.'

'Alle washandjes zitten in de was.'

'Iets anders dan? Kom op, Beer moet toch verschoond worden.'

'Ik zie niet in waarom ik je nu moet helpen. Jij verschoont hem toch? Zo hebben we het afgesproken.'

'Valerie, alsjeblieft.'

'Nee,' zegt ze. 'Ik zit net, ik heb last van mijn rug. Als je eens wist hoe ik me voel, dan zou je het niet eens aan me vragen.'

'Verdomme,' roep ik. 'Wat ben je vervelend.'

Ik til mijn zoon op, houd hem vast onder zijn natte blote billetjes en loop met hem naar de badkamer. Een washandje over de badrand. Ik pak het ding en spoel het uit met lauw water. Dan loop ik terug naar de commode en was zijn billen.

Ik kijk naar hem, hij naar mij. We houden van elkaar, zonder dat we daar woorden over kunnen wisselen. Het is een geheim pact. Hij huilt niet, hij ondergaat zijn turbulente verschoonbeurt zonder een kik te geven. Dat maakt me trots, omdat ik mezelf erin herken. Ik onderga ook altijd alles. In stilte.

Ik buk voorover en blaas op zijn buikje.

Terwijl hij knettert van de lach, hul ik hem in zijn pakje. Ik kietel hem. Ik knuffel hem. En dan lopen we samen naar de slaapkamer, waar Valerie met een tijdschrift in een stoel zit.

'Hoe gaat het met je?' vraag ik. 'Heb je veel last?'

Ze knikt.

'Kan ik iets voor je doen?'

'Nee.'

Ik loop met Beer naar haar toe en zet hem op haar schoot.

'Ik ga even wat boodschappen halen. Let jij ondertussen even op onze kleine man?'

Haar gezicht schiet in een kramp. Kreukels van ongenoegen.

'Kom op, Juul. Neem hem even mee. Ik heb je toch gezegd, ik

heb last van mijn rug. Ik trek het even niet met hem.'

Valerie trekt het al dagen niet. De wanhoop spat mijn poriën uit. De vloer is bedekt met eieren, waarover ik amper durf te lopen.

'Waarom ga je niet naar de dokter?'

'Wat moet ik daar nou?'

'Praten, misschien.'

'Praten? Waarover?'

'Over hoe je je voelt.'

'Ik voel me prima. Alleen die rug, die...'

'Nee, Valerie, je voelt je niet prima. Je bent ongelukkig. Ik weet niet meer wat ik voor je kan doen. Je praat niet met me.'

Ze smijt het tijdschrift naast zich neer. 'Hou er nou eens over op. Mag een mens zich niet even een dagje wat minder voelen? Ik zeg het je, ik heb last van mijn rug. Laat me nu met rust. Hop,' zegt ze, 'haal dat kind bij me weg.'

'"Dat kind"?' Beer begint te huilen als ik hem van haar schoot haal. '"Dat kind", Valerie?'

'"Dat kind", ja. Ik kan het niet meer aan, dat gezeik aan mijn kop. Rotten jullie alsjeblieft even op.'

Na Parijs hebben we nauwelijks meer gepraat. Zelfs dagelijkse gesprekken, over boodschappen, over bezoek van familie of vrienden verlopen met de pijnlijkste vormen van ruis. We spreken een andere taal. Valerie slikt haar onbehagen over mijn trip naar Parijs almaar in, en heeft daar inmiddels een goede haarbal van gemaakt. Ik wil juist dat ze vertelt wat ze voelt. Ik wil samen praten over wat we voelen. Ik wil onze relatie bespreekbaar maken. Ik wil onze liefde bespreekbaar maken. Maar hoe langer het duurt, hoe minder ik nog in die liefde geloof. Ik loop tegen een muur van onwil op. Valerie wil niet meer dat er liefde is tussen ons. Ze moet me niet meer. En Beer, het product van onze liefde, duwt ze met me mee.

Het lijkt wel of haar liefde voor mij een stille dood sterft. In plaats van dat ze me haat om wie ik ben, of boos op me wordt, verdwijnt elke vorm van emotie. Ze wordt onverschillig. En er is niets wat ik ertegen kan beginnen.

Als ik Beer voortduw in de supermarkt voel ik mijn zak trillen. Nina belt me. Ik druk het gesprek weg en verzamel een paar pakken billendoekjes, wat groenten en pasta voor het avondeten.

Ik pendel al dagen tussen de redactie en thuis, neem geen moment voor mezelf. De stem schreeuwt als een hongerige leeuw, maar de natuur dwingt me om hem te negeren. Er is iemand, een heel klein iemand, die op me rekent. Ik moet doorleven zoals ik nu leef, ik moet er voor hem zijn.

Nina belt nog een keer. Ik neem op.

'Waarom druk je me weg?'

'Ik ben in de supermarkt. Met Beer.'

'Hoe gaat het? Wanneer ben je op de redactie?'

'Ik hoop dat ik morgen even kan komen,' zeg ik. 'Maar misschien werk ik wel vanaf thuis.'

'Het gaat niet goed, hè, Juul. Hebben jullie al gesproken?'

'Nee.'

'Dit kan zo niet langer, dat snap je zelf toch ook wel? Hoe leven jullie samen? Hoe doe je dat?'

'We doen het gewoon. Ik ga ophangen, ik moet afrekenen.'

'Wacht even, Juul,' zegt ze nog, maar ik druk haar weg.

Soms heb ik geen zin in de waarheid, hoe waar die ook mag zijn. Soms heeft de realiteit voorrang op de waarheid, zo is het leven nu eenmaal. En ik wil me aan de regels houden.

De verantwoordelijkheid die ik voel voor mijn zoontje komt hand in hand met onzekerheid. De vader die Beer nu verlangt kan ik voor hem zijn. Ik kan zijn flesje geven, zijn luier verschonen, ik kan hem in slaap wiegen en een liedje voor hem neuriën. Maar met angst kijk ik naar de toekomst. Nu al is Beer bezig met de ontwikkeling van zijn eigen identiteit, met zijn karakter, met wie hij is. Hij wordt een persoonlijkheid, een heuse persoonlijkheid.

Hoe kan ik ooit een voorbeeld zijn voor hem? Het is een vraag die me blijft kwellen. Ik ben mijn leven lang gevlucht voor mijn eigen identiteit, ik heb mijn ware persoonlijkheid mijn hele leven verborgen gehouden. En juist toen ik mezelf langzaam leerde kennen, toen ik wist hoe het voelde om echt mezelf te zijn, stopte ik dat weer weg.

Een gewone maandag, eind van de middag, de miezerregen belooft geen aangename nazomer. Ik pak mijn spullen, wissel een blik met Nina, die me duidelijk probeert te peilen, en loop het pand uit. Nina belt me, maar ik druk het gesprek weg. Ze belt me nog eens, ik druk haar nog eens weg.

Ik fiets van de redactie naar station Overveen en bel Valerie.

'Je had hier allang moeten zijn, eikel,' zegt ze als ze opneemt.

'Ik ben al onderweg, maak je geen zorgen.'

Ze zucht overdreven. 'Julius, waarom moet je mijn leven toch zo moeilijk maken?' zegt ze dan.

Voordat ik de kans krijg om een antwoord op die vraag te formuleren, beëindigt ze het gesprek. In het antwoord is ze klaarblijkelijk niet geïnteresseerd.

Ik stop de telefoon terug in mijn jaszak en laat het ongeluk over me heen komen. Een donker gevoel trekt door mijn aderen. Ik kan haar niet meer gelukkig maken.

Ik kom aan bij het station, zet mijn fiets op slot en loop het perron op. Nog tien minuten wachten. Zoals gewoonlijk is het niet druk op het station, maar in plaats van een sigaretje te roken bij de rookpaal loop ik dit keer rechtdoor, naar het eind van het lange perron.

Misschien, denk ik, misschien heeft ze wel gelijk. Ik maak haar leven moeilijk, ik maak haar leven kapot. Misschien is dit dan het moment waarop het moet stoppen. Het zal haar opluchten, ze zal weer opbloeien zonder mij, de wereld zal beter af zijn zonder probleemjunkie Juul. Beer zal een moeder hebben die gelukkig is, die geen zorgen aan haar hoofd heeft. Beer zal een moeder hebben die weer ruimte in haar hart heeft om van hem te houden, misschien wel net zoveel als ze van hem hield toen hij nog diep in haar buik mocht schuilen. Zonder mij, weet ik, zal Beer een gelukkiger kind zijn.

Gedachten schieten door mijn hoofd. Zal ik het durven? Zal ik het lef hebben? De andere kant lokt, ik wil verlost zijn van alles, van alle keuzes die ik moet maken, de gevoelens die ik elke dag moet onderdrukken. De druk in mijn binnenste wordt te hoog, mijn hart is kapot. Het gat te groot om nog te dichten. Er rest me niets anders dan het leeg te laten lopen, ik ben bereid alles eruit te laten vloeien. Ik hoop op een betere kans in een volgend leven.

De minuten kruipen voorbij, terwijl ik op mijn hurken ga zitten. Op het punt waar ik zit heeft de trein nog behoorlijk wat vaart, dat moet wel dodelijk zijn. Ik hoop dat het snel zal gaan, dat ik niets zal voelen. Ik hoop dat ik zal durven als ik straks die gele neus om de hoek zie komen. Ik hoop dat ik het voor mezelf over zal hebben. Al hurkend schat ik in hoe ik zal moeten springen. Ik zal me goed moeten afzetten, zodat ik niet net tussen het perron en de trein zal komen. Dat zou knullig zijn.

De regen is gestopt, stralen zonlicht priemen als spotlights vanuit de hemel, maar het kan me niet op andere gedachten brengen. Misschien moet ik het juist zien als bevestiging, dat de hemel blijdschap toont dat ik eindelijk het licht heb gezien. Daar in de hemel ziet men ook geen andere optie dan wat ik nu van plan ben.

Ik zie de gele neus in flinke vaart om de bocht schieten. Het moment komt nu dichtbij, heel dichtbij. Gekriebel vanuit mijn onderbuik, een onwennige trilling door mijn benen, maar ik bal mijn vuisten en weet wat me te doen staat.

De neus, ik zie hem beter nu. Het ding wordt groter. Ik zal het omarmen, ik zal de neus omarmen als mijn verlossing.

Het gaat snel nu. Een ruk aan mijn jas. De grond van dichtbij. Ik val naar achteren. Ik zie de lucht, ik lig onder de spotlights.

Het duizelt me. Na een paar keer knipperen, kijk ik recht in het gezicht van Nina. Haar ogen vochtig, haar lippen trillend. Ze is boos. Op mij.

'Ben je verdomme gek geworden?' schreeuwt ze. Ze knielt bij me neer. 'Ben je verdomme gek geworden?' En nog eens: 'Verdomme, ben je gek geworden?'

Het eerste waar ik aan denk is onze kus. En dan zie ik het, ik voel het in haar omhelzing, in de streling over mijn rug.

Zij houdt van mij.

23

We drinken koffie in het stationscafé, zonder woorden, zonder oogcontact. 'Waar blijf je?!' sms't Valerie. Ik leg mijn telefoon weer op tafel.

Het voelt als uitstel van executie, ik heb er wat tijd bij gekregen. Is het een avond, een week, een jaar misschien zelfs? Wanneer zal de volgende inzinking komen? Misschien wanneer Valerie me onuitstaanbaar genoeg zal vinden om me definitief het huis uit te trappen.

Nina kucht zachtjes.

We zijn de enige twee in het café. Treinreizigers op dit tijdstip willen geen koffie meer, die willen gewoon naar huis, aanschuiven en aan de piepers beginnen. Wij voelen beiden die drang niet zo, om naar huis te gaan. Een van de vele dingen die ons binden.

Nina pakt mijn hand, trekt me naar zich toe. Ze kust me op mijn mond. Ik laat het toe en sluit mijn ogen. Het is gek, omdat we het niet gek vinden. Het hoort niet, maar ik laat het gebeuren. Omdat het lijkt alsof het wel hoort.

'Ik heb een afspraak voor je gemaakt met Joni, die psychologe,' zegt ze. 'Je kunt morgen bij haar terecht, morgenochtend.'

'Oké,' fluister ik. 'Goed. Ik zal gaan.'

'Wil je dat ik met je meega?'

'Nee,' ik schud mijn hoofd, 'nee, dat is niet nodig. Lief van je.'

'Ik ben gek op je, Juul. Ik wil dat je gelukkig wordt. Ik weet dat het kan. Daarom doet het me ook zo veel verdriet om je te zien wegkwijnen...'

Ze slikt om haar emotie onder controle te houden.

'Je kunt het. Geloof in jezelf. Heb vertrouwen, geef het nog wat tijd. Vanaf nu wordt alles beter.'

'Valerie,' zeg ik, 'die vindt dit alles nooit goed.'

'Wat Valerie vindt of niet, doet er nu even niet toe.'

Nina klinkt vinniger dan ooit. Normaal spreekt ze vol begrip over Valerie, maar nu lijkt mijn vrouw haar te irriteren.

'Ze heeft het recht niet om jou hulp te ontzeggen, besef je dat wel? Je moet nu een keer voor jezelf kiezen. Je bent volwassen, je moet je eigen keuzes maken. En...' ze schudt haar hoofd, 'ik weiger te geloven dat het jouw keuze zal zijn om er een eind aan te maken. Dat weiger ik gewoon.'

'Ik ga morgen naar Joni, dat beloof ik.'

'Fijn. Ik meld je ziek bij Jan, maak je daar maar geen zorgen om. 's Middags kom ik bij je langs, dan praten we, goed?'

'Valerie is dan ook thuis.'

'Des te beter, dan hoort zij ook eens van een ander hoe belangrijk het is dat je hulp krijgt.'

'Ik betwijfel of het zo makkelijk zal gaan.'

'Makkelijk of niet makkelijk, ze zal ermee moeten leren leven. Ik kan haar ook uit de doeken doen wat hier vanmiddag is voorgevallen, hoor, als ze het op de spits drijft. Daar heb ik geen moeite mee.'

'Alsjeblieft,' zeg ik, 'alsjeblieft, doe dat niet.'

Nina slaat het laatste beetje koffie achterover. 'Laten we naar huis gaan,' zegt ze. En dat doen we.

Soms moet je een nacht wakker liggen om je zonden te overdenken. Het is niet soms, maar vaak dat ik wakker lig, terwijl ik mijn zonden overdenk. Nachtenlang staar ik in de donkerte van onze slaapkamer en ploeter ik door mijn dwaze gedachten, mijn duivelse verlangens. Ik vermijd het, dat probeer ik althans, maar meer dan eens kom ik uit op juist die ene gedachte, dat ene gevoel dat me de adem beneemt.

Ik wil het niet, ik wil het niet denken, ik wil het niet voelen, ik wil het niet zijn. En toch, wanneer ik voel dat het zo is, dat ik, diep vanbinnen eigenlijk vrouw ben, overmeestert de rust me weer en val ik terug in slaap. Een paar uur later, wanneer ik wakker word met een kloppend voorhoofd van het gebrek aan slaap, dan voel ik me vies. Soms laat ik dan, uit stil protest, een dag mijn baard staan. Dat zal me leren, mompel ik mijn binnenste dan toe. Dat zal me leren.

Vannacht gaat het anders. Vannacht ben ik de deur uit gegaan. Ik ben gaan lopen. Ik wandel nu en ik blijf dat doen, tot ik niet meer weet hoe lang ik al weg ben. Ik zoek een antwoord in de donkere stem van de stad, troost in de ogen van een voorbijganger – ook op stap, zonder bestemming.

De stad slaapt. Ik zou dat ook moeten doen. De warmte van mijn lichaam is inmiddels volledig uit de lakens getrokken. Mijn kant van het bed is leeg en koud. Ik vraag me af of het opgemerkt wordt.

Ik loop het park in, laat me opslokken door de plek waar een weldenkend mens van wegblijft tijdens een herfstachtige nacht als deze. Het donkere hart van de stad. Ik waag me tussen zwervers, gespuis, dronkaards, en vraag me af of er een wezenlijk verschil is tussen hen en mij.

Ik moet nadenken, hard nadenken. Het kan zo niet verder.

De wind jaagt een ingedeukt bierblikje stuiterend voort. In de verte haast een ambulance zich naar een patiënt in nood. Een vogel, een niet te duiden schreeuw. Dronken mensen, ze nemen de stad over. Zodra het laatste slaapkamerlicht gedoofd is, dwalen ze als wilde apen rond, op zoek naar vertier, op zoek naar ontsnapping. Ik begrijp dat wel.

Ik denk aan Valerie, die rustig doorslaapt tijdens mijn afwezigheid. Ik denk aan de ruzie die we voor het slapengaan hebben gehad. Of nou ja, ruzie, het zijn eerder woorden geweest, woorden van ergernis. De liefde die ooit in die woorden leefde, hebben we er langzaam uit geperst. De liefde is op. Dood. En dat komt door mij, geloof ik.

Er moet iets gebeuren, want zo kan het niet verder. Er gaat iets gebeuren, want anders stopt het verhaal. De stappen die ik hierna zet, zijn bepalend voor de rest van mijn leven. Voor het leven van Valerie, voor dat van mijn pasgeboren zoontje.

Ik kan zo niet verder.

Ik blijf lopen, de nacht door. Ik blijf denken, terwijl de stem van het duiveltje het vanbinnen overneemt. Zijn stem klinkt almaar harder. Ik kijk naar mijn voeten die gehoorzaam doorstappen. Ik verstop mijn handen in de mouwen van mijn jas. En ik loop, ik wandel, ik loop maar door.

Ik denk aan de gele neus die ik op me af zag komen, denderend over het spoor. Steeds dichterbij, steeds groter. Ik denk aan Nina, die me ervan weerhield die neus te omarmen. Ik denk dat de tijd is gekomen dat ik niet meer verder kan leven, niet meer op deze manier.

Al de jaren die ik heb geleefd, ben ik acteur geweest. Ik speel toneel, al mijn hele leven lang, en ik wil met pauze. Ik sta al jaren onafgebroken op de planken, maar nu ken ik mijn tekst niet meer, mijn personage is uitgespeeld. Ik weet dat ik van de planken moet stappen, maar ik ben bang voor de grom van het publiek, de verontwaardiging. Ze zullen me uitjoelen, terwijl ik ondertussen snak naar het applaus, zoals ieder ander. Ik geef vaak aan die behoefte toe, dan stap ik toch niet de coulissen in, maar draai ik me om en speel ik weer een bedrijf mee. Ik ben ook maar wie ik ben, een mens.

Ik laat me zakken tegen een boom, mijn armen rusten op mijn knieën. De kou trekt langs mijn billen omhoog, de wind verwildert mijn haardos. Ik sluit mijn ogen en sta mezelf toe te huilen. Ik zit in het park, midden in de nacht, en huil als een aangeschoten puber.

Het eind is gekomen. Laat het dan verdomme een nieuw begin zijn.

Joni blijkt een vriendelijke vrouw. Ze heeft zwart haar, dat een mooi contrast vormt met haar lichtbeige huid. Ze zou een Française kunnen zijn, denk ik.

Haar spreekkamer op loopafstand van station Sloterdijk is bescheiden ingericht. Ik zie wat lege planken in de boekenkast, twee grote kartonnen dozen onder haar bureau.

Ik krijg een kop thee van haar in mijn handen gedrukt. Ze biedt me een koekje aan, waarvoor ik bedank.

'Zullen we beginnen?' zegt ze. 'Vertel eens wat over jezelf.'

Ik begin te vertellen, over mijn ouders, over Dave, over Valerie en Beer, over hoe ik Nina heb leren kennen, over hoe ze me heeft geholpen, ik vertel over mijn zus, die misschien weer naar Nederland komt, over mijn andere zus, met wie ik niet zo veel contact heb.

Ze onderbreekt me. 'Misschien heb ik mijn vraag niet goed geformuleerd,' zegt ze. 'Je bent nou al een tijdje aan het woord, maar ik bedoelde: vertel eens wat over jezelf. Over jou.'

Ik ben stil van haar opmerking en zoek naar woorden die niet bestaan. Buiten zie ik auto's voorbijrijden, een postbode lopen. De wereld draait door, maar waarom pas ik daar toch niet in?

Ik zeg: 'Ik heb het gevoel dat ik niet in deze wereld pas.'

'Nou, dat is wat over jezelf vertellen, Julius. Vertel verder.'

Nu spreek ik langzamer, het duurt langer voordat ik op gang kom, voordat ik weet welke lijn uit mijn leven ik kan gebruiken voor het verhaal dat ik haar wil vertellen. Ik kies de verborgen lijn, de onzichtbare. De verhaallijn die alleen in mijn eigen wereld bestaat en waar ik bij wijze van uitzondering iemand in toelaat. Valerie heb ik een blik door een kijkgaatje gegund, Nina staat al in de deuropening. En deze vreemde dame, Joni, van wie ik de achternaam alweer vergeten ben, zij valt er middenin. Blijkbaar is het tijd dat ik mijn wereld met iemand deel, want ik zuig haar naar binnen, ik omarm haar en ik val op mijn knieën voor haar met de vraag of ze me alsjeblieft kan helpen. Ik ben het alleen-zijn beu, de dagen zijn te lang, mijn uithoudingsvermogen is op.

24

In Amsterdam is een lange wachtlijst, en bij wijze van uitzondering weet Joni een afspraak voor me te regelen bij het genderteam van het UMC Groningen, het enige andere ziekenhuis in Nederland dat een genderpoli heeft. Het is niet gebruikelijk, maar ze heeft erop aangedrongen in verband met mijn, zoals ze het omschreef, 'spoedeisende en zorgelijke situatie'.

Ik mag drie keer op gesprek bij de algemeen psychiater en word daarna als een kandidaat van *X Factor* doorgestuurd naar de genderpsychiater, waar ik opnieuw mijn verhaal mag doen. Vanaf het begin, zonder een detail te vergeten.

Ik word er haast goed in om over mezelf te praten, blijkbaar is ook dat iets wat je kunt leren.

Ik geniet van de treinreizen naar Groningen. Urenlang dat Hollandse landschap aan me voorbij zien razen, het brengt rust in mijn kop. Ik laat de drukte in Amsterdam achter me, inclusief de kribbigheid van Valerie en de chaos op de redactie. Ik hoef me even geen zorgen te maken om anderen, ik hoef niet te pleasen. Ik hoef alleen maar aan mezelf te denken en dat bevalt me steeds meer de laatste tijd. Ik kan ineens aan mezelf denken, communiceren met die innerlijke stem en daar vrede mee hebben. Ik schakel de stem niet uit, maar luister naar hem als naar een leermeester. Hij weet dingen over mij, dingen die ik nooit wilde horen.

De uitslag krijg ik te horen op een dinsdag in november. Als zou worden vastgesteld dat ik genderdysforie heb, dan krijg ik groen licht, dan word ik toegelaten tot het programma dat uiteindelijk kan leiden tot een geslachtsaanpassende operatie. Dat is nog niet mijn voornaamste doel, al lijkt het idee van een leven zonder slurf tussen mijn benen me aanlokkelijk. Het belangrijkste in mijn ogen is dat er daadwerkelijk een naam is voor mijn probleem, dat het bestaat, dat het behandeld kan worden. Dat ik niet gek ben.

Als ik te horen zal krijgen dat ik geen groen licht krijg, dan ben ik de sigaar en vrees ik dat ik definitief tussen wal en schip beland. En in mijn voorstelling is dat een duistere, donkere plek.

'En je kreeg groen licht,' vult Steffie in. 'Anders zou je hier niet liggen.'

'Inderdaad,' ga ik verder, 'ik werd toegelaten. En daarmee kreeg ik hormonen. Testosteronblokkers en oestrogenen.'

Buiten verdringt het eerste daglicht de donkere hemel. De ochtend klinkt op de gang van het ziekenhuis. De dienst is net overgedragen. Kopjes thee worden gezet en rondgedeeld. Er vloeit leven door de gangen.

'Hoe was het om ineens vrouwelijke hormonen in je lijf te voelen?'

Ik denk terug aan het moment dat ik voor het eerst effect merkte, een bevrijdend gevoel, een verslavende rust.

'Ik kan dat het best omschrijven als een onmetelijk mooie rust, die over mijn lijf trok als een romantische schemer over de dag,' zeg ik. 'Als een sluier van gemoedsrust die over me neerdaalde. Een storm die ging liggen, totdat het helemaal windstil was.'

'Je voelde je eindelijk jezelf.'

'Zo zou je het kunnen zeggen, ja. Of misschien zo: het voelde alsof mijn lichaam zich eindelijk aan mij begon aan te passen.'

'Mooi,' zegt Steffie. 'En toen?'

'Na het groene licht volgde de zogenoemde "reallifefase". Ik kreeg achttien maanden om een leven als vrouw op te bouwen. Het meeste moest ik zelfstandig doen, maar ik ging ook naar groepsbegeleiding en eens in de zoveel weken zag ik de psychosociaal medewerker Sanne voor een kletspraatje over van alles.' Ik pauzeer even en wijs naar de gang. 'Sanne heb je misschien wel zien lopen. Ze is erg aardig.'

Steffie haalt haar schouders op.

'In dat uurtje met Sanne keuvelden we over grappige vrouwendingen, maar we spraken ook over zwaardere, emotionele onderwerpen. Het is haar doel om me maatschappelijk tot een succes te maken, zal ik maar zeggen. Ze leerde me omgaan met mensen die moeilijk reageren, ze gaf me handvatten voor de opbouw van een sociaal netwerk waarin ik word geaccepteerd en ik moest aan mijn eigenwaarde werken, aan mijn houding. Ik moest zelfverzekerder worden, meer op mijn gemak in mijn nieuwe lijf.'

'En Valerie?' vraagt Steffie. 'Hoe reageerde zij op dit alles?'

'Nou,' zeg ik. 'je weet al een beetje hoe zij erover dacht. Laat je dus niet te veel verrassen door de kant die ze me in die periode heeft laten zien.'

Het is de dinsdagavond nadat ik de positieve uitslag te horen heb gekregen, het groene licht voor het behandeltraject, als ik het gesprek met haar aanga. Ik heb foldertjes meegekregen, informatieboekjes, en de contactgegevens voor een praatgroep voor partners en familieleden van mensen met genderdysforie.

'Ga alsjeblieft weg met je troep,' kreunt ze. 'Ik word hier zo moe van. Houdt het nou eens een keertje op? Al die aandachttrekkerij...'

'Lieve schat,' zeg ik, 'ik begrijp niet dat je zo tegen me kunt praten. Ooit begrepen we elkaar zo goed, konden we goed met elkaar praten. Waarom kan dat niet meer?'

'Jij begrijpt mij niet goed? Ik begrijp jou niet.'

'Dat bedoel ik. Wat is er aan de hand met ons?'

'Dat kun je beter aan jezelf vragen, dacht je niet? Jij loopt allerlei problemen te zoeken die er niet zijn. Wat dacht je ervan om gewoon voor je gezin te zorgen? Je hebt totaal geen oog voor ons.'

Ik sla met mijn vuist op tafel, uit wanhoop, frustratie, onmacht, omdat ze er niet meer naast kan zitten. 'Dat is niet waar!' roep ik. 'Dat is absoluut niet waar. Ik wil dat je dat terugneemt.'

'Ik neem helemaal niks terug. Het zijn de feiten en als ze je niet bevallen hoef je niet op de tafel te slaan. Of wil je die soms ook kapotmaken?'

'Valerie, ik wil graag met je praten. Ik ben vandaag in het ziekenhuis geweest. Ik heb de uitslag van de testen gekregen. Ik heb groen licht gekregen. Dat betekent dat de artsen van het ziekenhuis erkennen dat ik genderdysforisch ben. Het is niet dat ik gek ben, het bestaat.' Ik geef haar een foldertje. 'Hier, lees er alsjeblieft over. Dat hoeft niet nu meteen, natuurlijk, maar ik hoop dat je het zult lezen. Misschien kun je me dan beter begrijpen op termijn.'

'Het is zover, hè? Je gaat je laten ombouwen.'

'Het traject kan leiden tot een geslachtsaanpassende operatie, ja.'

'Mijn hemel, je zegt het echt. Nu is het echt.'

Valerie schudt haar hoofd en dat blijft ze doen totdat ze er moe van lijkt te worden. 'Ik kan dit niet geloven. Je kunt hier niet meer zijn. Je moet hier weg, ik heb er genoeg van. Ik heb het er met een collega over gehad en die zei dat het allemaal te veel stress oplevert voor me, dit gedoe. Ik moet voor mezelf kiezen, je moet weg.'

'Mag ik je wel vertellen dat ik zielsveel van je hou? Dat verandert niet, Valerie, nooit.'

'Wat verwacht je nou van mij?'

'Ik verwacht niets. Ik hoop alleen dat je ook nog van mij houdt, zoals je ooit deed.'

'Pfff...' zucht Valerie en daarmee heb ik mijn antwoord. Haar liefde is op, terugwinnen lijkt geen optie. 'Ik hou van Julius, ik hou van mijn man,' ze knikt naar me, 'maar daar is niet veel meer van over, hè?'

Valerie staat op, drukt haar sigaret uit en loopt de trap op. 'Ik ga Beer wakker maken,' zegt ze. 'Dan kun je hem nog even gedag zeggen voordat je vertrekt.'

Ondanks aandringen van Nina om bij haar te komen logeren, neem ik een hotel. Het doet me denken aan vroeger, ik voel de beschermende anonimiteit die de gasten van mijn ouders ook gevoeld moeten hebben.

Ik sta er alleen voor, in de basis sta ik er alleen voor. Natuurlijk heb ik lieve vrienden. Naast Nina, tonen ook Dennis en Mario zich zeer betrokken. Ze laten me niet vallen, sterker nog, ze willen alles weten over het traject waar ik in stap, ze zijn bijzonder geïnteresseerd. Hun warmte doet me goed, maar desondanks denk ik met weemoed terug aan de tijd toen Valerie en ik nog als twee handen op één buik waren. Samen gevlucht uit Waalre, samen een nieuw leven opgebouwd, samen ouders geworden van een prachtige zoon, en hop, ineens is het voorbij. Valerie trekt de stekker eruit, ze kan het niet meer. Het wrange is dat zij van mij hetzelfde denkt: zij denkt dat ik de stekker uit onze relatie wil trekken. Ze realiseert zich nog steeds niet dat wat ik doe niet over ons gaat, of over haar. Het gaat over mij, over mijn leven.

Ik verwachtte niet van mensen dat ze me begrepen, Steffie, echt niet, ik hoopte hoogstens op wat respect. Maar van de mensen van wie ik hou had ik meer verwacht dan brute afwijzing. Niet alleen Valerie smeet de deur in mijn gezicht, mijn zus Christa ook. En van mijn zwager hoefde ik al helemaal geen bijval te verwachten.

Maria stond gelukkig aan mijn kant. En met die wetenschap ging ik bij mijn moeder langs, met weer zo'n stapeltje informatiefolders.

De kerk is net uit, dus ik zal haar treffen met een kop koffie en een dubbelgeklapte boterham, zoals ik me herinner. Liefst smeert mijn moeder appelstroop op die boterham, maar soms heeft ze er kaas tussen, oude kaas, waarvan de gelige schilfers af vallen.

Ik open de voordeur met de sleutel die nog altijd aan mijn bos hangt en sluit de deur zachtjes, ik wil haar niet laten schrikken. Ik trek mijn jas uit in de donkere gang van mijn ouderlijk huis, haal de folders uit mijn binnenzak en schrik van een gedaante. Het is mijn zus Christa.

'Doe het niet,' snerpt ze. 'Doe het niet, Julius.'

Haar weerstand begint me een beetje te irriteren, hoewel ik vind dat ik het haar ook niet mag verwijten. Zij heeft recht op haar eigen standpunten, het is veel gevraagd om mij te begrijpen, dat besef ik.

'Christa,' zeg ik kalm. 'Ik verkeerde in de veronderstelling dat je me niet meer wilde zien.'

'Ik ben hier voor mama.'

'Je komt hier om me te steunen tijdens het vertellen, wat aardig van je.'

'Waarom doe je ons dit aan?' zegt ze. 'Waarom doe je dit?'

'Ik wil er graag met je over praten, maar ik begreep gisteren van je dat je er niks over wilde horen. Je hebt me je huis uit gezet.'

'Vind je het gek?' vraagt ze. 'Vind je het gek? Je bent helemaal gehersenspoeld door die psychologen.'

'Denk je dat echt?'

'Ja,' zegt ze uitdrukkelijk. 'Ik denk het niet alleen, ik weet het.

Ze verzinnen maar raak tegenwoordig, met al die wetenschappelijke experimenten. Je laat je gewoon gebruiken.' En daarna: 'Ik ben niet de enige, Julius, die er zo over denkt. Ik heb Valerie gesproken.'

Ik houd me sterk, ook al rukt haar laatste opmerking mijn hart in één haal uit mijn lijf. Van de saamhorigheid, van de wij-tegen-de-restband tussen mij en Valerie is werkelijk niets meer over. Dat heeft ze nu definitief duidelijk gemaakt. Ik wil mijn verdriet afreageren op mijn zus, ik wil haar uitschelden, haar duwen. Ik wil zeggen dat ik haar een bekrompen trut vind, die in haar hart alleen maar ruimte heeft voor haar eigen gezin. Ik wil zeggen dat ze nooit om me gegeven heeft en dat ze daarom geen recht van spreken heeft.

In plaats daarvan zeg ik: 'Wat wonderlijk dat je eindelijk interesse voor Valerie hebt ontwikkeld.'

'Dat is niet eerlijk om te zeggen, Julius. Dat weet je.'

'Weet je wat niet eerlijk is,' zeg ik. 'Dat je mij geen kans geeft om mijn gevoelens uit te leggen. Dat je het bij voorbaat al afwijst. Dat is niet eerlijk.'

'Christa,' hoor ik mijn moeder vanuit de woonkamer. 'Met wie praat je daar?'

'Ik waarschuw je,' snauwt ze me nog toe. 'Als je mama hiermee lastig valt, praat ik nooit meer met je. Nooit meer.'

Ik slik en zeg: 'Dat zou ik jammer vinden.'

Christa loopt de woonkamer in, ik volg haar.

'Kijk eens wie ons verrast met een bezoek,' spreekt mijn zus cynisch. 'Helemaal uit Amsterdam.'

Ik zie het gezicht van mijn moeder oplichten als ze me ontwaart. Als een kleuter klapt ze tweemaal in haar handen. Ze is veranderd, mijn moeder, ze wordt steeds ouder, steeds kwetsbaarder. Elke keer als ik haar zie, zijn de rimpels in haar hals toegenomen. Haar jukbeenderen worden zichtbaarder, het vel hangt er als natte was langs.

'Mijn zoon!' zegt ze. 'Mijn zoon! Kom hier, mijn jongen.'

Ik loop op haar af en omhels mijn moeder. Vanuit mijn ooghoek kan ik mijn zus zien gebaren, maar ik besluit haar te negeren. Ik zal wachten tot ze weg is en dan rustig met mijn moeder praten.

'Koffie?' vraagt mijn moeder.

'Lekker,' zeg ik. 'Dat lust ik wel.'

'Ik haal het wel,' zegt mijn zus.

Mijn moeder kijkt haar weg uit de woonkamer en fluistert: 'Wat is er aan de hand tussen jullie twee? Toch geen ruzie, hè?'

Ik schud mijn hoofd. 'Niet echt.'

Ze pakt mijn hand en zegt: 'Ze is een lieve meid, hoor. Ze helpt me met alles. Ze staat altijd voor me klaar.'

'Dat is fijn voor je mama, heel erg fijn. En lief van Christa.'

'Wat is lief van Christa?' vraagt mijn zus, die binnenkomt met een dienblad. Twee kopjes, dat biedt hoop.

'Ik vertelde net hoe lief je voor me zorgt de afgelopen tijd.'

'Ach,' zegt mijn zus nonchalant. 'Voor mij is dat normaal, eigenlijk. Ik kan niet anders. Je hebt toch ook altijd voor ons gezorgd.'

Ze kijkt me aan bij die laatste woorden en zet zo onze discussie zwijgend voort.

'Neem je zelf niet?' vraag ik.

'Nee,' zegt mijn zus. 'Ik heb de kinderen beloofd dat we vanmiddag een appeltaart gaan bakken. Plicht roept!'

'Plicht!' Onze moeder schiet in de lach. 'Op zondag nog wel. Nou, geniet ervan, meis, je bent een goede moeder. Tot morgen.'

Ze kust mijn moeder. 'Tot morgen, mam.'

Ik krijg een opgestoken hand. 'Dag,' zegt ze.

'Dag, zus,' zeg ik.

'Nu dan,' mompelt mijn moeder. 'Jullie denken zeker dat je moeder op haar achterhoofd gevallen is. Jammer, hoor. Ik heb het altijd door als er iets speelt, weet je nog? Ga je me dan nu vertellen wat er aan de hand is?'

'Ja, mam, dat ga ik doen.'

'Is het iets ergs?'

Ik haal mijn schouders op. 'Christa vindt van wel. Ik zie het persoonlijk als iets moois, als een doorbraak in mijn persoonlijke leven.'

Ik vertel mijn moeder over de innerlijke stem die me vanaf mijn jeugd heeft gekweld. Ik spreek over mijn lichaam, over mijn interpretatie van de mannelijke kenmerken van dat lichaam, over mijn hang naar vrouwelijke dingen. En uiteindelijk over mijn ontdekking, de verlossende ontdekking dat ik niet gek ben, dat ik niet raar ben, maar dat ik in een verkeerd lichaam geboren ben.

Ze schuift ongemakkelijk op haar stoel.

Ik geef mijn moeder de folders. Ik vertel over de gesprekken die ik heb gevoerd bij het UMC Groningen, over de hulp die ik zal krijgen. Ik vertel over de reden van de zelfmoordpoging, over het voornemen dat ik heb gehad het nog eens te proberen.

Mijn moeder fronst.

'En ik heb wat voor je gekopieerd uit een boek van een hersenonderzoeker, mam,' zeg ik. 'Het is een heel bekend boek nu, misschien heb je ervan gehoord. Het heet *Wij zijn ons brein*, geschreven door Dick Swaab. Hij heeft geschreven over onderzoek dat is gedaan naar wat ik heb. Hoe het ontstaat, en wat het is. Het komt er allemaal op neer dat ik niet gek ben, mama. Dat het echt zo is, zoals ik het vertel.'

Mijn moeder pakt de papieren aan. Ze is inmiddels in tranen. Voorzichtige, dunne traantjes die in stilte langs haar gezicht lopen.

'Ik wil je niet verdrietig maken, huil alsjeblieft niet.'

Ze kijkt me aan, met die lodderige, oud geworden ogen en vraagt: 'Julius, vertel het me, wat heb ik verkeerd gedaan?'

'Niks, mama, niks.'

'Maar je komt uit mijn buik, nietwaar? Leg het me dan eens uit hoe ik er niks mee te maken kan hebben. Is het de opvoeding geweest, heb ik je niet voldoende aandacht gegeven?'

'Daar ligt het niet aan. Lees, alsjeblieft, lees eens rustig door wat ik je...'

'Je vader, natuurlijk,' zegt ze, alsof ze het licht ziet. 'Die heeft het slechte voorbeeld gegeven door het op te geven in het leven. Daar word ik nu voor gestraft, wij allebei.'

Ondanks haar harde woorden, voel ik medeleven met mijn moeder. Ze probeert het te verklaren, vanuit haar wereld, vanuit haar perspectief, vanuit haar kennis, en daarbij probeert ze mij te sparen. Dat geeft alleen maar blijk van de goede moeder die ze diep vanbinnen werkelijk is.

'Mam, het ligt aan mij en alleen aan mij,' ik klop zachtjes met mijn vuist tegen mijn voorhoofd. 'Hier vanbinnen is iets vastgelegd in mijn hersenen wat niet overeenkomt met mijn geslacht. Dat betekent dat ik me altijd een meisje heb gevoeld. Ik heb enorm mijn best gedaan om het te redden in het leven als jongen, als man, maar mam, ik heb gefaald. Ik kan niet langer een rol spelen. Dit is niet wie ik ben. En ik ga eraan onderdoor.'

'Onze-Lieve-Heer heeft je dat geslacht gegeven. Daar kun je nou eenmaal niets aan veranderen, mijn kind. Daar moet je mee leren leven, hoe moeilijk ook.'

'Ik hou van je, mama. Je hebt het altijd goed gedaan.'

'Dank je, Julius. Dat is lief van je.'

'Ik hou van je, maar ik hoop dat je me kunt volgen als ik zeg dat ik er wel iets aan ga laten doen. Ik ga leven als vrouw, mama.'

'Wat bedoel je precies?'

'Dat ik mijn uiterlijk ga aanpassen aan mijn innerlijk. Ik zal me anders gaan kleden, vrouwelijker. Ik krijg hormonen, waardoor er borstgroei ontstaat. Ik ga mijn lichaamshaar laten weglaseren. En mijn naam, mama, mijn naam verander ik ook. Ik zal Julia heten, dat lijkt op Julius, dus dat is niet zo moeilijk te onthouden.'

'Och hemel,' is alles wat ze zegt. 'Och jeetje, toch.'

Ik wrijf zachtjes over haar arm. Ik vind dat ze het nog best goed opvat, ondanks de betrekkelijkheid van haar begrip.

Ineens staat ze op en kijkt vijandig op me neer. Haar ogen vonken, vocht spat eruit. Het rimpelige gezicht van de vrouw die me ooit bescherming bood, beweegt ongecontroleerd. 'Praat ik met mijn zoon of met de duivel?!' schreeuwt ze uit volle borst. 'Praat ik met mijn zoon of met de duivel?' En weer: 'Praat ik met mijn zoon of met de duivel?'

'Mama, ik ben het. De duivel is hier niet.'

Ik kan mijn tranen niet ophouden. Dit is het ergste wat kan gebeuren, mijn moeder verliest het contact met de werkelijkheid, gaat op in religieuze razernij. Met de religie van mijn ouders is niet te communiceren. Vroeger al niet, toen ik op woensdagmiddag naar een verjaardagspartijtje wilde in plaats van catechisatie. En nu al helemaal niet. De discussie met de waarheid van God, de waarheid van God zoals mijn ouders die interpreteren, is niet te winnen.

Mijn moeder gaat door: 'Zeg op, duivel, ben jij daar?! Wegwezen daar! Laat mijn zoon met rust!' Bij elk woord wijst ze opnieuw mijn kant op, haar blik spreekt van angst en afschuw. Spuug vecht zich een weg naar buiten als ze spreekt. 'Praat ik met mijn zoon of met de duivel? Duivel, maak je kenbaar! Ik heb je door!'

Ik sta op en probeer haar te omhelzen, ik wil haar laten voelen dat ik echt ben, dat ik liefde ben. Dat ik haar kind ben.

'Weg jij, van me af! Duivelskind!' schreeuwt ze.

Ik sta versteld van de omslag die mijn aangeslagen moeder doormaakt. In een fractie van een seconde is de schuldbewuste vrouw veranderd in een vijandige geloofsmaniak.

Ik zie in mijn ooghoek de gangdeur opengaan. Het is Christa. Heeft ze daar al die tijd gestaan?

Ze heeft gewacht totdat ze als heldin kan ingrijpen in de situatie. Nou, daar is ze dan. Geweldig.

'O, wat fijn dat jij er bent,' roept mijn moeder tegen haar. 'Wat fijn! Help ons, help je broertje. Het gaat niet goed met hem.'

Ontroostbaar stort ze zich in de armen van Christa, die haar tot rust maant en over haar rug wrijft. Ze maakt een gebaar met haar hoofd dat betekent dat het beter is dat ik vertrek. Of eigenlijk zegt het: zie je wel, oprotten nu. En ik wil je hier niet meer zien.

25

Haar hand voelt warm op mijn arm. Misschien door de kop thee die op haar schoot rust. Een kaneelgeurige damp zweeft boven de mok.

'Hoe zag je leven er daarna uit?' vraagt Steffie.

Ik adem diep in en neem een slok van mijn glaasje water. Ik spoel mijn mond.

'In de maanden na de confrontatie met mijn moeder was er radiostilte tussen mij en Waalre.'

'Dat is vast niet makkelijk voor je geweest.'

Ik glimlach en haal mijn schouders op. 'Zo was het nu eenmaal. Ik kon het me niet permitteren om daar verdrietig over te zijn. Ik had genoeg om me druk over te maken.'

'En Maria?' vraagt ze. 'Sprak je haar nog vaak?'

'O, dagelijks. Ze maakte zich in die tijd op om terug naar Nederland te gaan. Ik keek enorm uit naar haar komst. We spraken over haar droom om in Amsterdam te komen wonen. Fantastisch,' ik houd even stil, 'mijn lieve zus dicht bij me in de stad. Ik weet nog dat ik niet kon wachten. We zouden samen op zoek gaan naar een leuke plek voor haar en Cecile.'

Het contact met Valerie verslechterde. Eerlijk gezegd was het nog nooit zo slecht geweest tussen ons en dat vond ik moeilijk te verkroppen. Mijn moeder, mijn zus, als zij mij niet wilden accepteren zoals ik was, dan kon ik daar nog mee leven. Ik begreep dat ze vanuit hun geloofsoptiek, of vanuit een ander denkbeeld mijn situatie geen plek konden geven. Maar Valerie was van mij, zij hoorde bij mij, zij stond altijd achter mij. Ik miste haar aanwezigheid, maar ook haar steun. Ik miste haar meer dan ik iemand ooit gemist had.

Ik begon haar brieven te schrijven, waarin ik vertelde over mijn nieuwe leven. Ik vroeg naar haar leven. Ik vroeg naar onze zoon Beer, die ik alweer twee maanden niet gezien had. Zijn eerste Kerstmis had ik gemist en dat speet me ontzettend. Meer dan eens raakte ik in vertwijfeling, waagde ik het fundament van mijn keuzes te wantrouwen. Deed ik er wel goed aan? Maakte ik mezelf door dit alles niet juist ongelukkiger? Wat deed het er allemaal toe als ik niet bij de mensen kon zijn van wie ik hield, als ik niet bij mijn eigen gezin kon zijn? Toch kwam ik na zo'n periode vol scepsis altijd weer uit op het pad dat ik al bewandelde. Ik wist inmiddels hoe het voelde om mezelf te zijn en dat kon ik niet meer opgeven, voor niemand niet.

Valerie schreef niet terug.

Ik bleef in Amsterdam wonen, ook al was het voor de afspraken in het ziekenhuis eigenlijk handiger als ik naar Groningen of omgeving zou verhuizen. Ik was een uitzondering en werd ook als zodanig behandeld. Geen andere patiënt die er werd behandeld woonde zo ver buiten de regio.

Ik huurde een kleine studio in stadsdeel Oud-West, vlak bij Nina. Ik kon me niet meer permitteren dan die kleine ruimte, omdat ik nog steeds meebetaalde aan de hypotheek en extra geld aan Valerie overmaakte voor boodschappen en de zorg voor kleine Beer.

Van het geld dat ik overhad, zette ik zoveel mogelijk opzij. De geslachtsaanpassende operatie werd wel grotendeels vergoed door de verzekering, maar als ik borsten zou willen, moest ik dat zelf betalen. Ook de laserbehandeling voor mijn gezicht en ander lichaamshaar zou me klauwen met geld kosten.

Nina kocht elke maand voor de grap een staatslot voor me. 'We winnen vast deze maand,' zei ze dan. 'En dan mag jij alles hebben.'

Haar onvoorwaardelijke steun ontroerde me nog dagelijks.

Op de redactie van MAN deden al een tijdje wat roddels over mij de rondte. Nina had een escalatie van de geruchten kunnen voorkomen, maar het hoorde bij mijn coming-out om ook op mijn werk mensen in te lichten over mijn situatie en vooral over wat zij daar in de toekomst van zouden merken.

Jan, de hobbezakhoofdredacteur, zou ik als eerste inlichten. Nu had ik al wat pittige gesprekken en confrontaties achter de rug, maar ik keek het meest op tegen de confrontatie met hem. Geen man die ik kende was meer macho dan Jan, sterker, Jan leek ontworpen als prototype.

Jan had het altijd denigrerend over de 'wijfies'. Hij hield zich in als het over homo's ging, omdat elke keer weer uit onderzoek bleek dat homo's onze lezersgroep domineerden, maar iedereen kende zijn officieuze standpunt. En dat was niet best.

Jan hield van harde grappen, had een luide bulderstem en was doof voor elk weerwoord op zijn stellige overtuiging, over wat dan ook. Met andere woorden: ik zag als een berg op tegen het gesprek dat ik met hem te voeren had.

Donderdagochtend, elf uur. Hij heeft niet lang de tijd, mailde hij me van tevoren nog. Hij heeft een afspraak. Ik worstelde op een mailtje terug, maar heb het uiteindelijk gelaten zoals het was. Ik zou wel zien. Misschien is het gesprek wel zo lastig dat ik die zogenaamde afspraak als een bevrijding zou ervaren.

'Julius, je wilde iets persoonlijks met me delen.'

Het zweet gutst over mijn huid, ik heb trillende handen, mijn schouders zijn gespannen. Ik ben een piepend muisje in de val en ben zo angstig dat ik bereid ben om alles terug te draaien, alles, om gewoon weer terug naar het 'normale, geaccepteerde' leven te gaan. Als ik het maar niet aan Jan hoef te vertellen.

'Julius, je zweet helemaal,' zegt hij. 'Moet je wat hebben? Een glas water, of zo?'

Hij wijst naar de kan op een bijzettafel. Ik knik, maar denk aan mijn trillende vingers. Hoe kan ik dat glas aanpakken? Wat een afgang zal dit worden.

Voorafgaand aan het gesprek heb ik me juridisch laten inlichten over mijn rechten. Op basis van mijn transseksualiteit kan mijn baas me niet ontslaan, zeker niet omdat ik een vaste aanstelling heb. Toch ben ik daar wel bang voor. Volgens mijn ongefundeerde kennis van de wet weten werkgevers conflicten met werknemers toch altijd naar hun hand te zetten. Het is de macht van de sterkste, de macht van de persoon met de meeste euro's op zak. Op dat vlak zal ik het hoe dan ook afleggen.

Jan zet het glas water voor me neer. 'Drink wat,' zegt hij. 'Je laat me schrikken, zeg. Je bent toch niet ziek, of zo?'

Ik schud mijn hoofd. 'Nee, gelukkig niet.'

Door mijn trillende hand gutst er een beetje water over de rand van het volle glas, maar ik breng het toch naar mijn mond om mijn uitgedroogde keel te verzachten.

'Jan,' zeg ik dan, 'er is iets met mij aan de hand wat jarenlang verborgen is geweest. Ik hoop dat je naar mijn verhaal wilt luisteren.'

'Natuurlijk,' antwoordt mijn hoofdredacteur, beduusder dan ik hem ooit gezien heb. 'Ik luister.'

'Ik ben geboren in een verkeerd lichaam. Ik ben een vrouw die het achtentwintig jaar heeft proberen te redden in het lichaam van een man. En die rol kan ik niet meer volhouden.'

'Oké,' knikt Jan. 'Oké...'

Ik geef hem de doktersverklaring die ik van het ziekenhuis heb meegekregen.

'Wat ik heb heet genderdysforie. Ik ben ervoor onder behandeling bij het UMC in Groningen.'

'Een momentje,' zegt Jan. Hij pakt de telefoon op en toetst een nummer in. 'Sandra,' zegt hij tegen de receptioniste, 'zeg al mijn afspraken af voor vandaag.' Hij humt nog wat op haar vragen en hangt dan op.

Hij gaat achteroverzitten in zijn bureaustoel en stelt me vraag na vraag. Hij wil alles weten, over hoe ik me voel, over wat er wetenschappelijk bekend is, over de behandeling, over de operatie, de reallifefase, over de kleding die ik zal gaan dragen. Hij vraagt naar mijn familie, naar Valerie en mijn zoontje.

Het eerstvolgende moment dat ik weer op de klok kijk, zie ik dat het halfeen is. Ik zie collega's opstaan en naar de keuken lopen voor de lunch. Ik heb een droge mond van het praten en ben nog steeds benieuwd naar een echte eerste reactie van mijn baas.

'Julius,' zegt hij ten slotte, 'ik vind het enorm moedig dat je me dit komt vertellen. Ik weet ook,' hij slaat nonchalant met zijn hand in de lucht, 'hoe ik overkom. Ik ben natuurlijk gewoon een lul, zo af en toe. Het zal niet meevallen voor je, dit. Ik geef het je maar te doen allemaal, en dan dat gedoe met je familie, met dat vrouwtje van je. Het lijkt me een verschrikking.'

'Leuk is anders,' mompel ik.

'Weet dat ik je voor de volle honderd procent zal steunen, met alles. Ik heb diep respect voor je. Ik vind het moedig dat je voor jezelf opkomt. Dat je uit de kast komt, als het ware. Ja, zeggen jullie dat ook zo?'

'"Jullie"?'

'Och, sorry, ik wil je niet met een homo vergelijken of zo, maar homo's noemen dat toch ook zo?'

Ik schiet in de lach. 'Je bedoelt: "jullie transseksuelen"?'

'Sorry, je hebt gelijk! Sorry als ik lomp ben, mijn excuses.'

'Het geeft niet.'

We staan op.

'Dank je wel, Jan. Het betekent heel erg veel voor me dat je me accepteert.'

Ik weet tranen te onderdrukken en zie dat Jan, de macho van een hoofdredacteur, het ook moeilijk lijkt te hebben. We schudden elkaar de hand en pas op de wc laat ik mijn tranen de vrije loop. Ik heb weer een punt binnen, een heel belangrijk punt. Ik heb mijn baan nog. En of God het nou met me eens is of niet, ik kijk even naar boven, naar een imaginair punt voorbij het plafond en ik bedank Hem. 'Dank je wel, lieve God,' zeg ik. 'Dank je wel hiervoor.'

We zijn overeengekomen dat ik alles nog even voor me houd en dat ik de week erna collega's zal inlichten in persoonlijke gesprekken. Samen met Jan maak ik een indeling: sommige collega's zal ik het gezamenlijk vertellen, om geroezemoes achteraf te voorkomen, andere, die het er misschien moeilijker mee zullen hebben, neem ik apart.

Vrijdagmiddag heb ik een afspraak met Sanne, en dat lijkt de timing van God zelf. Het geeft me de gelegenheid om met haar de gesprekken met mijn collega's door te nemen, één voor één. Ik beschrijf het type collega en dan spelen we een rollenspel. Zij speelt mij en ik de collega. We nemen door wat ik het best kan zeggen, hoe ik het best kan reageren. De oefening dwingt me ertoe om me in te leven in andere mensen, het leert me mijn verbazing te beperken wanneer er sprake is van onbegrip.

'Julia,' zegt ze. 'Jij hebt er achtentwintig jaar over gedaan om te duiden wat er in je omging. Achtentwintig jaar lang heb je jezelf de tijd gegeven. Dan mag je jouw omgeving toch zeker ook wel wat tijd gunnen?'

Ze heeft een punt.

'Geef het dus de tijd als iemand het niet begrijpt en dat geldt voor collega's, maar ook voor je familie. Koester geen wrok, maar begrijp dat ze aan het idee moeten wennen, net als jij al die jaren gedaan hebt.'

'Daar heb je gelijk in,' zeg ik. 'Helemaal.'

'Ik wil je nog een tip geven,' zegt ze. 'Ik hoor vaak dat mensen uit de omgeving willen weten hoe je eruit gaat zien, straks als je je helemaal als vrouw gaat kleden. Niet altijd durven mensen het te vragen. Het kan helpen om foto's van jezelf te laten maken om ze alvast aan het idee te laten wennen. Laat ze maar zien hoe Julia eruitziet.'

Met die munitie ga ik de gesprekken aan. Redacteuren Jort, George en Lonneke reageren voorbeeldig. Ze zijn vriendelijk, begripvol en nieuwsgierig – het kan ook beroepsdeformatie zijn. Ze prijzen mijn openheid en we gaan een halfuurtje later alweer uit elkaar.

Er zijn ook collega's met wie het gesprek minder soepel verloopt. Zo'n gesprek heb ik met Bart, de vormgever.

'Goh,' zegt hij na mijn verhaal, terwijl hij zich letterlijk achter de oren krabt.

Hij kijkt wat om zich heen, paniekerig op zoek naar de verborgen camera die ons beiden de slappe lach zal geven zodra hij onthuld wordt. Helaas voor Bart – er is geen camera. Hij begeeft zich in een realiteit waar hij niet mee weet te dealen.

'Ik kan me voorstellen dat het wat veel is voor je,' doorbreek ik de stilte. 'Ik wilde het je persoonlijk vertellen, zodat ik alle vragen die je hebt direct kan beantwoorden. Is er iets wat je me wilt vragen misschien?'

Hij knikt, denk nog even na. 'Wanneer wist je voor het eerst dat je...'

Deze vraag wordt bijna nooit afgemaakt, alsof het iets levensbedreigends is, of iets wat je niet mag uitspreken. Wanneer wist je dat je kanker had? Wanneer hoorde je dat je been geamputeerd moest worden?

'Er is geen bepaald moment geweest,' vertel ik hem, zoals ik andere collega's eerder al antwoordde. 'Je kunt het zo zien: ik ben geboren als vrouw, maar er is iets misgegaan. Mijn leven lang heeft mijn omgeving me in de rol van man geduwd, maar vroeg of laat werkt dat natuurlijk niet meer. Die tijd is nu gekomen. Er is dus geen moment geweest waarop ik dacht: nu ben ik een vrouw. Ik ben altijd al vrouw geweest.'

Bart kijkt me ongelukkig aan, met zijn gezicht in een plooi waardoor hij zijn lachen lijkt in te houden, of juist het tegenovergestelde: of hij op het punt staat in huilen uit te barsten.

'Heb je er moeite mee?'

Hij haalt zijn schouders op. 'Nee,' zegt hij. En dan: 'Ja.' Na een korte stilte: 'Misschien, ik weet het niet.'

'Wil je het anders even laten bezinken?'

Hij knikt driftig, staat op, schuift zijn stoel aan en verdwijnt. De foto's die ik dat weekend van Julia heb laten maken, duw ik snel terug in een map.

Als ik de vergaderruimte uit loop, zie ik nog net dat Nina met Bart naar buiten loopt, waarschijnlijk om te roken. Ze kijkt om, ziet me staan en trekt een monsterlijk lelijk gezicht. Ze bedoelt: we doen dit samen. Daarna verdwijnt ze de gang op met een hoofdschuddende Bart. De mannen blijven het lastigst.

26

Mijn vrije tijd breng ik minder door in de stad dan ik vroeger deed. Ik kan genieten van een boodschap op de markt, een ommetje in de buurt, dat vind ik soms al heel wat. Iedere ochtend weer maak ik de keuze om achter mijn nieuwe verschijning te staan, om mijn rug te rechten en domme opmerkingen te negeren. Het kost me veel kracht, maar ik heb het ervoor over, het is nu eenmaal de prijs die ik moet opbrengen om te kunnen leven.

Lekker thuis zijn, in mijn eigen nestje, wordt belangrijk voor me. Ik kan me er opladen en ontwikkel er nieuwe hobby's, zoals naaien. Met een tweedehands naaimachine zet ik allerlei ondraagbare kledij in elkaar, die ik vervolgens weer vermaak tot iets anders. Ik word een huistrutje en op de momenten dat ik me dat realiseer, grinnik ik er in mijn eentje om.

Ik voel de rust die ik vroeger voelde wanneer ik me stiekem in vrouwenkleding hulde.

Bij de Hunkemöller koop ik vier beha's die me qua omvang passen, maar qua cup wisselen in grootte. Ik koop wat schuimrubber, vul ze daarmee op en naai de beha's netjes dicht met een afdeklapje. Het moet me helpen in de beslissing of ik wel of geen borstoperatie wil.

Dankzij de hormonen heb ik nu een degelijke A-cup, die best aanvaardbaar is bij mijn slanke lijf, maar toch twijfel ik. Veel transvrouwen kiezen wel voor een borstvergroting, als extra kers op de taart, dus ik vind dat ik het serieus moet onderzoeken.

Ik houd mezelf de beha's voor en voel me belachelijk. Ik voel me een klein meisje dat voor de spiegel een kroontje past en in haar dromen een prinses is. *Grow up*, klinkt het in mijn kop.

Een vervelende vraag nestelt zich bovendien in mijn hersenpan. De vraag strijkt langs mijn gedachten, trekt zachtjes, maar ook dwingend de aandacht.

Is het wel iets voor mij, zo'n stel neptieten? Hoor ik bij de Pamela Andersons en de Lolo Ferrari's van deze wereld?

Een deur klapt dicht. Voetstappen op de trap. Gekraak van plastic tassen.

'Joejoe!' klinkt het schel door mijn studio op driehoog. Het is Nina, mijn levende hulplijn. Ze weet de sleutel die ik haar voor de zekerheid heb gegeven blijkbaar te gebruiken. 'Hé, wat ben jij nou aan het doen?'

'Ik oriënteer me op borsten,' zeg ik.

'Aha!' Ze blijft even staan en bekijkt me met opgetrokken neus. 'Luister eens, ik heb van die lekkere brownies gehaald, die gaan we opeten, wat dacht je daarvan?'

'Ik moet wel opletten met eten, hoor,' zeg ik. 'Door die hormonen heb ik veel meer trek en dan vliegen de kilo's eraan.'

'Ja, dat zou echt een ramp zijn bij jou, wat meer kilo's.'

'Ik ben serieus.'

'Ik ook. Geniet een beetje van het leven, Juul.'

Ik gooi de beha's van me af en plof op de bank. Nina pakt mijn kin vast, bekijkt me als een bazig kindermeisje. 'Hoe gaat het?' vraagt ze. Nog voor ik kan antwoorden draait ze haar ogen weg. En zucht. 'Ik zie het al, je hebt de blues. Volgens mij moeten we even de deur uit, even een frisse neus halen. Heb je daar zin in?'

Ik haal mijn schouders op. Nina ziet het niet want ze kijkt om zich heen, ademt diep in.

'Je mag ook weleens een beetje schoonmaken hier.'

'Ik zit gewoon te piekeren, snap je. Over alles wat er is gebeurd de afgelopen tijd. Het lijkt net alsof alles nu pas op zijn plek valt, of in elk geval een plekje zoekt hier vanbinnen.'

Ik wijs naar mijn hart.

Nina staart even naar me, kijkt van mijn hart recht in mijn ogen en zegt: 'Dit dacht ik dus al. Je ligt jezelf krankjorum te maken met dat gepieker. Waarom bel je me dan niet gewoon?'

'Ik ga je zeker voor elk wissewasje bellen.'

'Mag hoor.'

'Ja, dat weet ik.'

Nina's blik is inmiddels bij de beha's blijven steken. Ik pak het grootste stel tieten en houd ze voor. Ik tuit mijn lippen overdreven, knipper gespeeld verleidelijk met mijn ogen en houd mijn hoofd schuin.

'Wat denk je?' zeg ik. 'Staan ze me?'

Nina barst uit in schatergelach, gevolgd door mijn vrouwelijke interpretatie van een bulderlach.

Dít kunnen wij als geen ander, lachen om dingen die we te serieus vinden om over te praten. We lachen de ernst weg, blazen met ons geproest lucht in een ongemakkelijke situatie, totdat die ontploft van vrolijkheid en de lach niet meer weg te denken valt. Pas dan, het lijkt wel of we pas dan in alle ernst een goed gesprek kunnen voeren.

Ik vertel haar dat ik vind dat ik de keuze moet maken, voor mezelf. Het duurt nog een klein jaar voordat ik geopereerd word, maar het zal goed voelen om de knoop door te hakken, om te weten waar ik naartoe wil. Waar ik duidelijkheid kan scheppen voor mezelf, vind ik dat ik dat moet doen. En dan, vanuit het niets, spreekt ze precies de woorden uit die al de hele tijd door mijn hoofd spoken.

'Ik vind je helemaal geen tietentype.'

Ik stop met lachen.

Hierom is Nina mijn beste vriendin. Er is niemand op de wereld die me beter kent dan zij, de eigenaardige kattenkop met het kleine hartje. Ze is gek op mij, om wat voor reden dan ook.

Zij is de warme deken waar ik altijd onder kan kruipen als ik het koud krijg van mijn omgeving, van boze tongen. Van mensen die hun oordeel klaar hebben, die iets van me vinden, die iets naar me roepen, vaak ondoordacht, maar o zo raak.

'Weet je het wel zeker?'

We staren allebei naar de beha's. Ik denk dat ik het zeker weet, maar daar ben ik niet zeker van. Bijna niets in mijn leven is nog zeker, dus hoe kan ik iets met stelligheid beslissen? Mijn emotionele fundament staat op losse schroeven.

Ik kijk naar Nina. Ik voel paniek opkomen. Ik weet het niet, echt niet. Mijn intuïtie laat het afweten, ik sta schouderophalend langs de zijlijn van mijn leven – in de hoop op een goede scheids.

'Oké,' zegt Nina. 'Even serieus. We doen het zo. Ik pak een blocnote en noteer de voor- en nadelen van tieten. Daarna praten we verder.'

Ze rommelt in haar tas, vist er een schrift met afgestompte hoeken uit en grist een pen van tafel waarvan ze het puntje direct in haar mond stopt. Anders kan ze niet denken.

'Goed. Het ziet er vrouwelijk uit,' begint ze. 'Dat is een voordeel, want dat wil je. Je kunt een decolleté, dus sexy. Je bent wel al dertig als je geopereerd wordt, dus dan is zo'n decolleté misschien een tikkeltje ordi.'

Nina is bloedserieus en voegt toe: 'Is dat een nadeel?'

Ik ben nog steeds naarstig op zoek naar een teken, naar iets wat me vertelt wat ik moet doen. Dat ik het natuurlijk allang weet, maar even kwijt was.

Ze knikt. 'Overduidelijk. Nadeel.'

Hoe kan het toch dat we altijd in onze eigen wereld verkeren, maar elkaar toch helpen? Een opmerkelijk kenmerk van onze band.

'Ik wil gewoon geen barbiepop worden, snap je?'

'Bar-bie-pop. Heb ik. Voor- of nadeel?'

Ik haal mijn schouders op.

'Nadeel, natuurlijk. Dit was een test.'

'Sorry.'

'Kom op, doe nou even mee. Ik probeer je te helpen. Als er iets is wat niet bij je past is het dat opgedirkte travestiegebeuren. Julia, je bent geen barbiepop, dat staat toch vast? Ik weet dat je in de war bent de laatste tijd, maar ik ken je beter dan jij jezelf. Jij wilt gewoon zijn en niets liever dan dat.'

'Klopt.'

'Dus dan moet je gewoon doen. De vraag is alleen: wat zou een gewone vrouw kiezen? Een vrouw zonder dikke tieten die nu het aanbod krijgt daar verandering in te brengen. Wat doet zij?'

Ik sluit mijn ogen en probeer mezelf voor te stellen met een degelijke borstpartij. Het decolleté waar Nina het over heeft heb ik wel duizenden keren geprobeerd te creëren, maar geen push-upbeha of schuimrubberen vullinkjes die het gewenste effect teweegbrachten. Het blijft nep.

'Die gewone vrouw houdt niet van nep.'

'Maar,' Nina legt het schrift en daarmee ook haar noteerwoede naast zich neer, 'wie zegt dat neptieten per definitie nep zijn? Zeg nou zelf, je hebt ook een hoop vrouwen die heel subtiel wat hebben laten doen, hier en daar. Die lopen je te neppen waar je bij staat, met dat goddelijke decolleté van ze. Maar dat is niet erg – wie zegt dat dat erg is? – zolang je maar gelooft dat ze echt zijn. Alleen dan blijft de magie van die rondborstige babe in leven. Als je denkt dat Moeder Natuur haar dat geschonken heeft, zo even tussendoor. Alleen dan.'

'Je praat veel, moet ik zeggen. Je lijkt wel net zo onzeker als ik.'

'Sorry.'

Nina loopt naar het raam, schuift op lompe wijze een plant opzij en laat zich zakken op het kussen in de vensterbank, een knie opgetrokken. Ze kijkt naar buiten en zegt niets meer. De tram rinkelt. De bovenbuurvrouw trekt de wc door.

Pas na een tijdje zegt ze. 'Weet je wat, slaap er nog een nachtje over. 's Morgens zie je alles veel helderder.'

Ik glimlach. Waarom zou ik mezelf ook belasten met die haast. Ik moet erop vertrouwen dat mijn intuïtie me op een dag trakteert op een antwoord, dat moet gewoon.

'Oké,' zeg ik. 'Dan wil ik nu wel een brownie.'

Nina springt op, met haar armen in de lucht. 'Yeah, baby!' roept ze. 'Brownies.'

27

Steffie staat bij het raam met een sigaret tussen haar lippen.

'Je mag hier niet roken, hoor.'

'Wie zegt dat?'

'Het ziekenhuis. De doktoren. De regels.'

'Regels zijn er om gebroken te worden.'

'Je merkt het vanzelf wel.'

Steffie steekt haar sigaret aan en laat zich weer zakken in de vensterbank. Een kussen van een van de andere bedden onder haar billen.

'Wanneer zag je Valerie weer?'

Ik voel nog altijd opwinding bij het horen van haar naam. Ik zal altijd van haar blijven houden.

'De dag dat ik besloot dat ik Valerie graag wilde zien,' vertel ik, 'en ik mijn zoontje graag weer in mijn armen wilde sluiten, werd ik overvallen door een onaangename verrassing.'

'Wat dan?'

Een walm sterk geurende sigarettenrook stijgt op naar het plafond. Ik werp een blik op de gang. Er zal zo wel iemand komen.

'Ik had Valerie een sms gestuurd waarin ik vertelde dat ik zou langskomen, maar ze stuurde niets terug, zoals zo vaak.'

'Het is ook best vreemd om een bezoek aan je eigen huis aan te kondigen, toch?'

Ik knik. 'Ik betaalde nota bene elke maand de hypotheek. Bovendien had ik mijn zoon al maanden niet gezien. Ik was als de dood dat hij me zou vergeten. Ik verlangde er zo naar om met dat kleine mannetje te knuffelen. Hij had hier ook niet om gevraagd, misschien was hij wel al maanden van slag, voelde hij dat de situatie niet klopte.'

Steffie kijkt meewarig en rookt ondertussen door. De as klopt ze af in de aarde van een plant naast haar in de vensterbank.

'Ik hoopte dat Valerie haar woede een plekje had kunnen geven, dat we een normaal gesprek konden voeren, alleen dat zou al een verademing zijn.'

Ik fiets door een gure wind naar ons huis in Watergraafsmeer, het huis waar ik nooit heb kunnen aarden, maar dat toch onderdak biedt aan mijn gezin, aan de mensen van wie ik het meest hou.

Ik steek de sleutel in het slot en word verwelkomd door een verlaten woonkamer, door een stilte die niet past bij een huishouden met kind. Ik kijk in de keuken, maar vind niks. Mijn oog valt op wat lege wijnglazen.

'Valerie?' zeg ik, terwijl ik naar boven loop. Ik raap een stapel aan mij geadresseerde post van de trap. Ze heeft de moeite niet genomen het even door te sturen.

Mijn roep wordt niet beantwoord. Ik loop rechtstreeks door naar de slaapkamer. Ik hoop dat ze er geen punt van zal maken dat ik zo plotseling voor haar neus sta. Ik hoop dat we daar dit keer aan voorbij kunnen gaan en eens een fijn gesprek kunnen voeren, zoals vroeger.

Niks in mij had kunnen bevroeden wat ik aantref wanneer ik de slaapkamerdeur openduw. Het is echt. Het is ongelooflijk, het is bedrog.

De pijn die mijn hart doorboort brengt een beestachtige brul in mij naar boven. Valerie antwoordt met een gil, er klinkt binnensmonds gevloek van de persoon naast haar. Mijn vrouw, mijn echtgenote, de liefde van mijn leven, ligt in bed met een ander. En die ander is Dave, mijn maat van vroeger, onze exzwager. Valerie en Dave doen het met elkaar. Valerie en Dave neuken elkaar. Ik vind het misselijkmakend.

Ik draai me abrupt om en loop naar de kamer van Beer, waar ik een leeg ledikantje aantref.

'Waar is Beer?' roep ik. 'Waar is mijn zoon? Ik wil hem zien! Nu!'

'Hij logeert dit weekend bij mijn ouders,' roept Valerie geïrriteerd vanuit de slaapkamer.

Haar ouders? Ik heb het moment gemist waarop Valerie weer zo close met haar ouders is geworden dat ze zelfs haar kind aan hen toevertrouwt, óns kind.

'Zodat jij even lekker los kunt gaan zeker?' roep ik. 'Waarom breng je hem dan niet naar mij?

Dave staat voor mijn neus, gekleed in zijn boxershort en een T-shirt.

'Ik heb liever niet dat je zo tegen Valerie praat,' zegt hij, gekunsteld rustig. Hij gebaart sussend met zijn handen. 'Dit is een vervelende situatie, dat begrijp ik, maar laten we vooral rustig blijven.'

Ik kan het niet laten, ik kan mijn woede op geen andere manier ventileren. Ik voel me leeg, ik voel me alleen, bedrogen en belazerd. Ik deel een rake klap uit. Ik sla mijn jeugdvriend midden in zijn gezicht. Daarna loop ik de trap af en fiets naar huis. Zonder tranen, zonder spijt. Het wordt hoog tijd dat ik het heft in eigen hand neem. En dat ik mijn geluk niet meer laat afhangen van Valerie.

Die middag nog neem ik contact op met een advocaat voor een omgangsregeling met Beer. Kennelijk is de relatie tussen Valerie en mij zo ver bekoeld dat we er onderling niet meer uit komen.

Een paar dagen later krijg ik een mail van Valerie op de redactie. Ze schrijft dat het haar spijt dat ik haar heb aangetroffen met

Dave, maar dat ze elkaar nu alweer een tijdje zien en dat ze het fijn heeft met hem. Ik druk met mijn hand tegen de knoop die in mijn maag ontstaat. Dan lees ik verder. Ze schrijft dat ze het vooral prettig vindt dat ze zo goed met hem kan praten. Dat ze nog wel van me houdt, maar dat ze niet meer verliefd op me is. Dat ze niet kan leven met mijn 'nieuwe persoonlijkheid', zoals ze nadrukkelijk tussen aanhalingstekens schrijft. En dat ze geen andere oplossing ziet dan een echtscheiding.

Ik klik het mailtje weg en ga verder met het controleren van de drukproeven.

Dromerig tuurt Steffie voor zich uit. Haar gedachten dwalen, vermomd als wolkjes sigarettenrook, door de kamer. Dan ineens raakt haar blik die van mij. Waterige ogen staren me aan, verlangend naar het moment waarop ik vertel dat alles goed komt. Dat de hoofdrolspelers elkaar toch zullen krijgen. Ik kijk weg en vertel verder.

'Ik ontmoette nieuwe vriendinnen, de meeste via de groepscounseling. Ze woonden bijna allemaal in de omgeving van Groningen, waardoor ik vaker die kant op ging. De uitstapjes naar Groningen waren een ontsnapping, een zorgeloze pauze van mijn leven in Amsterdam.

Mirjam werd mijn beste nieuwe vriendin. Zij was al een stuk verder in het traject en stond op de rol voor de operatie, waar we urenlang over spraken. Enerzijds spraken we over de pijn, over het enge van de operatie: er wordt in een heel intiem deel van je lijf gesneden. Aan de andere kant hadden we het over het leven na de operatie: zullen we ons anders voelen als we wakker worden met een vagina? Als onze monsterlijke slurf ons niet meer zal teisteren met ochtenderecties, als we geen bobbel meer zullen zien? Zou het gevoel gespaard blijven? Zouden we ooit nog een orgasme kunnen krijgen?

Zonder te hoeven rukken.

Ons verhaal was vergelijkbaar – allebei nog redelijk jong, opgegroeid in een gelovig gezin en ook Mirjam had een poging tot zelfmoord gedaan. Ze had pillen geslikt in combinatie met alcohol en was door haar moeder gevonden – en gered. In het ziekenhuis hadden ze haar maag leeggepompt en het eerste wat Mirjam aan haar moeder vertelde toen ze weer bijkwam was de waarheid, dat ze het niet meer volhield, dat ze het niet meer kon. Haar ouders waren heel begripvol en steunden haar in alles.

Het schijnt trouwens steeds vaker voor te komen, hoorde ik van Sanne, dat ouders zich serieus verdiepen in genderdysforie en dat ze er vrede mee hebben. Ze steunen hun kind, omdat ze willen dat het gelukkig is, gelukkig wordt. Ze gaan er veel actiever en bewuster mee aan de slag dan de generatie ouders hiervoor.

Ik ben blij met deze ontwikkeling, dat de moderne tijd tot meer begrip voor transseksuelen leidt. Het is alleen zuur dat het bij mij net weer even anders is verlopen.

Tot haar coming-out heette Mirjam Dirk-Jan en werkte ze als geluidstechnicus – in een echte mannenwereld. In een gesprek vertelde ze me dat ze dat vak ter compensatie had gekozen, dat ze bleef hopen dat het een man van haar zou maken. Ik herkende me in dat verhaal. Ik dacht aan fietscross. Mijn voetbalvereniging.

Het was een verademing om een vergelijkbaar verhaal te horen. Ik herkende de ziekelijke neiging je te schikken, koste wat het kost. We hadden het zo lang geprobeerd, om als man te functioneren, om zo normaal mogelijk over te komen. En elke keer was het mislukt.

Mirjam werkte niet meer en woonde weer bij haar ouders. Ze bleef vragen of ik eens bij hen thuis wilde komen, of ik haar ouders wilde ontmoeten, maar het lukte me steeds om vriendelijk te bedanken voor die uitnodigingen. Ik was niet toe aan de confrontatie met een *happy family* zolang die van mij zo overhoop lag.'

Op een dag krijg ik een brief van mijn moeder. Via Maria is ze achter mijn nieuwe adres gekomen.

Lieve Julius,

Ik hoop dat het goed met je gaat. Het doet me veel verdriet dat we elkaar al zo lang niet hebben gezien. Ik hoorde van Maria dat je bent doorgegaan met de behandeling waarover je me vertelde. Het doet me deugd dat ze weer terug is in Nederland en dat jullie zelfs bij elkaar in de buurt wonen! Wie had dat nog gedacht? Ik begreep ook van haar dat je nu als vrouw door het leven gaat.

Ik heb de literatuur die je toen voor me meebracht gelezen.

Soms maak ik me ernstige zorgen om je. Ik ben het niet eens met je besluit, dat zul je begrijpen, ik geloof dat Onze-Lieve-Heer je dit lichaam geschonken heeft en dat je het je leven lang moet koesteren. Ik geloof dat je trots moet zijn op je lichaam, dat je er niet in moet snijden als ziekte dat niet noodzakelijk maakt. Ik ben bang dat je er op een dag spijt van zult krijgen. De wegen van de duivel zijn verleidelijk, hij kan je dingen inprenten, je in dingen laten geloven die niet goed voor je zijn. Het spijt me dat je vatbaar bent gebleken voor zijn streken. Aan de andere kant... je blijft mijn kind en ik hou van je als mijn kind. Ik wil dat je gelukkig bent.

Ik zou het fijn vinden om je te ontmoeten zoals je nu bent. Misschien kunnen we een manier vinden om elkaar te zien en ons contact weer op te bouwen. Het zal wennen zijn, maar ik beloof dat ik je zal accepteren zoals je wenst te zijn.

Liefs,
mam

'Ze wil me dus zien,' zeg ik als ik de brief aan Sanne heb laten lezen. 'Ze wil Julia ontmoeten.'

Ik glimlach onzeker. Ik weet niet wat ik voel. Blijdschap, onzekerheid? Zenuwen. Angst voor wat nog komen zal.

'Dit is een belangrijke stap.'

Sanne vouwt de brief op en geeft hem aan me terug.

'Julia, ik zie aan je dat je hoopte op meer, maar hier hebben we het al eens over gehad. Deze brief is een grote stap vooruit in het contact met je familie.'

'Ik weet het wel.'

'Soms is het voor mensen moeilijk om hun persoonlijke overtuiging op te rekken naar een situatie die zich voordoet,' zegt Sanne. 'Soms is het onmogelijk.'

'Zoals bij mijn moeder.'

'Jullie zullen de rek samen moeten onderzoeken. Het zou kunnen dat je moeder wat meer tijd nodig heeft om het te bevatten, om zich te realiseren dat het geen bevlieging is, of een uitspatting. Vertel haar zoveel mogelijk over wat je meemaakt, over het traject, over de artsen die zich met je bezighouden. Het zal misschien helpen als ze weet dat je niet de enige bent die dit doormaakt, dat er serieuze studies worden gedaan, dat die bijzondere resultaten opleveren. Je moet het een beetje aanvoelen.'

Ik knik terneergeslagen. Ik denk aan de laatste keer dat ik mijn moeder heb gezien, aan de blik in haar ogen, de angst voor wat zich volgens haar in me had genesteld. Ze denkt oprecht dat ik bezeten ben. En daarom is het schrijven van deze brief een grote stap voor mijn moeder.

'Hoe is het contact met je andere zus, met Christa?'

'Er is geen contact.'

'Misschien komt dat ook vanzelf weer een beetje op gang, als jij en je moeder elkaar opnieuw leren kennen.'

'We zullen zien. Ze heeft me duidelijk laten weten dat ze niets meer met me te maken wil hebben.'

'Een emotionele reactie!' zegt Sanne. 'Dat heeft ze geroepen vanuit woede, onbegrip, frustratie, of iets dergelijks. Ik wil je geen valse hoop geven, maar sluit het ook niet uit. Sta open voor een hereniging. Als jij ervoor openstaat, is de weg voor haar een stuk gemakkelijker.'

'Dank je wel.'

Ik sta op. Ons uurtje is weer voorbij.

'O, en Julia?' roept Sanne me nog na. 'Niet je roodste lippenstift op als je bij je moeder langsgaat!'

Ik doe helemaal geen lippenstift op. Ik draag een donkerblauwe spijkerbroek, een wit shirt met V-hals, een stoer, gebreid vest en schoenen met een bescheiden hakje. Ik heb me neutraal opgemaakt en eigenlijk alleen mijn jukbeenderen wat aangezet met rouge. De oorbellen die ik draag vallen niet direct op door mijn haar, dat al flink gegroeid is. Ik heb dik haar en ik ben trots op mijn rode lokken. Als ik het föhn ziet het er heel vrouwelijk uit.

'Daar ben je dan,' zegt mijn moeder als ze de deur opent. Ik heb netjes aangebeld.

'Daar ben ik dan.'

Mijn moeder bekijkt me aandachtig, neemt de tijd om me in zich op te nemen. 'Je ziet er goed uit,' zegt ze dan. 'Wat voller hier en daar. Je hebt een bollere toet.'

'Ik eet gezond,' zeg ik. 'Maar door de hormonen kom ik sneller aan.'

'Nou, dat kon geen kwaad,' zegt ze. Een knipoog moet de spanning doorbreken. 'Kom binnen.'

We drinken thee. Het tikkende slingeruurwerk benadrukt de stilte die we bewaren. Een stilte om even te wennen, hoe ongemakkelijk ook. Voorzichtig komt het gesprek op gang, met wat nieuwtjes die we elkaar uit beleefdheid vertellen. Mijn moeder vertelt over Wim, Christa en de kinderen, over de buurvrouw die haar zoon is verloren en met wie ze goed kan praten, over wat mensen uit de kerk – personages uit een vaag verleden. Het gaat niet zo goed met het hotel. De crisis heeft erin gehakt en Christa en Wim dweilen zodoende met de kraan open, ze hebben de capaciteiten en de kennis niet het tij te keren. Mijn moeder ziet haar levenswerk ten onder gaan in een wilde rivier en is er somber door. Ik kan het niet laten me schuldig te voelen. Zou ze denken dat het anders was gelopen als ik het hotel had overgenomen?

'De scheiding is nu rond,' vertel ik vervolgens. 'Valerie zag geen andere mogelijkheid.'

'Dat spijt me voor je.'

'Ik vind het ook erg jammer.'

'En hoe gaat dat nu met mijn kleine Beer? Valerie is zo lief om hier af en toe met hem langs te komen.'

Ik merk dat ik schrik. Ik wist dit niet.

Mijn moeder gaat verder: 'Ze gaat nu om met die oude vriend van je, toch? Ik vind het maar een vreemde uitspatting.'

'Het schijnt serieus te zijn, dus ik heb het te accepteren,' zeg ik. 'Mam, ik wil dat ze gelukkig is. Dat gun ik haar. En gelukkig,' ik slik even, 'gelukkig zou ze met mij niet meer worden.'

'Het is jammer, het is zeker jammer.'

'We hebben een omgangsregeling afgesproken voor Beer. Ik heb hem om de week in het weekend en eens in de vier weken ook op donderdag en vrijdag.' Na een korte stilte zeg ik: 'Ik kom graag eens met hem langs.'

Mijn moeder knikt. 'Dat zou ik fijn vinden.'

Bij het afscheid kust mijn moeder me op mijn wang.

28

Soms neem ik Nina mee naar Groningen. Dan rijden we in haar blauwe eend gezellig samen naar het noorden. Ik stel haar voor aan Mirjam en aan wat andere meiden. Ik weet niet waar ik precies op hoop, maar ik merk dat Nina stil is tijdens die bezoekjes, dat het niet wil klikken tussen haar en de meiden. Misschien voelt ze zich buitengesloten, soms denk ik dat ze jaloers is.

De ontmoetingen die ik heb in Groningen staan ver van haar wereld, ver van Amsterdam. Ze is niet meer de enige steunpilaar in mijn leven, maar ik weiger te denken dat ze dat oprecht jammer vindt. Ze gunt me alle geluk van de wereld, dat weet ik zeker.

Het is vrijdagavond. We zijn niet naar de stad gegaan – zoals we vroeger deden. We zitten op mijn bank en kijken een film. *Pretty Woman.*

Mijn hormoonhuishouding is de kluts kwijt. Ik beleef de laatste dagen alles met de intensiteit van een zwanger wijf. Om een reclame kan ik al janken. Als ik getuige ben van een innige begroeting tussen twee mensen op straat, stromen de waterlanders al langs mijn wangen. Het is gênant.

Vanavond heb ik het weer. Ik huil. Om alles.

Nina ligt dicht tegen me aan op de bank. Hoofd tegen hoofd, handen in elkaar. Ze heeft me net uitgelachen om mijn nieuwe stroom tranen. Haar warmte laat mijn wangen gloeien.

Ik draai mijn gezicht een kwartslag, zij doet hetzelfde. We kijken elkaar aan. De ongedefinieerde intimiteit zweeft geheimzinnig tussen ons in. Wat moeten we daarmee? Wat speelt er tussen ons? Ik ren weg van de antwoorden en de momenten waarop Nina ernaar vist. Ik wil er niet over nadenken – het zal alles nog complexer maken. Ik ben niet toe aan een nieuwe relatie, die zal geen standhouden in de turbulentie van mijn leven. En Nina is me te dierbaar om te verliezen aan een gebroken hart.

Voor nu kan ik niet eens nadenken. Ik voel de behoefte aan troost, een ontembaar verlangen naar genegenheid. Haar lippen hebben een zuigende werking. Ik trek naar ze toe, het moet wel, zo hoort het. Onze lippen raken elkaar en stilletjes zoenen we. Op de achtergrond lanceert mijn naamgenoot, Julia Roberts, een escargot door het restaurant.

Het is geen lust, het is warmte. Het is geen opwinding, maar bevrediging. De kus maakt alles goed. De kus brengt de storm in mijn hormoonklimaat terug tot een zwoel briesje.

We vallen in slaap op de bank. Ik droom van een gezin, ik droom over mijn zoon en zie Nina met hem spelen. Ze hebben het leuk samen.

Als ik wakker word, lig ik onder een dekentje, is buiten de volgende dag alweer aangebroken en is Nina vertrokken. Ze heeft geen briefje achtergelaten.

Het is mijn weekend met Beer. Ik loop met hem door het park. Op de afgesproken plek laat ik me zakken op een bankje en til Beer uit de wagen. Hij is een vrolijk ventje. We lezen een boekje en hij drinkt wat van het appelsap dat Valerie heeft meegegeven.

Dan zie ik ze lopen, als Jut en Jul, te laat en met een kater, maar het laatste stukje rennen ze op me af. Ze zijn gek op Beer.

Mario neemt hem als eerste van me over. Beer krijst van plezier wanneer Mario rondjes met hem draait en met hem naar het water loopt om naar de eendjes te kijken.

Dennis ploft naast me neer op het bankje.

'Hoe gaat het met Valerie? Is het contact al beter?'

Schouderophalend schud ik mijn hoofd. 'Ik weet het niet zo goed. Ik zal niet zeggen dat het goed gaat. Het gaat, laat ik het daar op houden. Het gaat.'

Hij knikt. 'Ik zag haar laatst nog. In de stad.'

Toch die nieuwsgierigheid. Ik wil toch – tegen beter weten in – horen wat ze er deed, met wie ze was. Ik trek naar de pijnlijke waarheid, ik ben een junk die zich bewust is van zijn verslaving.

'Met wie was ze?'

Dennis duwt me. 'Waarom vraag je dat? Het doet er niet toe.'

'Met Dave dus.'

'Ja,' zegt hij. 'Met die gladjakker.'

Ik lach. Denk ondertussen aan mijn maatje van vroeger. De vriend die mijn vriend niet meer is en mijn oude leven heeft overgenomen, alsof het een geste is. Als ik het niet kan, dan doet hij het wel, zoiets.

'Ik vind haar anders,' zegt Dennis. 'Ik weet niet hoe ik het moet zeggen, maar ik vind haar er niet leuker op geworden. Ze belt ons nooit.'

'Misschien omdat ze weet dat wij elkaar nog regelmatig zien.'

'Ach, nee,' zegt Dennis. 'Ze is tuttig geworden, hoor. Let op mijn woorden. En een beetje hautain. Er kan nog amper een groet vanaf.'

'Vind je het jammer?'

'Natuurlijk. Ik ben gek op haar.'

'Ik ken het gevoel,' zeg ik. We lopen naar het water, waar Mario en Beer nog steeds de grootste lol beleven. 'Toch hoop ik dat ze gelukkig is geworden. Als dat met Dave is, dan maar met Dave. Ik hoop dat ze blij is.'

Dennis raapt een steentje op en gooit het in het water. Eendjes zwemmen gehaast weg. 'Vooruit,' zegt hij. 'Dan hoop ik dat ook.'

We drinken koffie in een drukbezocht café, midden in het park. Het duurt lang voordat onze bestelling er is en de koffie is lauw wanneer we hem drinken, maar we praten er niet over. Het gaat over feestjes – de partymachine van Mario en Dennis draait almaar door, ook zonder mij, realiseer ik me. Er wordt geen drankje minder gedronken. Nog niet zo lang geleden hoste ik met ze mee, nu staat hun leven verder van me af dan ooit. Toch luister ik graag naar de verhalen, die ze met smaakvol gekozen woorden tot leven wekken.

Even later. Ik loop met de wagen langs een meubelzaak op de Overtoom en blijf intuïtief staan voor de etalage. Beer is in slaap gevallen. Zijn wangen rood gekleurd, in zijn handje de resten van wat eerder een biscuitje was.

Ik druk mijn neus tegen het glas. Ik kijk naar een tafel, een mooie tafel, gemaakt van verschillende soorten hout, bewerkt met natuurlijke tinten bruin en groen. Het is het pronkstuk van de etalage. De tafel is gedekt om zo aan te schuiven, met een grote familie, lekker eten. Vormen van gezelligheid die mij vreemd zijn.

Aan de zijkant bungelt een kartonnen hartje. Mijn blik trekt ernaartoe, maar het is eigenlijk niet nodig. Ik weet het al. Op het karton prijken de woorden 'Made by Valerie'.

De teleurstelling van onze gebroken liefde maakt plaats voor trots en dat lijmt mijn hart. Haar droom is uitgekomen. En ik gun het haar.

'Kijk eens Beer,' fluister ik. 'Dat heeft je moeder gemaakt, dat heeft mama gemaakt.'

Beer knippert met zijn ogen, balt zijn vuistjes en valt dan weer in slaap.

Ik heb de laatste tijd al kleine successen geboekt in het contact met Valerie tijdens het ophalen en wegbrengen van Beer. We wisselen steeds meer uit dan alleen praktische informatie over voeding en slaapjes. Vanmiddag, als ze Beer op komt halen, hebben we voor het eerst een echt gesprek.

'Gefeliciteerd, Valerie,' zeg ik. 'Ik heb vandaag een mooie tafel zien staan van je eigen lijn. Die is er dus gekomen.'

Ze schuifelt naar de gang, onze zoon op haar arm. Ze verliest haar masker van afstandelijkheid, van trots.

'Het is je gegund,' voeg ik toe. 'Ik herinner me nog dat je deze droom aan me toevertrouwde, op de brug na de begrafenis van mijn vader. Ik vind het mooi dat je die droom niet hebt opgegeven, en dat die uitgekomen is.'

'Dank je wel,' zegt ze. En dan: 'Hoe gaat het met jou?'

'Met mij? Best wel goed.'

'Ik zie dat je,' ze drukt met een paar vingers tegen haar lippen, maar slaagt erin haar zin af te maken. 'Ik zie dat je borsten hebt.'

'Ja,' zeg ik en kijk naar mijn A-cup. 'Het is niet veel, maar ik ben er blij mee. Ik heb besloten geen neptieten te nemen.'

Valerie lacht. Ik twijfel of dat uit ongemak of uit oprechte verbazing is.

'Als ik te expliciet ben, moet je het zeggen, hoor. Dan zal ik daarop letten.'

'Nee,' zegt ze, 'nee, zo ben je altijd geweest, dus ik ben het wel gewend.'

Beer begint te dreinen, dus ze maakt aanstalten om te vertrekken. Bij de deur pak ik plotseling, zonder dat ik erover nadenk, haar schouder vast. Niet hardhandig, niet dwingend, maar zachtjes, om haar aandacht te vragen.

Ze draait zich om.

Ik vraag: 'Ben je gelukkig, Valerie?'

Ik zie dat ze een traan heeft proberen weg te poetsen, een uitgelopen streepje mascara verraadt haar mislukte poging. Ze geeft Beer een kus op zijn voorhoofd en kijkt me vervolgens serieus aan.

'Ja, Juul,' zegt ze. 'Ik geloof dat ik gelukkig ben.'

'Fijn,' knik ik. 'Fijn. Meer kan ik niet wensen.'

Ze vertrekt en ik geloof erin dat ons contact zich zal kunnen herstellen, ooit. Wij kunnen dat, ter ere van onze zoon. Ter ere van onze liefde.

Mijn dertigste verjaardag vier ik met Nina, Maria, Dennis, Mario en Mirjam in een Amsterdams eetcafé bij mij in de buurt. We vieren dat ik dertig ben en dat ik te horen heb gekregen dat ik over anderhalve maand geopereerd word. Er zijn cadeaus, er is taart, er zijn kaarsjes. Ze zingen voor me, even vals als liefdevol.

Van Nina en Maria krijg ik een envelop met een geldbedrag en een feestbaard. Het bedrag is een aanbetaling voor de eerste laserbehandeling van mijn gezichtshaar, de nepbaard voor als ik ooit spijt zou krijgen. We lachen er hard om.

Dennis geeft me een dildo, voor 'de nodige behoeftes na de operatie'. Ook daar lachen we om. Mario is zoals altijd vergeten een cadeau te kopen, maar belooft dat hij het goed zal maken – zoals elk jaar. Ik vind dat niet erg.

Mirjam, die inmiddels geopereerd en volledig hersteld is, geeft me een mooi boek, om te lezen tijdens de week na mijn operatie waarin ik veroordeeld ben tot het ziekenhuisbed. Ze kan helaas niet langskomen na de operatie, omdat ze dan samen met haar ouders een maand door Australië gaat reizen, wat een gedeelde droom bleek. Ik gun haar de reis en kan me voorstellen hoe lekker het zal zijn even te vluchten na al die heftige gebeurtenissen.

Ik sta buiten met Maria een sigaretje te roken. Ik ben eigenlijk gestopt, maar voor vanavond maak ik een gezelligheidsuitzondering.

'Maria,' zeg ik. 'Ik heb ook nog een cadeau voor jou meegebracht.'

'Een cadeau?' herhaalt ze. 'Voor mij?'

Ik overhandig haar de brieven die ik heb geschreven toen ze in Parijs zat.

'Ik heb je veel geschreven,' leg ik uit. 'Maar ik wist nooit waar ik ze naartoe moest sturen. Het is...'

Mijn woorden sterven in de stilte. Maria leest de eerste brief en schudt haar hoofd.

'Juul,' zegt ze. 'Dit is bizar. Wat prachtig.'

'Ze zijn voor jou. Ik heb ze voor jou geschreven.'

'Dank je wel. Ik vind dit echt heel bijzonder.'

Ze drukt een kus op mijn wang. Haar armbanden rinkelen naast mijn oor.

Binnen worden we dronken en pas als de cafébaas ons verzoekt een laatste ronde te bestellen, druppelen we naar buiten. Ik neem afscheid van een fantastische avond.

Thuis vind ik een lieve kaart van mijn moeder en ontdek ik tussen de tientallen felicitaties op Facebook een privébericht van Valerie. Ze heeft Beer een tekening laten maken en stuurt me alvast een foto van het 'kunstwerk'. Ze schrijft: 'Laten we maar zeggen dat hij het talent van zijn vader nog niet helemaal heeft opgepikt. Tijd voor wat tekenlessen, lijkt me.' Ik lees en herlees het bericht, wel een stuk of tien keer, voordat ik het wegklik.

Dan stort ik me op de afwas van het verrassingsontbijt dat Nina vanochtend heeft verzorgd. Vooral om mezelf wijs te maken dat de spetters op mijn shirt geen zout, maar zeepsop zijn.

29

De sigarettenrook is langzaam opgetrokken in het niets. De geur is verdwenen. Niemand van het ziekenhuispersoneel heeft er iets van gemerkt. Ik voel me enigszins opgelucht, nu sturen ze haar tenminste niet weg.

Steffie hangt in een stoel naast mijn bed. Ze heeft haar schoenen uitgetrokken. Haar blote voeten leunen naast me op de deken.

'Wil je niet nog even slapen, of zo?' vraag ik haar.

Ze schudt haar hoofd. 'Ik slaap nooit,' zegt ze. 'Of in elk geval weinig. Jij?'

'Nee. Te druk in mijn hoofd, geloof ik.'

'Vertel je verder?'

Ik laat mijn hoofd weer zakken in het platte ziekenhuiskussen dat ik dubbel heb gevouwen. Ik denk aan een week geleden.

'Ja, Steffie,' zeg ik. 'Nu zou je kunnen denken dat ik mijn portie drama wel achter de rug had, maar het universum bleek meer voor me in petto te hebben. Zes weken geleden moest ik stoppen met de oestrogenen en twee weken voor de operatie werd ik van de testosteronblokkers gehaald, omdat het gebruik van hormonen extra risico's met zich meebrengt tijdens de operatie. Ik stopte cold turkey, wat een ticket naar de hel betekende. Geen dal waarin ik ooit belandde was dieper, geen periode uit mijn leven was zwarter.'

Ik word wakker met een erectie. Als een botte boer negeert het testosteron mijn nagellak, mijn borsten, het lichte karakter van mijn stem waarvoor ik uren bij de logopedist heb gezeten. Een stijve lul, die kan ik krijgen voor alle moeite.

Ik trek het dekbed omlaag en open mijn ogen. Mijn kloppende, harde geslachtsdeel zorgt voor een bolling in mijn slipje – een oude bekende bolling. Ik sluit mijn ogen, focus me op iets anders. Ik probeer een boodschappenlijstje te maken, ik denk terug aan het gezellige etentje voor mijn verjaardag.

De zwellichamen in mijn geslachtsdeel spelen een vals spel, laten zich niet van tafel vegen door wat gedachten over een pak melk en een half pond sperzieboontjes.

Ik begin erin te knijpen totdat het me zeer doet. Ik laat even los, als het te veel pijn doet, en dan knijp ik weer. Ik probeer de hardheid uit te knijpen zoals ik bij een puist zou doen. Als ik maar hard genoeg knijp zal hij toch wel slap worden?

Het trekt niet weg, ik ben er te veel op gefocust. Er zit niets anders op, ik moet kiezen voor de makkelijke weg.

Ik begin te rukken zoals ik in een ver verleden heb gedaan. Ik huil. Als het sperma uit me komt en mijn piemel zijn lading heeft gelost, geef ik over naast het bed.

Mijn huilbuien worden heviger, ik sluit me op in mijn huis, neem geen telefoon meer aan. Ik draai harde, deprimerende muziek en verdwijn in nummers als 'My Dying Heart' van Dry Kill Logic, die ik op repeat beluister. Als de buren aan de deur kloppen, wens ik ze ziektes toe van chronische en fatale aard.

Ik ben mezelf niet meer. Ik raak uit balans en weet me geen raad.

Als ik op straat Maria en Cecile tegenkom, weet ik niet hoe ik met ze om moet gaan. Ze zijn op weg naar mij omdat Cecile een tekening voor me heeft gemaakt. Ik merk aan mijn zus dat ze het als excuus gebruikt om te kijken hoe het met me gaat. Ik zie de bezorgde blik in haar ogen, en in plaats van haar liefde te voelen, erger ik me aan haar.

'Wat kan ik voor je doen?' vraagt haar zachtaardige stem.

Mijn antwoord is kortaf: 'Niks, helemaal niks.'

'Maar er is toch wel iets waarmee...'

'Maria, ik zeg toch: niks!'

Mijn geduld verdwijnt, mijn frustratie groeit met elke haar die zich opnieuw een kans op mijn borst gunt. Alles wordt teruggedraaid. Het testosteron neemt mijn lichaam over, als een valse natuur.

Mijn zus haalt haar schouders op en wandelt verder met Cecile, die niets in de gaten lijkt te hebben. Ze babbelt tegen niemand in het bijzonder, lacht om grapjes die wij niet verstaan. Ze leeft in haar eigen wereld, net als ik.

Op mijn werk trek ik me terug in mijn eigen cocon, zit vooral met een koptelefoon op. Aan de gezamenlijke lunch weet ik behendig te ontsnappen door me op te sluiten op het toilet als iedereen naar de keuken loopt, of door al voor de lunch wat te eten onder het mom van een onstilbare honger. Mijn honger is ook onstilbaar, ik heb een honger naar oorlog, naar confrontatie. Ik zoek ruzie, een manier om mijn gevoel van onbehagen te uiten. Ik wil schreeuwen, ik wil vloeken, ik wil gillen, ik wil huilen. Ik ben als de gek die met zijn hoofd tegen de muur bonkt om de stemmetjes in zijn kop te laten stoppen.

Nina komt bij me eten. Zij kookt, maar weet niet dat ze tegelijkertijd met de vlam van het fornuis bij mij een roekeloze irritatie ontsteekt. Uitgerekend dat moment kiest Nina ervoor om onze relatie te willen duiden. Juist als ik me voel alsof de organen uit mijn buik zullen spatten van gekte, begint ze het relatiegesprek.

'Juul,' zegt ze, al roerend in een pan. 'Hoe denk jij over ons?'

En ik had het al gevoeld toen ze binnenkwam, ik wist al dat ze erover nadacht, dat ze erover wilde beginnen. Ik had de deur op het nachtslot moeten doen, de muziek op volume vijftig. Ik had haar nooit moeten toelaten in mijn hol.

'Moeten we het daar nu over hebben?'

'Wanneer moeten we het er anders over hebben? We praten er nooit over.'

'Dat bevalt me tot nu toe wel goed, eigenlijk.'

'Lekker makkelijk.'

'Hoezo is dat nou gelijk makkelijk?'

'Dat is toch zo? Je deinst terug voor een moeilijk gesprek.'

'Mag ik?'

'Uhm,' zegt Nina, 'nee. Dit keer niet.'

'Dan heb je toch echt pech.'

'Kom op, Juul, wat doe je nou moeilijk?'

'Ik heb er geen zin in, Ni-na.'

Ze gooit de spatel in de pan en keert zich naar me toe. 'Het draait niet altijd om jou, weet je dat? Ik weet niet of je het in de gaten hebt, maar je lijkt me iets te ver doorgeslagen in het "aan jezelf denken". Je vraagt nooit meer naar mij, het kan je geen reet schelen hoe het met mij gaat.'

'Och, wat een onzin.'

'Zo is het echt. Kom er nou gewoon een keer voor uit. Wat voel je voor mij? Wat is dit,' ze gaat met haar wijsvinger van mij naar haar, 'tussen ons? Wat hebben wij?'

Ik smeek haar, wil haast op mijn knieën vallen. 'Nina, alsjeblieft. Niet nu...'

'Goed, niet nu, wanneer dan?'

'Weet ik niet.'

'Daar neem ik geen genoegen mee, sorry. Laten we er dan een afspraak over maken. Ik moet het weten, ik kan zo niet verder.'

'Waar heb je het over?'

'Jezus, Juul, snap je het nou nog niet? Ik ben verliefd op je.' Ze gooit de pan van het fornuis in de gootsteen. Hevig gesis stijgt op. 'Verdomme!' roept ze. 'Moet ik het dan voor je spellen? Ik ben verliefd op je.'

'Nina...'

'Zie je nou wel, het interesseert je niks.'

'Het is nu gewoon even geen goed moment. Ik zit niet lekker in mijn vel en...'

Nina geeft me een duw. Ze lijkt waanzinnig van emoties.

'Krijg de tering,' schreeuwt ze. 'Ik verklaar je net de liefde. Ik zeg net dat ik van je hou. Dan reageer je daar toch op? Hou je ook van mij, Juul? Zeg op. Ik wil het nu weten.'

Het beest in mij komt los. Ik sta met mijn rug tegen de muur, voor me een holbewoonster die een spies op me richt. Ik kan geen kant op, ik moet terugslaan, er is geen andere mogelijkheid.

Ik hoor mezelf schreeuwen. 'Hou nou even op met dat gezeik! Ik trek het niet om het daar nu over te hebben! Hou erover op!'

Nina wordt klein, een muisje in een jurk. '"Gezeik"?' fluistert ze. 'Zei je dat nou? "Gezeik"?'

Zonder zich nog om het eten te bekommeren, rent ze van het fornuis weg, grist haar tas mee en stormt de deur uit. De deur doet ze niet dicht, een uitnodiging om haar achterna te rennen. Wat ik niet doe.

Ik hou van haar, ja, maar heb er de ruimte niet voor om dat te uiten. Het is er de tijd niet voor. En ik vind dat ze dat moet snappen.

Ik spoel de pan op mijn gemak om, bestel een pizza en ga op de bank zitten met een glas whisky.

Heel de nacht drink ik door. Vooral whisky, maar als die op is, ga ik over op bier, dat ik in de koelkast bewaar voor gasten. Zelf drink ik liever wijn, maar mijn voorraad is leeggeschonken.

De roes begrijpt me wel, verwelkomt mijn verwarde geest met warme armen. De kamer draait, zoals mijn leven draait, en ardoor komen mijn gedachten tot stilstand. Ik val een paar ur in slaap en ontwaak om een uur of acht 's morgens. Ik pak nog een biertje en drink er nog een, totdat ik weer in die roes beland. Het is ideaal, het voelt goed, het is de beste ontsnapping uit mijn belachelijke leven.

Ik duik mijn kledingkast in en zoek de foutste kleren bij elkaar die ik bezit. Ik trek een tijgerrokje aan – ooit gekocht voor een verkleedpartijtje met Nina. Daaroverheen een zwart laag uitgesneden shirtje. Ik sla een boa van roze veren om als sjaal en pak glitterhakken die ik heb gekocht om naar te kijken – niet om op te lopen. Ik bekijk mezelf in de spiegel en lach smakelijk. Dan schraap ik mijn keel en tuf in het spiegelbeeld. Ik tuf op mezelf.

Ik laat een scheet en moet daar heel hard om lachen, zo hard dat ik midden in de kamer op mijn knieën moet gaan zitten om op adem te komen. En dan, dan sta ik op, stop lukraak wat dingen in mijn tas, waaronder mijn telefoon, een mandarijn, een schaar en het gele vaatdoekje van het aanrecht. Ik ga. Ik moet gaan.

Af en toe sla ik wat treden over en daal ik de trap af op mijn billen, maar pijn voel ik niet.

Ik voel niks meer.

Ik haal de voordeur en laat een boer, die ik verstoord wegwuif. Ik heb een doel. Ik heb wat goed te maken.

Voetje voor voetje beloop ik de drie straten die Nina van me vandaan woont. Er hebben nog nooit zo veel mensen naar me gekeken, of gewezen, maar het raakt me niet. Ik zie ze wel, maar ik heb toch lekker de roes van alcohol die me beschermt. Een kogelwerende mantel.

Op het pleintje voor Nina's appartement is een Albert Heijn en voor de zaterdagochtend neem ik een behoorlijke bedrijvigheid waar.

'Jullie zijn vroeg, zeg,' mompel ik tegen niemand in het bijzonder.

Mijn horizon verschuift steeds, elke keer als ik mijn blik op iets anders richt, blijkt de horizon schever te zitten. Er komt net iemand het portiek uit gelopen, dus ik glip naar binnen.

Twee trappen, moet lukken.

Halverwege ga ik even zitten om op adem te komen, om de wereld om me heen wat te stabiliseren. Het lukt niet, maar toch ga ik voort. Ik arriveer bij de deur en in plaats van aan te bellen, lijkt het me leuk om als Zwarte Piet op de deur te bonken. Ik heb immers goed nieuws, want ik hou ook van haar!

De deur gaat open. Nina in een chique outfit, alsof ze naar de kerk gaat.

'Jezus,' zegt ze. 'Wat is er met jou gebeurd?'

Ik duw haar lomp opzij en loop onhandig naar binnen. De glitterhakken blijven steken in het tapijt. Ik loop verder op blote voeten, rechtstreeks naar de keuken om een paar slokken water uit de kraan te drinken. Ik brabbel wat hier en daar, kom niet uit mijn woorden.

Nina volgt me op mijn route. Ze praat tegen me, maar haar woorden blijven ergens hangen. Ik laat me op mijn knieën vallen, midden in de kamer. Op theatrale wijze kus ik haar voeten. Ik hang aan haar benen.

'Juul, doe normaal,' zegt ze. Ze schopt me van zich af. 'Je bent hartstikke dronken. Het lijkt me beter als je naar huis gaat.'

Dan zie ik ze, het deftige echtpaar, de ouders van Nina. Ze kijken op me neer. In de weerkaatsing van hun ogen zie ik een freak. Een dronken freak in kostuum, die de voeten van hun dochter kust en wartaal uitkraamt.

'Juul, ga maar naar huis,' probeert Nina nog eens. 'Dat lijkt me het beste.'

Met haar hulp kom ik overeind. Ze beledigt me. Door te zeggen dat ik beter naar huis kan gaan, maakt ze de freak van me die haar ouders in me zien. Ze schaamt zich voor me, ze wil me weg hebben. Die ouders van haar, die niets om haar geven, die niet cepteerden dat ze lesbisch is, die kunnen toch zeker beter naar huis gaan?

'Waarom ik?' roep ik. 'Waarom, waarom? Waarom kan ík beter naar huis gaan? Zeg, dan? Waarom zij niet?'

'Juul, nu ga je weg!'

Nina duwt me in de richting van de gang.

'O, zo gaat dat dus!' ga ik verder. 'Je houdt van me, maar je ouders mogen me niet zien. Sorry, mensen, het gaat even niet zo lekker met me, maar wat doet uw dochter: ze duwt me haar huis uit! Zo lost ze de dingen op! Lekkere dochter!'

Haar ouders blijven me aankijken, zonder een woord aan de situatie vuil te maken.

'Je gaat echt te ver nu,' snauwt Nina. 'Doe normaal, ga je roes uitslapen en we praten hier later over.'

'Nu ben ik er, we praten nu.'

Nog een laatste duw en ik sta echt buiten, de glitterschoenen gooit ze me achterna. De deur klapt dicht. Ik klop nog een keer aan, maar er wordt niet gereageerd. Nina, de laatste die ik nog heb, ook zij laat me in de steek. Het voelt als verraad, hoogverraad.

Ik dender de trap af, sneller dan goed is in de staat waarin ik verkeer, en vlieg het portiek uit. Midden op het pleintje zoek ik de aandacht, zoek ik de ogen, zoek ik het publiek. Ik schreeuw. Ik roep. Ik gil.

'Kijk mij nou!' roep ik. 'O, kijk mij nou! Ik ben een vent, in vrouwenkleren. Ik ben helemaal niets, niemand houdt van mij! Niemand heeft ooit van me gehouden.'

Ik doe de boa af en slinger die achter me neer. Daarna trek ik de glitterschoenen uit en gooi ze erachteraan. Blootsvoets op straat, zonder schaamte.

Mijn publiek groeit. Er ontstaat een cirkel van fluisterende mensen op flinke afstand, met mobieltjes in hun handen. Niemand praat tegen me, ik ben de melaatse, de gek die je op gepaste afstand moet gadeslaan. Als dat is wie ik moet zijn, dan ben ik dat maar, zo denk ik. Het kan me niets meer schelen.

De immense haat ten opzichte van mijn pik spat plotseling uit mijn poriën. Die monsterlijke slurf heeft alles veroorzaakt. Als die er niet was geweest, was ik nu een normale huisvrouw geweest, was ik nu boodschappen aan het doen voor mijn gezin bij die Albert Heijn.

Ik zie Nina voor het raam staan. Ze schudt haar hoofd, probeert me met haar blik te weerhouden van alles wat ik aan het doen ben. Maar zij geeft niets om mij, zij poetst me weg van het beeld dat ze van zichzelf creëert voor haar truttenouders. Wat is onze vriendschap dan waard? Is dat liefde?

Als ik mijn shirt even omhooghoud, ontstaat er een golf van verontwaardiging bij mijn publiek. Jonge kinderen worden de cirkel uit getrokken, worden met gedraaide nekken weggesleept door hun ouders.

Ik geef me bloot, is dat zo erg? Ik heb me altijd moeten verbergen. Ik heb altijd in een rol gezeten. En nu blijkt er toch interesse te zijn. Ik zie de mensen kijken. Lachende gezichten, bezorgde gezichten, blikken van afschuw.

'Komt dat zien!' brul ik. 'Komt dat toch zien!'

Ik buk en pak mijn tas. Ik grabbel en vis de schaar eruit. Ik druk hem tegen mijn kruis en voel het metaal door de stof van mijn rokje. Nu kan ik het doen, ik kan nu een eind maken aan al die ellende. Ik kan het ding er zo afknippen. Het zal even doorzetten zijn qua pijn, maar dan ben ik er wel vanaf. Ik hoor de woorden van Sanne echoën in mijn hoofd: 'Behandel je geslachtsdeel met respect. Het vormt de basis van je nieuwe geslacht.' Onzin, is het! De grootste onzin die ik op dit moment kan verzinnen.

'Juul, hou op! Juul!' Nina komt aangerend, ze heeft een lange jas bij zich.

'Bemoei je er niet mee. Moet je niet naar je ouders?' roep ik terug.

Juul, haal die schaar daar weg. Nu!'

'Ik ben er klaar mee, Nina. Het moet weg, het ding moet weg. Dit is niet van mij!'

Ze staat nu heel dichtbij. 'Ik weet het,' zegt ze. 'Ik weet het.' En nog eens: 'Ik weet het.'

'Nou, dan...'

'Lieve schat, de operatie is volgende week. Je bent er bijna. Je bent van slag door de hormonen, door de alcohol, je denkt niet helder nu. Geef alsjeblieft die schaar aan mij en doe deze jas aan.'

Ze draait zich om naar de mensenmassa en schreeuwt: 'Wat staan jullie in godsnaam te kijken, stelletje eikels! De show is voorbij.'

En dan weer tegen mij: 'Kom op, Juul, geef die schaar.'

Ik luister, ik luister zowaar naar wat ze zegt. Ik laat me meevoeren in de jas die ruikt naar Nina. Ik zit op haar bed, terwijl ik haar ouders hoor weggaan. Ze trekt me wat kleding van haar aan, neemt me mee naar buiten en zet me in de blauwe eend. We rijden drie straten verder, waar ze me thuis in bed legt. Ze verdwijnt zonder een woord te zeggen. Af en toe zeg ik wat tegen haar, terwijl ik weet dat ze er niet meer is.

Ik slaap de rest van de dag en een nacht.

Zondagochtend kom ik mijn bed uit. Dan pas vind ik het briefje.

Juul, ik wil voorlopig geen contact meer. Je hoort wel weer van me. Sterkte met de operatie, voor die tijd wil ik je niet meer zien. Ik zal aan je denken. X Nina

30

Ik ben een vrouw in een mannenlichaam. Het kostte me een jaar of vier om dat uit te vinden, het duurde achtentwintig jaar voordat ik er wat mee durfde te doen. Een besluit dat gepaard ging met het grootste verdriet dat ik ooit heb gekend. Als mals, urenlang gestoofd vlees, zag ik mijn leven uit elkaar vallen. Er was geen weg terug.

Door hier te liggen, in dit bed, in dit gebouw, duik ik uit vrije wil in de gulzige sudderpan die me met voldoening uit elkaar trekt. Het doet me pijn.

Mijn jeugdvriend heeft me belazerd, mijn zus kijkt me niet meer aan. Mijn vrouw, Valerie, is nu mijn ex. Mijn liefste vriendin wil me niet meer zien.

Ik ben dertig en zo sta ik er dus voor in het leven. Ik ben eenzaam. Ik ben alleen achtergebleven met de wens die ik al die jaren zo goed wist te versluieren. De wens om mezelf te kunnen zijn heb ik jaar in jaar uit naar de achtergrond weten te duwen.

Ik heb me twee jaar geleden aangemeld voor het genderprogramma in het ziekenhuis, omdat ik de strijd aan het verliezen was. De rollen die ik me heb aangemeten, als zoon, echtgenoot, vriend en vader vertoonden scheurtjes, onzuiverheden. De man die ik probeerde te zijn is niet meer, die man bestaat niet meer, die man heeft nooit bestaan. Het was allemaal nep.

En hier lig ik dan, te wachten op de operatie die mij mezelf kan geven, die mijn eigen leven, dat ik de afgelopen maanden b opgebouwd, kan bezegelen. Ik ben doodsbang voor het nes, maar tegelijk verlang ik ernaar als naar een zoete verlossing van de jarenlange zelfkastijding.

Het is zover. Ik word weggereden door een zestal witte jassen. De jassen zeggen vriendelijke dingen tegen me die ik niet hoor. Ik zie lichten, ik zie apparatuur. En dan verdwijn ik in een roes van wilde dromen die extremer zijn dan mijn psychiater kan verzinnen. De roes lijkt oneindig, een waterkolk waar ik niet meer uit kom. Ik zie kleuren, heel veel kleuren en ik hoor geluiden. Zal ik ooit dichter bij de dood komen dan dit? Dan vervagen de kleuren in een grijze massa en wordt alles uiteindelijk gitzwart. Een donkere stilte volgt. Een stilte die een leven lang duurt.

1

Als ik mijn ogen open, valt me als eerste het prachtige, uitgestrekte, witte landschap op. Jawel, ik zie mijn twee borsten, maar verder is er geen bobbel meer in het laken te ontdekken. En dat voelt vertrouwd, normaal, zoals het hoort.

Het tweede wat ik zie is de zuster die me glimlachend aankijkt. En nu ik haar scherp op mijn netvlies heb, ontdek ik er nog twee – een stukje verderop in de kamer.

'Ja hoor,' klinkt er, 'ze is wakker!' Het is de zuster die vlak naast me staat. 'Hoe voel je je?'

Ik geef antwoord, maar produceer geen geluid. Met moeite, mijn hele lijf doet zeer, schraap ik mijn keel en brom: 'Pijn.'

'Ja, heb je last?' vraagt ze naar de bekende weg. 'Dan zal ik je wat extra's geven tegen de pijn.'

'Steffie,' vraag ik. 'Is Steffie er nog?'

Ik weet het antwoord al. Ik voel het al. Ze is er niet meer.

'Steffie?' zegt ze, terwijl ze oogcontact zoekt met haar collega's. Ik zie dat ze hun hoofd schudden. 'Ik weet niet zo goed wie dat is, Julia. Wie is Steffie? Kan ik haar voor je bellen, misschien?'

Ik sluit mijn ogen. In gedachten roep ik haar mooie verschijning op, maar Steffie blijft weg. Haar hakken klossen niet meer door de kamer, haar glanzende haar danst niet meer voor mijn ogen. Haar blik probeert me niet meer te doorgronden. Ze heeft geen vragen meer. Ze is weg.

Ik merk dat de slaap me weer overmeestert. Geleidelijk voel ik mijn bewustzijn afzwakken. Steffie is weg, maar het geeft niet. Ik heb haar niet meer nodig. Ik heb altijd mezelf nog.

Er hangt een slinger in mijn kamer. In roze letters lees ik: 'Het is een meisje!' Ik zie het ziekenhuispersoneel kijken. Verpleging, artsen in opleiding, in tientallen staan ze rond mijn bed, wel twee, drie rijen dik. Ze hebben eerst geapplaudisseerd, ik weet niet zo goed waarvoor, maar het geeft een feestelijke stemming.

Hun blikken vallen op me neer als koude zomerregen op mijn blote huid. Ik balanceer tussen een gevoel van schaamte en de slappe lach. Zo preuts als ik vroeger was, zo open toon ik me nu aan de ogen van vreemden in witte jassen.

Ergens heb ik altijd verlangd naar dit soort aandacht, een toegewijde, oprecht geïnteresseerde aandacht. Dit is het moment, zeg ik mezelf in gedachten, dit is het moment waar je al die tijd naar hebt uitgezien. Geniet ervan, vrouw.

Ik bal mijn vuist, in de waan dat ik het daarmee op gang kan krijgen, het genieten. Ik kijk om me heen. Vriendelijke gezichten.

Ik kijk met ze mee naar mijn nieuwe geslacht. Het ziet er akelig uit, het moet nog herstellen, maar het belangrijkste kan ik zien. De slurf is weg, eindelijk is die slurf weg.

Het geluk trekt als dikke stroop door mijn bloed, langzaam vind ik de kracht om op te veren en voel ik wat het met me doet. Het is de beste pijnstiller die er bestaat.

Ik hoor weinig van wat de behandelend arts zijn gevolg vertelt over de operatie, over mijn dossier, over de resultaten. Ik zie lippen bewegen, maar kan die van mij slechts vormen tot een dikke, smakelijke glimlach. Ondanks de gênante situatie, de ogen die op mijn kersverse geslachtsdeel gericht zijn, de pijn en de bergen werk die me op sociaal gebied nog te wachten staan, weet ik: van nu af aan is het officieel. Voor de maatschappij ben ik nu officieel vrouw.

Een vrouw.

Ik ben een vrouw, ik heb een vagina en ik heet Julia.

Er volgt een zware week. Ik moet plat blijven liggen en heb pijn die wat weg moet hebben van de pijn na een bevalling.

De week duurt lang. Het boek van Mirjam lees ik twee keer. Ik krijg een brief van mijn moeder, wat sms-berichtjes van Maria, die druk is met haar nieuwe baan en de zorg voor Cecile. Van Dennis krijg ik een sms, van Mario hoor ik niks, maar onder de sms van Dennis stond ook Mario, dus misschien vond hij het zo goed. Van Valerie geen bericht. Van Nina ook niet.

De stille week ervaar ik als een wijze les voor de toekomst. Ja, ik ben te veel met mezelf bezig geweest de afgelopen tijd, daar heeft Nina gelijk in. Ik heb mensen uit mijn omgeving verwaarloosd, ik heb mijn werk verwaarloosd. De stilte leert me dat ik daar in de toekomst anders mee moet omgaan.

Ik ben ook zo helder van geest om te zien dat die verwaarlozing een uiting van compensatiegedrag is geweest. Ik heb evenveel aandacht aan mezelf besteed als ieder ander, alleen deed ik het achtentwintig jaar niet en twee jaar alleen maar. Dat begrijpt een gemiddeld mens niet, dat snap ik, en daarom ga ik de komende tijd mijn uiterste best doen de contacten te herstellen, om de balans terug te vinden. De mensen van wie ik hou ga ik koesteren, omarmen. Ik ga vechten om hun liefde terug te winnen.

Ik word ontslagen uit het ziekenhuis. Ik sta bij de balie om een formulier te ondertekenen. Achter me hoor ik de verpleging lachen. Ze halen de slingers in mijn kamer naar beneden. Mijn bed wordt verschoond.

Ik zeg Sanne gedag. Het is geen zwaar afscheid, ik zal haar de komende tijd nog geregeld zien. Dan schuifel ik met mijn pijnlijke vagina naar de lift en van de lift naar de uitgang van het ziekenhuis. Ik neem een taxi naar het station.

'Weertje, hè?' zegt de taxichauffeur.

'Nou en of,' zeg ik terug. 'Dat heb je mooi uitgekozen, chauffeur.'

Hij lacht en ik ook. We hebben het goed samen, voor het moment.

Op het station koop ik een kaartje en wacht op een bankje totdat mijn trein voor het perron parkeert. Ik stap in en kies een plek bij het raam, mijn weekendtas met spullen voor een week tegenover me. De plastic tas met de dilator en de tubes glijmiddel erbovenop.

Ik staar een paar uur lang uit het raam en zie nog eens het typisch Hollandse landschap aan me voorbijglijden. Een klein zonnetje kleurt het gras heldergroen, wat koeien liggen lui in het veld. Verderop een kudde schapen. Ik staar naar de boerderijen waar we langs razen. Wie zouden daar wonen? En wat zouden ze nu aan het doen zijn?

Ik heb me opgeknapt voordat ik vertrok, dus ik heb niet veel bekijks. Ik zie er verzorgd uit, draag comfortabele, nette kleding. Mijn haar naar achteren gebonden in een staart. Mijn ogen geaccentueerd, op mijn lippen een mooie glans. Als een dame ga ik op huis aan, als een dame van dertig.

Op het Centraal Station van Amsterdam twijfel ik of ik de tram zal nemen, maar als ik denk aan de wilde bochten die de stadswagonnetjes soms maken, voel ik de pijn al zeuren. Ik kies voor een taxi. Dit keer heeft de chauffeur geen zin in een praatje en ook dat is goed. Ik vind het allemaal goed.

Ik geef de man een goede fooi en stap met mijn spullen uit. Ik kijk naar boven, naar mijn studio aan de overkant van de straat en zucht van verlichting. Wat heb ik dat gemist, om thuis te zijn. Als ik de straat wil oversteken valt mijn oog op iets wat me tot stilstand brengt. Midden op de weg blijf ik staan, met gevaar voor eigen leven. Een auto toetert luid en ongedurig, maar ik verroer me niet, ik blijf staan, ik blijf kijken.

Dan gaan de luiken open. Ik zie alles scherp. De wind prikt overtollig vocht uit mijn ogen. Ik ruik versgebakken brood. Shoarmavlees. Ik ruik uitlaatgassen. Ik hoor fietsers, klotsende grachten, stemmen, auto's, trams, kinderen, getoeter. Voor het eerst sinds de operatie voel ik dat ik leef. Het is niet meer zo dat ik gelukkig wil zijn, of vind dat ik het moet zijn, ik weet nu pas wat het is. Geluk. Ik voel dat ik besta, dat ik er mag zijn. Mijn bloed stroomt, mijn hart klopt.

Als het getoeter zich vermenigvuldigt strompel ik verder en verder, de straat over, de met liefde gevulde parkeerplaats langs. Ik steek niet alleen de weg over, van straatkant naar straatkant, het is zoveel meer dan dat. Het is een enkeltje Venus, het is de weg naar een volwaardig leven als vrouw. Ik wandel een nieuw leven tegemoet, een leven waarin ik gelukkig zal zijn, een leven waarin ik mezelf kan zijn en er van me gehouden wordt zoals ik ben.

Ik kijk nog even om naar de blauwe eend voor de deur. Dan loop ik naar binnen, waar het leven zal zijn zoals het bedoeld is.

DANKWOORD

Soms ontmoet je mensen die je energie geven. Soms ontmoet je mensen die je inspireren. Soms ontmoet je mensen die je hart verwarmen. En maar heel soms ontmoet je mensen die je hart veroveren. Paulien en Willemijn, jullie hebben mijn hart veroverd. Jullie openheid, de manier waarop jullie in het leven staan, de liefde die jullie geven, het zijn inspirerende levenslessen. Jullie verhaal is in mijn kop gaan zitten en ik ben van jullie gaan houden. Dank jullie wel.

Hanneke en Jolanda, ontzettend veel dank voor jullie verhalen en achtergrondinformatie. Ik bedank graag Astrid Pascal, voor haar waardevolle kennis en voor haar betrokkenheid bij de totstandkoming van dit boek. Astrid, je bent een topwijf. Pastoor Leen Wijker, bedankt voor uw wijze woorden en open visie ten aanzien van het voor de kerk gevoelige onderwerp transseksualiteit. En Jim, dank je wel voor het delen van je religieuze standpunten.

Lieve Edwin, bedankt. Voor alles.

Alexandra de Vries: Veel dank voor het prachtige omslagontwerp.

Tot slot graag een woord van dank voor de medewerkers van Uitgeverij Cargo en redacteur Annemieke Ebus-Vermeer. Bedankt voor jullie kritische blik, zorgvuldige werk en betrokkenheid. Ik kan nauwelijks onder woorden brengen hoe blij ik ben dat ik dit boek mocht schrijven.